EVA BERTHOLD

KRIEGS-GEFANGENE IM OSTEN

EVA BERTHOLD

KRIEGS- GEFANGENE IM OSTEN

Bilder · Briefe · Berichte

ATHENÄUM

CIP-Kurztitelaufnahme der Deutschen Bibliothek

Kriegsgefangene im Osten : Bilder, Briefe, Berichte
/ Eva Berthold. – Königstein/Ts. : Athenäum, 1981.
  ISBN 3–7610–8120–0
NE: Berthold, Eva [Hrsg.]

Umschlaggestaltung: Design Team, München
Gesamtherstellung: Friedrich Pustet, Regensburg
Printed in Germany
ISBN 3-7610-8120-0

Inhalt

Eva Berthold

Prolog

Wenn von den Opfern des Zweiten Weltkriegs gesprochen wird, so ist von vielen Millionen die Rede: Von Millionen Gefallener, Gefangener, Vermißter, von Millionen Ermordeter, Ausgebombter, Geflüchteter. So wichtig es ist, daß wir uns diese Zahlen immer wieder in Erinnerung rufen, so sehr macht mich die Anonymität der blanken Ziffern betroffen. Die Zahlen auszusprechen ist allzu leicht. Das von jedem Einzelnen dieser Millionen Erlittene zu benennen, ist nicht möglich.

Wir können uns das Geschehene nur durch Beispiele vergegenwärtigen. Ich habe versucht, mir und dem Leser dieses Buches etwas von der Erfahrung Kriegsgefangenschaft zu vermitteln, vergangene, fremde Wirklichkeit zu vergegenwärtigen, indem ich ehemalige Kriegsgefangene bat, ihre Erinnerungen an das Erlebte aufzuschreiben oder mir bereits früher niedergeschriebene Berichte zur Verfügung zu stellen. Andere habe ich für eine vorausgegangene Fernsehdokumentation ausführlich befragt; auch diese Interviews sind in diesen Band eingegangen.

Dieses Buch ist nicht die erste Veröffentlichung über die deutschen Kriegsgefangenen. Die „Wissenschaftliche Kommission zur Erforschung der deutschen Kriegsgefangenengeschichte" hat ein vielbändiges Werk herausgegeben, das die grundlegende Dokumentation für jede Auseinandersetzung mit diesem Thema ist, das im übrigen auch in einer Reihe von Sachbüchern sowie in journalistischen und romanhaften Darstellungen behandelt worden ist.

Mir ging es darum, eine möglichst große Zahl von authentischen Berichten ehemaliger Kriegsgefangener in einem Band zu vereinigen und die Aussagen der einzelnen Verfasser durch zahlreiche Bilder und persönliche Dokumente zu illustrieren. Es ging mir um ein hohes Maß an Unmittelbarkeit der Information, Lebendigkeit und Anschauung.

Die Auswahl der Beiträge ist nicht willkürlich, aber auch nicht repräsentativ im strengen Sinn. Ich habe versucht, typische Schicksale zu dokumentieren – also Berichte von Soldaten ebenso wie von Offizieren, von Gefangenen russischer Musterlager ebenso wie von Überlebenden der sibirischen Arbeitslager, von Frühentlassenen wie von Spätheimkehrern. Neben Kriegsgefangenen habe ich auch deportierte und zivilinternierte Frauen zu Wort kommen lassen. Nicht berücksichtigt habe ich die Gefangenschaft von Angehörigen der Wlassow-Armee, der von den Engländern bei Kriegsende der russischen Armee übergebenen Kosakeneinheiten, der Angehörigen von spanischen, italienischen und anderen nichtdeutschen Einheiten, die auf der Seite der Wehrmacht am Krieg teilnahmen. Das hätte den Rahmen dieses Buches gesprengt.

Bei der Anordnung der Beiträge bin ich nicht nach räumlichen Gesichtspunkten vorgegangen, obwohl einige von Kriegsgefangenen stammen, die sich in polnischem, tschechischem oder jugoslawischem Gewahrsam befanden. Da der Krieg im Osten als ein historisch einheitlicher Vorgang zu betrachten ist, habe ich die Berichte chronologisch angeordnet, wobei bis 1945 im wesentlichen der Zeitpunkt der Gefangennahme entscheidend war und nach 1945 der Zeitpunkt der Entlassung.

Auf diese Weise zieht sich der Ablauf der historischen Ereignisse außerhalb der Lagerwelt – der Fortgang des Krieges, der „Zusammenbruch" 1945, Stalins Entlassungsversprechen von 1947, der Besuch Adenauers 1955 – andeutungsweise durch das Buch. Ich habe versucht, das durch die Bebilderung zu unterstreichen.

Die Bilder – soweit es nicht Fotos aus Archiven sind – und die persönlichen Dokumente wurden mir von den Verfassern der Beiträge zur Verfügung gestellt. Einige haben mich gebeten, ihren Namen durch ein Pseudonym zu ersetzen, teils aus Gründen persönlicher Zurückhaltung, teils aus Angst. Ich habe ihrem Wunsch selbstverständlich entsprochen.

Das Gedächtnis hält sich oft an ganz einfachen Dingen fest. Vielen ehemaligen Kriegsgefangenen unter den Lesern werden die abgebildeten Dokumente, vor allem aber auch die wiedergegebenen Erinnerungsstücke eine ganze Welt ins Bewußtsein zurückrufen. Diese privaten Beigaben schienen mir ebenso wertvoll wie die Subjektivität der Aussagen – auch auf die Gefahr des Irrtums bei Ort- und Zeitangaben – und die Subjektivität des Urteils. Mir ging es um die

Spurensicherung. Auch auf den ersten Blick unscheinbare Fotos aus russischen Lagern waren mir wichtig, sofern sie nur etwas vom Klima jener Jahre und Gegenden übermitteln. Dabei konnten Gesichtspunkte der technischen Reproduzierbarkeit nur eine untergeordnete Rolle spielen.

Zum besseren Verständnis der Ereignisse habe ich im Anhang einige Dokumente beigefügt, die dem Leser vielleicht nicht geläufig sind. So wird der Wortlaut des Kommissarbefehls für Aktion und Reaktion der kriegführenden Parteien sicher ebenso aufschlußreich sein wie der Befehl Stalins vom 28. Juli 1942, der der Roten Armee auf drastische Weise den Rückzug vor Augen hält, um sie unter Androhung drakonischer Maßnahmen zum Widerstand anzuspornen. Beide Dokumente illustrieren die Gnadenlosigkeit dieses Krieges, die auf das Schicksal der Kriegsgefangenen nicht ohne Einfluß blieb.

Einige Textstellen aus der Arbeit der Wissenschaftlichen Kommission beziehen sich auf die Ernährungslage in der Sowjetunion, auf die Ereignisse in Jugoslawien sowie in Polen und der Tschechoslowakei.

Bei der Arbeit an diesem Buch habe ich mich mit einer Reihe kritischer Einwände auseinandersetzen müssen. „Im Grunde ist es unmöglich, ein Buch über die Kriegsgefangenschaft im Osten zu veröffentlichen", sagte ein Arzt, der lange in russischer Gefangenschaft war, „denn fast jeder wird nur von grauenvollen Dingen berichtet. Aber selbst, wenn jede Einzelheit stimmt, sagt er nicht die ganze Wahrheit, wenn er nicht zugleich über das berichtet, was das russische Volk im Zweiten Weltkrieg, vor allem auch die russischen Kriegsgefangenen, von deutscher Seite erlitten haben. Und wenn Sie das dargestellt haben, dann müssen Sie fragen: Wie kam es überhaupt zu diesem Krieg? Und wenn einer sagt, Hitler habe ihn gewollt, dann müssen Sie fragen: Er allein? Und wer hat Hitler gewollt? Und wenn Sie das alles in Ihrem Buch beantwortet haben, dann – erst dann – sind die Aussagen eines Überlebenden aus Workuta wahr."

Das erschien mir zwar überspitzt formuliert, aber nicht falsch – zumal einige Beiträge, die ich las, nicht frei waren von einem fatalen Klang von Selbstgerechtigkeit und keine Einsicht in den nationalen Bankrott von 1945 erkennen ließen.

Hier sprachen jene Deutsche, von denen Goethe sagte, „daß sie sich immer erst groß und herrlich vorkommen, wenn alle Würde verspielt ist."

Trotzdem habe ich es für richtig gehalten, persönliche Beiträge zu diesem Band zu vereinigen, auch wenn bei jedem Einzelschicksal die kollektive Vorgeschichte nicht dokumentiert wird und auch wenn nur in wenigen Fällen etwas von der Erkenntnis einer geschichtlichen Verantwortung der Deutschen spürbar wird. Denn zum einen vertraute – und vertraue – ich darauf, daß die historischen Zusammenhänge heute bekannt sind. Zum andern – und das ist für mich entscheidend – hat jeder, der großes Leid erfahren hat, das Recht, davon zu sprechen, und zwar unabhängig davon, ob dieses Leid eine erklärbare Folge erklärbarer Ursachen ist, ob es als gerechte oder ungerechte Bestrafung empfunden wird oder nicht. Viele Heimkehrer haben geschwiegen, vieles war zu furchtbar gewesen, als daß sie darüber hätten sprechen können.

Wir Jüngeren wuchsen im Verhältnis zu den Älteren in einem Zustand gegenseitiger Sprachlosigkeit auf. Leid wurde, wie auch Schuld, verschwiegen. Die Älteren sahen sich dem stummen oder auch lauten, selten aber auf eine Antwort wartenden Schuldvorwurf der Jüngeren ausgesetzt.

Der Prozeß der Tabuisierung und Verdrängung von Schuld ist bekannt: „Zu den Mitteln der Schuldleugnung", schreiben Alexander und Margarete Mitscherlich in ihrem Buch Die Unfähigkeit zu Trauern (München 1967), „gehört die seither häufig vertretene Auffassung, das Hereinbrechen einer Diktatur sei ein Naturereignis, das sich getrennt von Einzelschicksalen vorbereite und gleichsam über sie hinweggehe. Bei näherer Betrachtung ist das eine ungenaue und halb richtige Aussage. Freilich ist es sehr schwierig, den Zusammenhang darzustellen zwischen individuellen Verhaltensmustern, bereitliegenden Reaktionen und dem politischen Erfolg eines Diktators. Hier spielen Interdependenzen eine bedeutende Rolle und nicht nur ein passives Ergriffenwerden des wehrlosen Mannes auf der Straße. Man darf die Problematik nicht erst in der Katastrophe, sondern muß sie in den Tagen des ungetrübten Einverständnisses zwischen Volk und Diktator beginnen lassen. Wir waren sehr einverstanden mit einer Führung, die typisch deutsche Ideale mit unserem Selbstgefühl aufs neue zu verbinden wußte: Da wurde die Chance zur uniformierten Darstellung unseres Selbstwertes gegeben. Sichtbar gegliederte Autoritätshierarchien traten plötzlich in Fülle vor das Auge des durch ‚Parteiengezänk‘ enttäuschten Volksgenossen. Die Präzision unseres Gehorsams wurde gebührend erprobt, und der fast grenzenlose Wille, uns den Hoffnungen des Führers würdig zu erweisen, durfte ausschweifen.

. . . Die bedingungslose Kapitulation, der Einmarsch von Gegnern, die bis zum äußersten lächerlich gemacht oder verteufelt worden waren, ruft massive Vergeltungsängste hervor. Es ist diese Realangst, die das Gewissen neu zentriert. Bis zum Ende des Krieges bestanden Gewissenspflichten nur gegenüber dem Führer. Sein Sturz bedeutet darüber hinaus eine traumatische Entwertung des eigenen Ich-Ideals, mit dem man so weitgehend identisch geworden war. Wenn jetzt das vor-nazistische Gewissen wieder in Kraft trat – in seiner Macht repräsentiert durch die siegreichen Gegner –, so wurden neue Abwehrmechanismen benötigt, um nicht mit der Vergeltungsangst das Gefühl völligen Unwertes aufkommen zu lassen.

Was soll eigentlich ein Kollektiv tun, das schutzlos der Einsicht preisgegeben ist, daß in seinem Namen sechs Millionen Menschen aus keinem anderen Grund als aus dem der eigenen aggressiven Bedürfnisse getötet wurden? Es blieb ihm kaum ein anderer Weg als der einer weiteren Verleugnung seiner Motive oder der Rückzug in eine Depression.“

So wenig, wie die ältere Generation die historische Schuld der Nation innerlich – durch Trauer – verarbeitete, so wenig bewältigte sie das an sich selbst erfahrene *Leid.* Hunger und Kälte, Krankheit und Hoffnungslosigkeit, Schwerstarbeit bei völliger Kraftlosigkeit, Verhöre und Mißhandlungen, das elende Sterben der Mitgefangenen und – selbst in den Musterlagern – ein Leben unter dem Existenzminimum, ein Besiegtenschicksal, das an irgendwelchen Konventionen längst nicht mehr zu messen war – all dies blieb tief innen vergraben, darüber wurde allenfalls in den Verbänden gesprochen in einer ritualisierten Sprache, fern der Öffentlichkeit, außer Hörweite der Kinder und Enkel.

Wenn ich nun meine, daß die Betroffenen nicht nur das Recht haben, darüber zu sprechen, sondern daß wir die Pflicht haben, sie dazu aufzufordern und sie anzuhören, so fordere ich das nicht im Sinne irgendeiner mechanischen Gleichsetzung des von ihnen Erlittenen mit dem Leid, das wir Deutsche über andere gebracht haben. Vielmehr glaube ich, daß ein Volk, wie auch jeder Einzelne, erst dann innerlich frei ist, fremdes Leid zu betrauern, wenn es das eigene nicht aus dem individuellen wie öffentlichen Bewußtsein verbannt. Denn beides hat denselben Ursprung. Jede Verdrängung ist gefährlich. Nicht das Aussprechen schafft Märtyrergefühle und Vergeltungswünsche, sondern das Verschweigen. Der seelische Befreiungsakt war von einer politischen Umerziehung nicht zu leisten. Er ist um so notwendiger, je weiter wir uns vom Kriegsende mit seiner unmittelbar abschreckenden Wirkung entfernen.

Ich gehöre zur Generation derer, die das Ende des Krieges als Kind erlebten. Wir haben den Krieg als das schlechthin Böse erfahren, wir sind mißtrauisch und kritisch, und dennoch – wer von uns wagte für sich zu garantieren, wenn heute eine Regierung versuchen sollte, uns für einen Krieg zu motivieren, etwa im Namen der Freiheit, der Demokratie, der Menschenwürde? Wir haben die Wiederbewaffnung der deutschen Staaten zu einem Zeitpunkt hingenommen, als noch die letzten Gefangenen aus der Sowjetunion zurückkehrten, und wir haben uns mit dem Gedanken zufriedengegeben, daß aufgrund des atomaren Gleichgewichts nie wieder ein Krieg möglich sei. Aber gewöhnen wir uns angesichts der vielen „konventionellen“ Kriege nicht doch an den Gedanken vom Krieg als einer nicht auszuschließenden Möglichkeit?

Jedes menschliche Leben ist unaustauschbar. Es gibt nichts, das den Menschen für das geopferte Leben entschädigte, keine materiellen Güter, keine Gesellschaft, keine Ideologie und schon längst kein Dank des Vaterlands mehr und nicht „der Toten Tatenruhm“. Der Krieg ist keine Naturkatastrophe, er wird von Menschen gemacht und kann daher auch nur von Menschen verhindert werden.

Das vae victis – „Wehe den Besiegten“ –, das aus den Seiten dieses Buches spricht, wird immer auch ein „Wehe den Siegern“ sein.

9

WER GIBT AUSKUNFT
über unsern Bruder

HELMUT PUCHTINGER

Gefreiter bei der
4./1001. Flak-Abt.

* 27.5.24
✝ 24.6.46 in russischer
Kriegsgefangenschaft ?

Nachricht erbittet
Familie Puchtinger
Mainzer Allee 34
7140 LUDWIGSBURG/WÜRTT.

Über eine Million deutscher Soldaten des Zweiten Weltkriegs sind heute noch vermißt. Mehr als dreißig Jahre seit dem mutmaßlichen Todestag des Gefreiten Puchtinger forscht die Familie immer noch nach seinem Verbleib.

UdSSR

EXEKUTIV-KOMITEE

DER ALLIANZ DER GESELLSCHAFTEN VOM ROTEN KREUZ UND ROTEN HALBMOND

INHABER DES LENINORDENS

Moskau, K-31, Kusnezkij most Nr. 18/7   Telefon 221-71-75

Bei Antwort Bezug nehmen
auf unsere Nr. __423000-22__   Moskau, ___2.August 1978___

An den Suchdienst des Roten Kreuzes
der Bundesrepublik Deutschland

" P u c h t i n g e r Helmut, Sohn von Franz und Anne, geb.1924 in Pilsen/CSR
                          Schlosser, Gefreiter bei der 1001.
                          Flak-Abteilung, Schwester:Helga.

              Verstorben am 24.Juni 1946 "

F.d.R.d.A.u.Ü.

Hackl

München, den 4.4.1979
s a

Hochachtungsvoll
gez. W.Fatjuchina
Leiter des Suchdienstes des Exekutivkomitees
der Allianz der Gesellschaften vom Roten Kreuz
und Roten Halbmond der UdSSR

V 163   III. 72

10

Henric L. Wuermeling

Umschlagplatz für Millionen

„Vielleicht zum ersten Mal seit der Erschaffung der Welt entspricht der Krieg nicht mehr seinen historischen Funktionen."

Benoist Méchin

Ein Ort abseits der Autobahn Fulda-Göttingen. Die Abbiegung führt jeden, der diesen Platz besucht, in eine Vergangenheit zurück, die hier Gegenwart ist. Hunderte kommen hier täglich in Zügen aus dem Osten an, mit einigen Säcken, Schachteln, kaputten Koffern und der Hoffnung auf einen Neuanfang – nicht anders als damals, 1945, als die Alliierten den Krieg gewannen, den Frieden aber verloren. Wie dünn der Boden für ein Land im Frieden war, wurde hier fast seismographisch zuerst spürbar: in den Fluchtbewegungen von Ost nach West, die zumeist über den Punkt geleitet wurden, wo die amerikanische, die britische und die sowjetische Besatzungszone zusammenstießen. Die am Kriegsende leerstehenden Gebäude des Versuchsgutes Göttingen wurden zum Umschlagplatz zahlloser deutscher Schicksale – zum Lager Friedland: Baracken, Nissenhütten, Lagerstraßen, durch die über zwei Millionen Deutsche gegangen sind.

Fast 1,6 Millionen Flüchtlinge, Vertriebene und Aussiedler kreuzten diesen Weg mit fast 600 000 heimkehrenden Kriegsgefangenen aus dem Osten. Diese kamen aus sibirischen und anderen Lagern in ein Deutschland, von dem es damals hieß: „Ganz Deutschland ist ein Wartesaal" (Erich Kästner).

Wer heute einmal, wie ich es tat, von der Autobahn ins Lager Friedland abbiegt, auf dem Bahnhof die Aussiedler aus Kasachstan beobachtet und miterlebt, wie sich Türen und Fenster öffnen, wenn die Glocke des Lagers Friedland ertönt, wie die Menschen auf die Lagerstraßen treten und voller Andacht den Schlägen der Glocke von Friedland folgen, dann glaubt man, die vielen stummen Gebete zu hören, die hier gebetet wurden. Niemand empfindet die Geschichte Deutschlands tiefer als an diesem Ort.

Bilanz eines Krieges: 55 Millionen Tote auf dem Erdball. Darunter über sieben Millionen Deutsche, zwanzig Millionen Sowjetrussen, sechs Millionen Polen. Bilanz eines Regimes: 5,7 Millionen Mordtaten in Konzentrationslagern unter deutscher Aufsicht. Folgen eines Krieges: 11 Millionen Deutsche in Kriegsgefangenschaft, davon über drei Millionen in russischer Kriegsgefangenschaft, über eine Million deutscher Soldaten ist in russischer Kriegsgefangenschaft ums Leben gekommen, über eine Million Soldatenschicksale sind beim Deutschen Roten Kreuz noch ungeklärt.

Von rund 5,7 Millionen sowjetischen Kriegsgefangenen kamen etwa 3,3 Millionen in deutscher Gefangenschaft um (also 57,8 Prozent). Im Herbst 1941 wurde an 900 sowjetischen Kriegsgefangenen zum ersten Mal das Gas „Zyklon B" der I. G. Farben im KZ Auschwitz „erprobt". Heute, 35 Jahre nach Kriegsende, muß man über das Bilanzieren mit Zahlen und die Fronten hinaus erkennen, welches Leiden dieser Krieg über die ganze Menschheit brachte – nicht für die Staaten, sondern für die Menschen, die in ihnen lebten – für Menschen, die ihr Leben lebten: über 3 Millionen gefallene deutsche und 15 Millionen gefallene alliierte Soldaten, ohne daß eine dauerhafte Rechts- und Friedensordnung dem Krieg gefolgt wäre.

Die Entwurzelung ist groß: Noch heute lagern wegen „Unauffindbarkeit der Angehörigen aus den Vertreibungsgebieten" beim von Caritas und Diakonischem Werk getragenen Kirchlichen Suchdienst Feldpostbriefe aus West-Kriegsgefangenenpost und „Rotkreuz-Moskau-Karten".

Der DRK-Suchdienst hat bis heute über eine Million deutscher Soldatenschicksale bearbeitet, das heißt geklärt. 740 000 weitere Fälle sind noch ungeklärt. 3,5 Millionen Unterlagen stapeln sich in der Zentralen Namenskartei des DRK-Suchdienstes in München. Darunter 290 000 Akten auf den Namen Schmidt und 260 000 auf den Namen Müller. Die Akten werden allmählich abgeschlossen: Um 450 Namen wird der Aktenberg deutscher Schicksale täglich kleiner; wöchentlich erreichen noch bis in die achtziger Jahren etwa 2000 Haushalte Nachrichten aus einer fernen Zeit – die Verwertung von sechs Millionen Befragungen von Kriegsheimkehrern.

So erfahren viele der etwa eine Million Kriegerwitwen und der 1,4 Millionen Kriegerwaisen des

Bereits wenige Stunden nach dem deutschen Überfall auf die Sowjetunion machen beide Seiten die ersten Gefangenen. Hier ergeben sich russische Soldaten einer deutschen Einheit auf dem Vormarsch durch das Baltikum.

Zweiten Weltkrieges (wie auch mir ein DRK-Brief am 31. Januar 1980 versicherte) endgültig, daß zum Beispiel der auf der DRK-Verschollenen-Bildliste Band FB, Seite 216, aufgeführte Vater „mit hoher Wahrscheinlichkeit bei den Kämpfen, die im Januar und Februar 1943 im Raum Rossosch – Nowyi Oskol – Waluiki – Charkow geführt wurden, in sowjetischen Gewahrsam geraten und in der Gefangenschaft verstorben ist".

Nachdem die Rote Armee die deutsche 6. Armee in Stalingrad eingeschlossen hatte, zeichnete sich auch im Raum Woronesch der nahe Beginn einer sowjetischen Offensive ab. Für Tausende von Soldaten der 387. Infanterie-Division bedeutete dies das Ende.

„Unzureichende Bekleidung und Verpflegung sowie aufgrund ungenügender sanitärer Verhältnisse in den Lagern auftretende Epidemien führten zu zahlreichen Todesfällen. Nach einem Hinweis ist auch der Verschollene in Gefangenschaft geraten. Auf eine Suchanfrage teilte das Sowjetische Rote Kreuz in Moskau mit, daß die Nachforschungen nach dem Verschollenen zu keinem Ergebnis geführt haben. Alle bisherigen Ermittlungen des DRK-Suchdienstes lassen aber nur die Schlußfolgerung zu, daß er in sowjetischer Kriegsgefangenschaft verstorben ist."

Als sie in den Krieg zogen und Kinder und Frauen zurückließen, dachten elf Millionen deutsche Soldaten nicht daran, daß sie Jahre später hinter Stacheldraht leben werden und der

Krieg nicht mehr die Bomben auf sie, sondern auf die in der Heimat zurückgelassenen Wehrlosen lenken wird. Der Abschied beim letzten Weihnachtsurlaub, die Wohnraumverknappung durch die Zuweisung des Personals der Rüstungsindustrie (oder wie es damals hieß: „Wohnraumversorgung der luftkriegsbetroffenen Bevölkerung"), das Versorgen der minderjährigen Kinder mit Nahrung, die Briefe vom „Feld", die Ungewißheit – die Lebenslinien trennten sich für Millionen für immer.

Der Krieg hatte schon vorher begonnen, nicht erst am 1. September 1939, als deutsche Truppen in Polen einmarschierten. Der Weg zum Krieg war schon längst beschritten und voraussehbar. Nachlesbar für alle, die es nicht wissen wollten, in Hitlers *Mein Kampf* oder für das Ausland in Hermann Rauschnings *Gespräche mit Hitler*: Zuerst Österreich, Sudetenland, Prag, Polen, Waffenstillstand Mitte 1940 mit Frankreich, dann der Balkanfeldzug im Frühjahr 1941. Schon zwei Jahre Krieg in Europa: Die UdSSR und die USA, die späteren Siegermächte, schauen zu, wie der nationalsozialistische Eroberungsfahrplan exakt abläuft. Sie schauen nicht nur zu, sondern sie begünstigen die Politik Hitlers wie Stalins. So kann Außenminister Ribbentrop dem italienischen Botschafter in Moskau mitteilen, „die Sowjetunion habe die Notwendigkeit zur Kenntnis genommen, daß Deutschland die Frage Danzig regle, und werde infolgedessen keine Einwendung gegen einen Krieg Deutschlands gegen Polen erheben"; auch den Blitzkrieg gegen Jugoslawien nahm Stalin hin und befürwortete statt des alten, in Europa bestehenden Gleichgewichts zwischen England und Frankreich in dem Nichtangriffspakt vom 23. August 1939 (also acht Tage vor dem Einmarsch in Polen) ein Gleichgewicht zwischen dem Deutschen Reich und der Sowjetunion. Die Aufteilung Polens zwischen den beiden neuen Ordnungsfaktoren Europas war ein Symbol dieser Politik.

Ende Oktober 1939 sagte Außenminister Molotow vor dem Obersten Sowjet: „Wir waren schon immer der Auffassung, daß ein starkes Deutschland eine notwendige Voraussetzung für einen dauerhaften Frieden in Europa ist." Und auf die Niederlage Frankreichs reagierte Moskau mit „wärmsten Glückwünschen der Sowjetregierung zu dem glänzenden Sieg der deutschen Wehrmacht".

Erst, als in der Nacht zum 22. Juni um 3 Uhr 30 das „Unternehmen Barbarossa" begonnen hatte, wurde den meisten klar, daß nicht mehr Krieg, sondern Weltkrieg war.

Die „Weisungen für die Handhabung der Pro-

Auf den Straßen hartumkämpfter Ortschaften bleiben die ersten der zwanzig Millionen Toten liegen, die Rußland im Zweiten Weltkrieg zu beklagen hat.

paganda im Falle ‚Barbarossa'" gaben Auskunft über den ideologischen Hintergrund des Krieges gegen die UdSSR: Die Wehrmacht sollte in die nationalsozialistische Ausrottungspolitik einbezogen werden; in die Ausrottung der „jüdisch-bolschewistischen Führungsschicht" und in die „Unterwerfung der slawischen Massen". Aus dem Bereich der Führung der Heeresgruppe Mitte, Generalfeldmarschall von Bock und von Kluge, kamen Proteste, der Barbarossa-Erlaß gebe „jedem Soldaten das Recht, auf jeden Russen, den er für einen Freischärler hält [oder zu halten vorgibt] von vorne oder von hinten zu schießen." Noch deutlicher wurden die „Richtlinien für die Behandlung politischer Kommissare", die als Geheime Kommandosache nur den Offizieren übermittelt werden durfte, der Kommissarbefehl: „Sie sind daher, wenn im Kampf oder Widerstand ergriffen, grundsätzlich sofort mit der Waffe zu erledigen." Und: „Im Kampf gegen den Bolschewismus ist mit einem Verhalten des Feindes nach den Grundsätzen der Menschlichkeit oder des Völkerrechts *nicht* zu rechnen." Die Verwerfung kriegsvölkerrechtlicher Prinzipien ließ die Widerstandskreise um Beck, Oster und Goerdeler hoffen, „der militärischen Führung über den Geist des Regimes, für das sie fechten, die Augen zu öffnen".

Für Hitler war dieser Befehl nur die strategische Voraussetzung für die Lösung des „Lebensraumproblems". Die Politisierung des Soldaten durch den Nationalsozialismus sollte vor der Wehrmacht nicht Halt machen.

Insofern hatte Hitler die Gedanken Clausewitz' adaptiert, „daß der Krieg nur ein Teil des politischen Verkehrs sei, also durchaus nichts Selbständiges. Wir behaupten . . ., der Krieg ist nichts anderes als eine Fortsetzung des politischen Verkehrs mit Einmischung anderer Mittel" (Clausewitz: „Vom Kriege", Skizzen zum Achten Buch). Die Wehrmachtsoffiziere, die Generale hatten diese politische Maxime nicht durchschaut und schickten Millionen Soldaten ins Verderben. Weder Generalmajor Heusinger, noch der Generalstabschef Halder protestierten, als ihnen Hitler die Ausrottungspläne, die ihrem erlernten Kriegshandwerk widersprachen, erläuterte. Sie waren nicht geschult, den politischen Hintergedanken, den Rassismus, zu erkennen. Krieg, das hieß für die in der Heimat zurückgebliebenen Familien eine Feldpostkarte aus den ersten Rußlandtagen: „Auf den Straßen ist leb-

hafter Betrieb, Soldaten, OT-(Organisation Todt)-Männer, Blitzmädel und nicht zuletzt die ‚Braune Front' hoch zu Roß." Über Kiew: „Ein schreckliches Bild voll Schutt und Asche. Komischerweise stehen die großen Parteibauten noch unversehrt da, aber ganz leer, da sich kein Mensch hineinwagt, da man befürchtet, daß auch diese beim Betreten hochgehen." Oder: „Tausende von Gefangenen, Juden, Russen und vor allem Frauen, auch Arbeitsdienst und Militär planieren die Straßen wieder einigermaßen." Oder: „Der Kurs, den ich besuche, ist ein sogenannter 1-c-Kurs, das heißt eine Ausbildung für den 1-c-Posten eines Stabes, der besonders für die Beobachtung des Feindes und seiner Stärkebeurteilung verantwortlich ist. Ja, die Sache ist nicht so ohne und geht nicht so schnell zu Ende . . . Vorne sind unsere Leute völlig verlaust und verdreckt. Ihr macht Euch keine Vorstellung, was die Leute vorne alles mitmachen müssen. Die Russen sind einfach zu hart. Das ist allen eine schlimme Enttäuschung. Zur Zeit haben wir einen Tonfilmwagen hier, den wir bei den Einheiten unserer Divisionen herumgehen lassen."
Einige Monate später im Januar 1943, eine Bilanz an einen Freund: „Ende Juli (1942) war bei uns

Schluß des Vormarsches; unsere Division war bereits zur Verteidigung übergegangen. Was das für schwere Kämpfe waren, habt Ihr ja aus den Heeresberichten gelesen. Ihr könnt Euch vorstellen, das war ein Haufen Arbeit, und ich hatte dabei Tag und Nacht zu tun, besonders da die Russen zu der Zeit wie toll angriffen und das natürlich sehr viel Arbeit machte, besonders die langwierigen Gefangenen- und Überläuferverhöre. Es ist unglaublich, was auf diese Art nicht alles herausgebracht wird! Im großen und ganzen wurde ich mir immer klarer darüber, welch gewaltige Anstrengung unsererseits erforderlich ist, um allein mit den Russen fertig zu werden. Ja, liebe Leute, Krieg führen ist so hart, daß man währenddessen auf alles verzichten muß."
Es war der letzte Brief. Der 1-c-Leutnant ist mit seinem Meldewagen in den letzten Januartagen 1943 dreißig Kilometer vom Don entfernt im Schnee steckengeblieben. Russische Soldaten haben ihn und seinen Begleiter gefangengenommen. Die Vermißtenmeldung erreichte die Heimatadresse zwei Monate nach dem letzten Heimaturlaub.
Die den Weltkrieg entscheidende Wende deutete sich an. Zwei feindliche Militärs gehen in ihre

Position: Feldmarschall Paulus mit seiner 6. Armee und General Tschuikow mit seiner 64. Armee. Stalingrad wird im rituellen Rückblick zur „Schlacht des Jahrhunderts". Hier in Stalingrad, heute Wolgograd, zeigte sich, wie sich Hitler verkalkulierte. Ähnlich seiner bisher erfolgreichen Blitzkriegtaktik wollte er die Sowjetunion niederwerfen. Seine Panzer kamen schnell bis vor Moskau, bis der harte Winter 1941/42 einsetzte. Die Sommeroffensive 1942 sollte das Zurückstecken wieder wettmachen: Die 6. Armee wollte bis Stalingrad und die Heeresgruppe A bis zum Kaukasus und den Iran vorstoßen. An der nördlichen Rußlandfront sollte gleichzeitig noch Leningrad eingenommen werden.

Am 30. Juni 1942 griff die 6. Armee mit 18 Divisionen an. Mitte August erreichte die Armee die Wolga und eroberte in den September- und Oktoberwochen in verbissenen Kämpfen einen Stalingrader Stadtteil nach dem anderen. Das sowjetrussische Militär plante die Einkesselung sowohl der in Stalingrad kämpfenden deutschen Armee als auch der im Kaukasus stehenden deutschen Heeresgruppe A. Der Angriff begann am 19. November 1942. Bis zum 2. Februar hielten sich 320 000 deutsche, rumänische und kroatische Soldaten und warteten auf die Entsatztruppe des Generalfeldmarschall von Manstein, der allerdings nur bis auf 48 Kilometer an Stalingrad herankam; er mußte sich nach einer russischen Offensive zurückziehen. Ebenso wie die Heeresgruppe A, die sich dadurch einer Einkesselung entziehen konnte.

Als am 31. Januar 1943 gegen 12 Uhr mittags Feldmarschall Paulus zum Stab der 64. Sowjetarmee geführt wurde, fragte man ihn: „Warum sind Sie Manstein nicht entgegengekommen?" Paulus: „Wenn ich versucht hätte, die Front zu durchbrechen und über die Steppe zu marschieren, so hätte ich nicht zwanzig Kilometer geschafft. Wir hatten kein Benzin, wenig Munition, und die Soldaten waren erschöpft."
„Worin sehen Sie Ihre persönlichen Fehler?"
„Mein eigener Fehler bestand darin, daß ich als Soldat den Befehlen des Oberkommandierenden folgte und nicht nach der Einschließung sofort zum Durchbruch ansetzte. Hier trage ich Schuld vor dem deutschen Volk und meinem Gewissen."
Marschall Tschuikow 35 Jahre nach Stalingrad:

„Als Napoleon aus Moskau flüchtete (1812), hatte er bereits vor der Beresina seine Armee verloren. Paulus hätte seine Truppe auf den Steppen eher noch früher der Vernichtung preisgeben müssen." Ein Arzt der 6. Armee bestätigt später den Zustand der eingeschlossenen Soldaten: Nachdem sich die Todesfälle ohne vorausgegangene Verwundung oder Krankheit häuften, sezierte er die Leichen der plötzlich tot aufgefundenen Kameraden: sie waren verhungert.

Eine ganze Armee geriet in Gefangenschaft. Es war das Ende der großräumigen Bewegungen, die sich in den sowjetrussischen Bereich hineingearbeitet hatten. Endstation einer Armee, Wende eines Krieges und Beginn der Verantwortung des einzelnen Gefangenen für sein eigenes Überleben. Ende der Politisierung des Soldaten durch sein bisheriges System und Konfrontation mit der Politisierung durch ein anderes System, ohne daß der einzelne der jeweiligen Indoktrination ein kritisches politisches Bewußtsein hätte entgegensetzen können. Gleichzeitig preisgegeben der Verfügungsgewalt des Stärkeren und der Last eines Krieges und der Geschichte, die er jetzt persönlich abtragen mußte. Die Befehle erteilten jetzt andere Ordnungssysteme. Schicksale aus Dörfern und Städten im Schwarzwald oder in Sachsen, die im Ural oder bei Kiew enden – und Schicksale von Bauern und Arbeitern aus dem Ural oder Kiew, die im Schwarzwald oder in Sachsen enden.

Die höchsten militärischen Stellen kamen jetzt in Kontakt zu denen, die sie laut Kommissarbefehl hätten töten müssen: den Funktionären von Partei und Staat, den Komintern-Leuten, den Politkommissaren der Roten Armee ... Wie zum Beispiel zu Ruth von Mayenburg, die nach ihrer Emigration von Wien nach Moskau der politischen Hauptverwaltung der Roten Armee (PURKKA) unterstellt war und nach vielen Fronteinsätzen mit Megaphon den Kriegsgefangenen von Stalingrad gegenüberstand. In ihrem Buch *Blaues Blut und rote Fahnen* schildert sie diese Begegnung: „Als hätten plötzlich die Zeitungsbilder von den Hitler-Soldaten, der geschlagenen Paulus-Armee, in endlosen, langgestreckten Zügen in die Gefangenschaft stolpernd, Leben angenommen – so sah ich sie bei unserem ersten Lagerbesuch ... Erst in dem Moment, da ich die Entdeckung machte, daß sich diese Gestalten bewegten, unter den zerschlissenen Uniformen also menschliche Körper steckten, bleich und nackt, Wesen, die auf zwei Beinen gehen, Hände zum Greifen haben, die essen, schlafen, verdauen, schnappte bei mir gewissermaßen ein Kontaktmechanismus ein: Siehe da – ein Mensch! Ein Mensch, der spricht, lacht, leidet, böse und gut ist, den man erobern kann, der ansprechbar sein muß. Ein Mensch in Gefangenschaft, unfrei, ausgeliefert ... Daß sie jetzt alle miteinander Gefangene waren, daß dieselbe Mauer, dieselbe Essensausgabe, dieselbe Latrine, derselbe Abzählappell, daß all das ihr gemeinsames Schicksal war, hob ihre individuelle Menschenwürde nicht auf."

Auch die Infrastruktur der Lager wird der PURKKA-Genossin Mayenburg bald sichtbar: "Denn da gab es die Speichellecker, Nach-dem-Munde-Redner, die willfährigen Dummköpfe, die Zerbrochenen und die stolzen ‚Sturen‘, die auf ihren Soldateneid pochten und doch keine Faschisten waren; die Leute, die etwas auf ihrem Kerbholz hatten, scheußliche Geheimnisse von deutschen Kriegsgreueln mit sich herumtrugen; die blinden Antibolschewisten und diejenigen, denen allmählich die Augen aufgingen; die heuchlerischen Denunzianten und flinken Zuträger von Latrinengerüchten; die Beschränkten, denen als ‚Verrat‘ erschien, was neugewonnene politische Erkenntnis war; und andere wieder, deren schnelles Umstecken tatsächlich ein Verrat war, nämlich an der guten Sache des Antifaschismus, die dadurch in Mißkredit kam. Wer ist da ehrlich oder ein abgefeimter Schurke oder nur ein Schlauberger? Und überdies sind sie ja doch nicht so ganz sicher, wer den Krieg gewinnen würde ..."

Im Juli 1943 war im Lager 27, in Krasnogorsk (in der Nähe von Moskau), das „Nationalkomitee Freies Deutschland" gegründet worden, dem politische Emigranten und kriegsgefangene Offiziere angehörten.

In schwarz-weiß-roten-Flugblättern wandten sie sich an die deutschen Kriegsgefangenen und an die Fronttruppen der deutschen Wehrmacht, diesen Krieg zu beenden. Am 11./12. September 1943 wurde ein „Bund deutscher Offiziere" gegründet, um die Militärs, denen die Zusammenarbeit mit den „Emigranten" suspekt war, in die Propaganda einzubeziehen. Der Vorsitzende dieses Bundes: der Stalingrad-General Walther von Seydlitz.

Politische Arbeit in den Lagern führte Frau von Mayenburg auch in das Lager Elabuga, 1500 Kilometer von Moskau entfernt. Dort waren etwa 2000 Offiziere der Stalingrad-Armee gefangengehalten. Auch dort eine große Lagerversammlung, in der die Gefangenen in „Faschisten, Nichtfaschisten und Antifaschisten" eingeteilt wurden. Dann ein Besuch im Prominentenlager in der Nähe von Moskau, wo Feldmarschall Paulus untergebracht war. Dieser General malte inzwischen und zeigte der Besucherin voller Stolz seine Bilder: „Gefallen Ihnen meine Bilder, gnädige Frau? Könnten Sie mir nicht französische Pastellfarben beschaffen, die muß es doch in Moskau geben, nicht nur solchen russischen Mist. Sehen Sie doch selbst, dieses harte Grün hier, ich bring's einfach nicht besser heraus mit diesen Farben." Dann hatte Paulus noch eine Bitte: „Versuchen Sie doch bei den Russen zu erreichen, daß ich ein Reitpferd bekomme. Mir geht der Ausritt am Morgen und Abend sehr ab!" Zum Schluß unterschrieb Paulus noch eine Erklärung, die als Flugblatt in Millionen Exemplaren abgeworfen wurde: „Der Krieg ist für Deutschland verloren. Deutschland muß sich von Adolf Hitler lossagen und sich eine neue Staatsführung geben, die den Krieg beendet." Der General unterhielt sich über den französischen Impressionismus, über den Kardinal Graf Galen, den protestantischen Pastor Niemöller und den deutsch-patriotischen Standpunkt.

Innerhalb der sowjetischen Heeresgruppe West kam die Politpropagandistin von Mayenburg bis vor Smolensk, wo sich auf der anderen Seite hohe Offiziere und Generale wie Fabian von Schlabrendorff oder Henning von Treskow von der deutschen Heeresgruppe Mitte Gedanken machten, wie sie den deutschen Diktator töten könnten. Der Attentatsversuch vom 13. März, Hitler auf dem Rückflug von Smolensk ins Führerhauptquartier Rastenburg durch einen Zeitzünder zu töten, schlug fehl.

Heimat- und Frontbriefe deutscher Kriegsgefangener wurden ausgewertet, sie waren das „Rohmaterial" für die Radiosendungen und Aufrufe. Von Mayenburg: „Frontarbeit ist Nachtarbeit. Da herrscht an der Hauptkampflinie meistens von beiden Seiten Ruhe, und die Stimmen aus

Kolonnenweise marschieren die Gefangenen in die Sammellager.

dem Lautsprecherwagen oder aus dem Graben-megaphon dringen klar zu denen drüben hin-über. Bis die Leuchtraketen hochgehen und Feu-erstöße anzeigen, daß die Stimme unter Beschuß genommen wird, vergeht genügend Zeit, um das Nachtprogramm ungestört an den Mann zu brin-gen. Wir würzten es mit sentimentaler Platten-musik und deutschen Heimatklängen. ‚Lili Mar-leen‘ in neuer Textfassung war unser Haupt-schlager.“

Wassilij Tschuikow leitete nicht nur die Opera-tion Stalingrad. Mit der Fahne, die über Stalin-grad wehte, werden sowjetische Soldaten unter seiner Führung Berlin erobern und die Siegerfah-ne auf dem Reichstagsgebäude hissen. In seinem Befehlsstand nimmt er von General Weidling am 2. Mai 1945 die bedingungslose Kapitulation der Berliner Garnison entgegen.

1949 wird er Chef der Sowjetischen Besatzungs-behörde in der SBZ und weist am 10. Oktober 1949 in Berlin-Karlshorst die neue Regierung der DDR in ihre Funktionen ein. Von 1960 bis 1964 bekleidet er das Amt eines stellvertretenden so-wjetischen Verteidigungsministers.

Der marxistische Flügel des Nationalkomitees und des Bundes deutscher Offiziere übernahm in der sowjetischen Besatzungszone hohe Funktio-nen, während all die, für die diese Gründungen stattfanden, noch isoliert in der Sowjetunion sa-ßen. Am 2. November 1945 wurden das Komitee und der Bund aufgelöst. Von Seydlitz kenn-zeichnete die Situation an jenem Tag: „Was nutz-te der einzelne, wenn er hitlerfeindlich war und den Führer dennoch unterstützte? Es waren mehr Anhänger als Gegner, aber dem Gegner lag es fern, die politischen Konsequenzen zu zie-

hen . . . Wir haben uns auch hinsichtlich der politischen Denkfähigkeit und des Wagemutes der Heerführung im unklaren befunden.“

Auch Seydlitz wurde der Prozeß gemacht. Das Tribunal erkannte auf Tod, ein Urteil, das in eine lebenslängliche Haftstrafe abgeändert wurde.

General Paulus mußte sich 1945 auf seine Zeu-genrolle im Nürnberger Prozeß vorbereiten, trat dort im Zeugenstand auf und wurde dann wieder in sowjetischen Gewahrsam zurückgebracht.

In Nürnberg saß der neue moralische Anspruch eines Weltgewissens über Deutschland zu Ge-richt. Neue Rechtssätze wurden entwickelt, in der Hoffnung, daß sie Allgemeingut der Verein-ten Nationen werden. In Deutschland sollten sie zuerst ausprobiert werden. Neben der Verurtei-lung einzelner Taten als Kriegsverbrechen wurde zum ersten Mal der Krieg selber als Verbrechen definiert; die Verletzung des Friedens sollte ge-ahndet werden. Für die überwältigende Mehr-heit der Landser hatte sich die Sinnlosigkeit des Krieges ohnehin gezeigt; dies mußte für sie nicht neu definiert werden. Sie wußten, was Krieg ist, und sie alle wollten nie mehr in den Krieg ziehen. Die bisherigen Regeln des Kriegshandwerks hat-ten für sie aufgehört zu existieren. Das individu-elle Entsetzen ließ die Regeln eines solchen Handwerks vergessen, nachdem die Führungs-spitze diese Regeln schon längst aufgegeben hat-te, spätestens in der Behandlung der sowjeti-schen Kriegsgefangenen, die in deutschen Lagern verendeten. Ein Jahr vor Stalingrad erhielt der OKW-Chef Generalfeldmarschall Wilhelm Kei-tel aus hohen Offizierskreisen eine Denkschrift zur Behandlung der sowjetischen Kriegsgefange-nen: „Das Schicksal der sowjetischen Kriegsgefangenen in Deutschland ist eine Tragödie größten Ausmaßes. Von den 3,6 Millionen Kriegsgefangenen sind heute nur noch einige Hunderttausend voll arbeitsfähig. Ein großer Teil von ihnen ist verhungert oder durch die Unbilden der Witterung umgekommen. Tausende sind auch dem Fleckfieber erlegen. Es versteht sich von selbst, daß die Ernährung derartiger Massen von Kriegsgefangenen auf Schwierigkeiten stieß. Immerhin hätte ein Sterben und Verkommen in dem geschilderten Ausmaß vermieden werden können. Innerhalb der Sowjetunion war z. B. nach vorliegenden Nachrichten die einheimische Bevölkerung durchaus gewillt, den Kriegsgefangenen Lebensmittel zur Verfügung zu stellen."

Der Krieg eines Clausewitz als Fortsetzung der Politik mit anderen Mitteln war im Zweiten Weltkrieg durch Ideologie und Rassenpolitik ad absurdum geführt worden und damit auch Krieg als ultima ratio einer politischen Kultur im Notstand. Die Apokalypse eines Atomkriegs machte seit Nagasaki und Hiroshima den Großen Weltkrieg immer unvorstellbarer. Der anthropologische Aspekt des Entsetzens vor einem solchen Krieg war erlebt worden.

„Euch Söhnen aber und Brüdern der Gefallenen, soviel eurer sind, sehe ich großen Wettstreit erwachsen. Denn wer nicht mehr unter den Lebenden ist, dessen Lob redet jeder; euch aber mag es selbst bei einem Überfluß von Tapferkeit nicht gelingen, jenen auch nur gleichgeachtet zu werden; immer vielmehr werdet ihr ihnen nachstehen müssen. Denn unter den Lebenden herrscht der Neid gegen den Nebenbuhler; dem Gegner

Russische Gefangene bei Riga

aber, der nicht mehr im Wege steht, nicht mehr durch Gegnerschaft hemmt, dem tut man die Ehre des Wohlwollens an, das durch keine Gegnerschaft mehr beschränkt wird. Ziemt es mir aber nun noch der fraulichen Tugend derer zu gedenken, die nun im Witwentum leben werden, so will ich in kurzer Mahnung alles berühren. Euer Ruhm wird es sein, der euch beherrschenden Natur nicht unterlegen euch zu erweisen; und nicht besprochen zu werden unter den Männern in Lob oder Tadel wird eure höchste Ehrung sein.

So habe ich nun dem Gesetze gehorchend gesagt, was in Worten zu sagen war: durch die Tat sind die Begrabenen schon geehrt. Ihre Söhne aber wird die Stadt auf öffentliche Kosten von jetzt an bis zum Mannesalter erziehen und setzt damit ihnen wie auch den Überlebenden den prächtigsten Siegerkranz als Preis ihres Kampfes aus .. "

Worte an einem Volkstrauertag gesprochen? Nein. Es ist die Rede des Perikles für die Gefallenen, zitiert aus Thukydides zweitem Buch über den Peloponnesischen Krieg.

Kalendarisches Erinnern an die Toten des Krieges – ein jährliches Ritual, an dem die Offiziellen der Staaten Trauer und Schwarz tragen. Als Frau R. aus Dortmund ihren Mann, der erst drei Monate als Soldat im Zweiten Weltkrieg gedient hatte, verlor, war sie 27 Jahre alt. Der Kriegerwitwe Trost: 27 Mark im Monat für eines der ersten Opfer des Rußlandkrieges. Die für den Verlust des Mannes als Verdiener gedachte Ausgleichsrente wurde den wenigsten voll ausbezahlt. Sie wurde auf andere Rentenleistungen angerechnet, sogar auf den Verdienst der Frau. Wollte der Staat durch seine Anrechnungsbestimmungen noch an den Witwen Geld verdienen?

Die Übriggebliebenen verdrängte man mit ihren Sorgen an den Rand. Oft lebten sie noch in derselben Straße, nur weiter unten, wo die Mieten billiger waren. Nur daß es dieselbe Straße blieb, die die Erinnerung an den Mann noch aufrechterhielt.

Und wie hatte man sich der Kinder, der Kriegswaisen, angenommen?

Welches Bild eines Gemeinwesens hat sich ihnen eingeprägt? Kriegswaisen bekamen „Erziehungsbeihilfe": Die vaterlose Generation war zum Fürsorgeempfänger geworden, nachdem der Staat, ökonomisch gesehen, den Ernährer weggenommen hatte.

Eine Jugend, in den Gängen der Versorgungsämter großgeworden, dem Zynismus der Bürokratie preisgegeben, auskunftgebend über den Nachweis, ob man ohne den Verlust des Vaters auch studiert hätte; monatelang wartend auf das irgendwo hängengebliebene Monatsstudiumsgeld, bangend an der Tür der Fürsorge klopfend, ob der Staat das Studium auch nächstes Jahr weiterfinanziere. Wie viele sind abgewiesen worden oder haben diesen Kampf aufgegeben? Nachkriegsalltag, der spätestens bis zum Jahrgang 1945 für eine ganze Generation von Kriegswaisen bis in die siebziger Jahre gegenwärtig war:

In ihren Erwartungen machte sie der Staat zu jugendlichen Rentnern und vermittelte ein Bild eines Staates, das dieser verdiente.

Die Witwen hatten die wichtigsten Entscheidungen der Kriegsjahre und Nachkriegsjahre allein treffen müssen. Die wichtigste war der Überlebenswille: Das Hamstern, die Zwangszuweisung von Flüchtlingen, die Entnazifizierung, der Umgang mit der Besatzungsmacht, die Währungsreform, die Einschulung der Kinder, die Frage ihrer beruflichen Ausbildung. Und dazwischen die bange Frage: Ist der Vermißte tot? Oder wird er heimkehren? Hoffen auf die Auskünfte des Suchdienstes des Deutschen Roten Kreuzes.

In den Schlagzeilen der Zeitungen standen schicksalentscheidende Meldungen, als zwei Weltblöcke um den Einfluß in Deutschland rangen: Alliierte Konferenzen über Deutschland in den Welthauptstädten, die Demontage, die Blockade, deretwegen es beinahe zu einem Atomkrieg gekommen wäre, die Gründungen zweier deutscher Staaten, der Aufstand in Berlin . . . Privates und öffentliches Leben gingen zweierlei Wege.

Auf der Ersten Bundestagung des Bundes der Kriegsopfer in Stuttgart, am 26. September 1948, sagte ein Redner: „Niemals kann eine bewußt unzureichend gestaltete Versorgung und Fürsorge für die Kriegsopfer als Sühnemaßnahme gerechtfertigt werden für politische Fehler, die ein ganzes Volk gemacht hat."

Immer wieder müssen Kriegsopferverbände an das Gewissen der Politiker erinnern. So heißt es noch im Pressedienst des VDK im September

Der Reichsführer SS Heinrich Himmler (rechts) besichtigt 1942 an der Ostfront ein Lager mit russischen Kriegsgefangenen.

1968 unter der Überschrift: „Besondere Fürsorge für notleidende Kriegskrüppel?":

„Was steckt hinter einer solchen Betrachtungsweise? Unzweifelhaft resultiert sie aus der Auffassung, die Kriegsopferversorgung sei ihrem Wesen nach eine Art ‚besondere Fürsorge' für arme, in Not geratene Kriegskrüppel, die kein Glied für eine berufliche Tätigkeit mehr rühren können, und für solche armen Witwen und Waisen, die anderenfalls betteln gehen müßten. Diese Betrachtungsweise unterstellt damit, ohne es auszusprechen und sicherlich auch ohne diesen Gedanken zu Ende zu denken, daß der Staat auf dem Wege über die allgemeine Wehrpflicht das absolute Recht habe, die Gesundheit des von der Wehrpflicht erfaßten Staatsbürgers entschädi-

gungslos zu enteignen. Einer solchen Auffassung stehen der Rechtsgrundsatz des Bürgerlichen Rechts auf Schadenshaftung eines jeden zivilisierten Staates sowie Artikel 2 des Grundgesetzes, nach dem jeder das Recht auf Leben und körperliche Unversehrtheit hat, prinzipiell entgegen."

Vor über dreißig Jahren, am 5. Mai 1950, teilte die sowjetische Presseagentur TASS mit, daß die Entlassung der deutschen Kriegsgefangenen aus der UdSSR nach Deutschland abgeschlossen sei. Die letzte Gruppe, nämlich 17 538 ehemalige deutsche Soldaten, sei jetzt entlassen worden. Im übrigen befänden sich keine Kriegsgefangenen mehr in sowjetischen Lagern; lediglich eine Gruppe von 9717 wegen Kriegsverbrechen Verurteilter und 3815 Gefangene, denen Verbrechen vorgeworfen würden. Die UdSSR habe damit seit Kriegsende 1,9 Millionen Gefangene nach Deutschland entlassen.

Diese Meldung rief in der Bundesrepublik Empörung hervor; denn nach deutschen Berechnungen war das Schicksal von 1,5 Millionen Kriegsgefangenen in östlichen Lagern noch offen. Bundeskanzler Konrad Adenauer appellierte an Moskau, darüber Auskunft zu geben, „was mit diesen eineinhalb Millionen Kriegsgefangenen geschehen ist, ob sie noch leben, ob sie tot sind".

Moskau blieb bei seinen Feststellungen. Bei seinem historischen Moskaubesuch im September 1955 beharrte Adenauer auf der Entlassung der noch in sowjetischer Gefangenschaft zurückgehaltenen deutschen Soldaten. Von der Sowjetführung wurde ihm erklärt, alle deutschen Kriegsgefangenen seien bereits wieder in die Heimat zurückgekehrt, in der Sowjetunion gebe es keinen einzigen deutschen Kriegsgefangenen mehr. Als aus der deutschen Delegation dann entgegnet wurde, man könne die einzelnen Lager benennen, wo sich noch deutsche Kriegsgefangene befänden, beschimpfte Bulganin die Bonner Gäste: In der Sowjetunion befänden sich nur noch 9628 „wegen schwerer Verbrechen verurteilte Gewalttäter, Brandstifter und Mörder von Frauen, Kinder und Greisen, Menschen, die ihr Menschenantlitz verloren hätten und in Gewahrsam bleiben müßten".

Als Außenminister Molotow dann noch der deutschen Delegation das moralische Recht bestritt, nach Kriegsgefangenen zu fragen, wo die Deutschen nicht einmal imstande gewesen wären, sich von Hitler und dem Hitlerismus zu befreien, stellte Adenauer die Frage an den langjährigen sowjetischen Außenminister Molotow: „Wer hat denn eigentlich das Abkommen mit Hitler abgeschlossen, Sie oder ich?"

In den ersten Oktobertagen 1955 traf der erste Transport der Spätheimkehrer aus der Sowjetunion nach zum Teil über zehnjähriger Kriegsgefangenschaft heim. „Wir grüßen die Heimat" hatten sie mit Kreide auf die Güterwagen geschrieben. Erschütternde Wiedersehensszenen spielten sich im Lager Friedland ab. Millionen saßen in jenen Wochen an den Radios, um auf die Durchgabe des Namens des vermißten Mannes oder Vaters zu warten. Hunderttausende warteten auf den nächsten Transport und die nächste Durchgabe der Namenlisten.

Insgesamt 30 000 deutsche Kriegsgefangene kamen in jenen Monaten in eine veränderte Heimat zurück. Der letzte Transport der sogenannten „nichtamnestierten Kriegsgefangenen" traf am 14. Januar 1956 ein. Die Nachhut einer Armee, von der viele die Heimat nicht wiedersehen durften. Von der Viertelmillion der in Stalingrad Eingekesselten überlebten die Gefangenschaft nur knapp 6000 Mann. Unter ihnen General von Seydlitz, der sich unter der ersten Gruppe jener Heimkehrertransporte befand. (General Paulus war schon 1953 in die DDR entlassen worden).

Professor Alfred Grosser, Paris, erzählt in seinem Buch *Die Bonner Demokratie* eine bezeichnende Anekdote, die beschreiben soll, wie schwierig es für die Heimkehrer war, sich in einer neuen politischen Umgebung zurechtzufinden.

„Unter den letzten deutschen Heimkehrern befand sich ein Generalleutnant, der als Kommandeur einer Infanteriedivision in Stalingrad in Gefangenschaft geraten und von einem sowjetischen Gericht zu 25 Jahren Haft verurteilt worden war. In Friedland traf er zufällig einen Major seiner Division. Sie setzten sich zu einem Gespräch zusammen, und der General fragte: „Übrigens, wie geht es dem Admiral Dönitz?"

Der Major verwundert: „Dönitz – der sitzt in Spandau."

„In Spandau? Was hat der Admiral in Spandau zu tun?"

„Er sitzt in Spandau – im Zuchthaus natürlich!"

„Ach ja, natürlich. Und was macht der ehemalige Stabschef von Rommel, der General Speidel?"

„Der sitzt in Paris."

„Im Zuchthaus?"

„Nein, bei der NATO natürlich."

„Ach ja, natürlich. Und was macht der berühmte General Meyer, der ,Panzer-Meyer'?"

„Der war in Kanada."

„Bei der NATO?"

„Aber nein, im Zuchthaus natürlich."

„Ach ja, natürlich. Und was macht unser ehemaliger Generalstabschef, der General Heusinger?"

„Der sitzt in Bonn."

„Im Zuchthaus?"

Hunger und Seuchen rafften die Kriegsgefangenen dahin. In deutschen Lagern starben zwei Millionen russische Soldaten.

„Nein, beim Verteidigungsminister natürlich."
Der heimgekehrte General steht auf und geht.
„Aber wohin denn so plötzlich?" ruft der Major.
„In die Anstalt", erwidert der General, „denn wenn das, was Sie eben erzählt haben, natürlich ist, dann bin ich verrückt!"
Wolfgang Borchert hat die Situation der Heimkehrer in *Draußen vor der Tür* beschrieben: „Ein Mann kommt nach Deutschland . . . Einer von denen, die nach Hause kommen und die dann doch nicht nach Hause kommen, weil für sie kein Zuhause mehr da ist. Und ihr Zuhause ist dann draußen vor der Tür. Ihr Deutschland ist draußen, nachts im Regen, auf der Straße. Das ist ihr Deutschland."
Für viele war die Wiedereingliederung in das Leben der Bundesrepublik äußerst schwierig. Kriegsbeschädigte konnten oft nicht mehr ihrer Arbeit als Facharbeiter nachgehen; sie mußten sich mit einer Hilfsarbeiterstelle zufriedengeben. Im politischen und beruflichen Leben waren die Posten verteilt. Ein oft zermürbender Kampf um Zuerkennung von Prozenten nach dem Bundesversorgungsgesetz begann. Ein Kampf, der oft darum ging, ob die Amputation des „Nicht-Kriegsbeins" mit den Stumpfbeschwerden des „Kriegsbeins" zusammenhängt oder nicht.
„Der Unfall in Rußland und die Erfrierungen der Beine wurde mir erst kurz vom Landesversorgungsamt bestätigt . . . Aber leider ist das zu Lebzeiten meines Mannes nicht zustande gekommen. Ihm wären die Schikanen von Dezem-

ber 1967 bis zu seinem Tode erspart geblieben, und ich hätte heute auch meine Rente. So arm wie er leben mußte, so arm liegt er heute auf dem Friedhof. Aber fünfeinhalb Jahre war er im Krieg. Der Dank des Vaterlandes ist euch gewiß." So schreibt eine Frau an ein Versorgungsamt, und sie fragt: „Sind wir beiden die größten Verbrecher gewesen, nur weil mein Mann nach fünfeinhalb Jahren im Krieg als Krüppel heimgekommen ist, und weil ich meine Gesundheit von 1936 bis 1943 in der Rüstung geopfert habe? Sieht so der deutsche Rechtsstaat aus? Wo gibt es da noch Hilfe, wenn es überhaupt noch eine gibt. Ich hoffe es nicht mehr." Diese Frau hatte sich in jahrelangen Auseinandersetzungen um die Anerkennung einer Rente für ihren kriegsbeschädigten Mann bis zum Bundesverwaltungsgericht vorgekämpft. Der Bescheid aus Berlin: „Das Armenrecht der Klägerin wird abgelehnt." (Oktober 1971)

Noch heute laufen jede Woche beim Heimkehrerverband 300 Anträge auf Ausgleichszahlungen für die Benachteiligungen ein, die bei der Bewertung der Ersatzzeiten durch den Krieg und eine längere Kriegsgefangenschaft entstanden sind. Der Präsident dieses Verbandes, Wolfgang Imle, forderte im Oktober 1980 erneut die Gleichstellung der Heimkehrer mit den politischen Häftlingen: „Die Behandlung in den Lagern des Ostens ist nicht anders gewesen als in den Lagern unter Hitler und Ulbricht."

Dr. med. K. H. Flothmann, Facharzt für Nervenkrankheiten, hatte sich – zusammen mit Professor Dr. E. G. Schenck – mit den schädigenden Faktoren in der Kriegsgefangenschaft lange beschäftigt und spricht von typischen „Heimkehrerkrankheiten". Seine Erfahrungen beruhen auf Beobachtungen, die er in einem Zentralhospital der deutschen Kriegsgefangenen im Ural gemacht hatte. In Flothmanns Bericht heißt es: „Die Mehrzahl der psychischen Erkrankungen waren depressive Reaktionen und wahnhafte Entwicklungen, wie man sie in der Symptomatik als Haftpsychosen kennt. Die vollkommene Ungewißheit des Schicksals, die lange Trennung von Heimat und Familie, das Auf und Ab in Hoffnung und Verzweiflung brachte mit zunehmender Länge der Kriegsgefangenschaft eine Häufung der psychotischen Reaktionen."

Angst, eines der hervorstechendsten Symptome,

Schwerstarbeit, die Willkür des „Natschalnik", die Bespitzelung, die Massenverhaftungen aus den Lagern heraus (mit den darauffolgenden hunderttausend Verurteilungen in Scheinprozessen) und der Hunger belasteten die Menschen, deren Persönlichkeit durch den Lebensknick der Gefangennahme ohnehin – so Flothmann – „schlagartig verändert" war. „Der äußere Zwang, durch den die ‚Ordnung' der Gefangenschaft vor allem charakterisiert wird, veranlaßte zwar bei einzelnen ein anfängliches Aufbegehren und Aufbäumen, bei der Masse jedoch ein stumpfes Resignieren. Dieses ‚Abschalten' war meines Erachtens einer der Hauptfaktoren, der hinterher in die körperliche und seelische Katastrophe der Dystrophie hineinführte." Ein Krankheitsbild, das in der deutschen Medizin unbekannt war. Der Ausdruck wurde aus dem Russischen übernommen.

Die vielen psychischen Belastungen, denen die Kriegsgefangenen jahrelang ausgesetzt waren, blieben nicht ohne Folgen. Flothmann: „Mit Schärfe muß daher die Auffassung einiger Ärzte zurückgewiesen werden, daß es sich bei den seelischen Folgen der Kriegsgefangenschaft lediglich um neurotische Fehlverarbeitung von Gefangenschaftserlebnissen handle, die nicht dem Zwang von Ursache und Wirkung folgen, sondern bestimmten Zwecken dienen würden ... Der seelische Dauerstreß ist ein wesentlicher Faktor zur Entstehung der sogenannten Heimkehrerkrankheiten."

Erst im November 1980 stellte der 9. Senat beim Bundessozialgericht in Kassel (Aktenzeichen 9 RV 23/80) fest, daß neurotische Leidenszustände, die auf eine längere sowjetische Gefangenschaft zurückzuführen sind, als Kriegsbeschädigung gelten, für die Kriegsopferrente beansprucht werden kann. Lange genug hatte ein Heimkehrer, der über zehn Jahre in sowjetischer Kriegsgefangenschaft verbracht hatte, vor Gerichten um diese Entscheidung des Gerichts kämpfen müssen.

Realität 1980 läßt die Realität vergessen, die ein Kriegsgefangener in die Kerkerwand des Lagers Kusnezk eingeritzt hatte:

„... Des Mitternachts stets
auf der Harfe von Stacheldraht
griff der Ostwind ein Lied
von zeitloser Zeit ..."

Die zweite große Wende im Leben der Kriegsgefangenen – die Heimkehr – stand erst noch bevor: die Wiedereingliederung in Familie, Berufsleben und Gesellschaft.

Zuerst also das Überwechseln vom Befehlsverband des Militärs in den des Natschalnik – und dann der Wechsel von der Welt des Apparatschik in eine Berufswelt der Manager. Trotz der Freude und des Jubels war diese „Resozialisierung" für viele der Gefangenen ein Schock. In seiner Dissertation: *Gefangenschaft und Eingliederung von Heimkehrern aus der Sowjetunion als soziologisches Problem* (Heidelberg 1956) spricht Manfred Scheib das Problem des Heimkehrers als gesamtgesellschaftliches Problem an, „weil das Aufzeigen des Leidensweges Tausender

In einer litauischen Stadt werden Juden zusammengetrieben. „Für die Notwendigkeit der harten Sühne am Judentum, dem geistigen Träger des bolschewistischen Terrors, muß der Soldat Verständnis aufbringen." Aus einem Befehl des Feldmarschalls von Manstein vom 20. November 1941.

deutscher Männer und Frauen zu einer inneren Bewältigung des vergangenen Katastrophenschicksals der Nationen auffordert, und weil es zur ernsten Auseinandersetzung mit den Fragen nach unserem gegenwärtigen geschichtlichen Standort sowie nach unserem zukünftigen geschichtlichen Handeln in der weltweiten Auseinandersetzung zwischen Ost und West zwingt."

„Am 4. Oktober 1955 schloß sich für uns für immer das Lagertor in Sibirien, wir waren keine Gefangenen mehr, wir durften uns frei bewegen", berichtet ein Heimkehrer. „Wir bestiegen den Zug, die Räder rollten, sechzehn Tage dauerte unsere Fahrt. Welches Gefühl sich unser bemächtigte, kann niemand verstehen, der es nicht selbst erlebte." Der soziologische Ausnahmezustand war zu Ende – „ein Ausnahmezustand . . ." – so Scheib – „. . . in dem sich durch die verschiedenartigsten Faktoren mit ihren psychosomatischen Auswirkungen besonders in den Gefangenenlagern ‚gesellschaftliche Strukturwandlungen' erheblichen Ausmaßes vollzogen

und sich während dieser Prozesse mannigfaltige geistige Impulse, eine ergreifende Menschlichkeit und Gläubigkeit, auch niedrige Instinkte dicht beieinander mit gewaltiger Intensität zu entfalten vermochten."

Der Phänomenologie des Gefangenendaseins folgte die Phänomenologie der Resozialisierung von „Schülern und Studenten mit Kriegserfahrung" und die Berufseingliederung von Heimkehrern, die oft den Berufszwängen nicht mehr gewachsen waren; Fragen tauchten plötzlich auf bis hin zu den Autoritäts- und Sexualproblemen bei der Restauration der Rolle des Mannes im Bereich der Familie. Der „fremde Mann" mußte um Vertrauen werben; der „Eindringling" in den Ort mußte oft beschämende Behördengänge absolvieren, um seine behördliche „Erfassung" oder Rehabilitierung zu besorgen. Dies führte bei vielen Heimkehrern zum Verlust der Mitteilungsfähigkeit und zu einer psychologischen Isolierung, deren Barrieren erst abgebaut werden mußten. Ihre Bausteine waren die verschiedenen

Phasen des Gefangenendaseins; der Augenblick der Gefangennahme, der Marsch in die Auffanglager und von dort in die für größere Frontabschnitte errichteten Sammellager. Von dort Abtransport in die Uprawlenjes, die Hauptlager, denen fünf bis fünfzehn Einzellager angeschlossen waren (insgesamt gab es nach Angaben des DRK etwa 370 Hauptlager und 3700 Einzellager; zusätzlich existierten die dem MWD unterstehenden Straflager), dann die Willkürakte, Verhöre und Folterungen in der Zeit von 1945 bis 1946, die allmähliche Besserung der materiellen Situation in den Jahren 1947/48 – auch dank der Pakete aus der Heimat – und schließlich die Aussicht auf eine baldige Repatriierung.

Wilhelm Hennis schrieb einmal in einem Bericht über den bundesrepublikanischen Gemeinsinn: „Mochten die Besseren, die Gerechteren, die Tugendhaften ermordet, gefallen oder sonstwie umgekommen sein – die Davongekommenen waren die Mächtigeren. Dies erklärt die gewiß oft aufdringliche, gelegentlich schamlose Vitalität der Anfänge, unsere Unfähigkeit zu trauern, jene nicht zu übersehende Ellenbogen- und Organisiermentalität, die der deutsche Westen mit Staaten und Völkern teilt, die ähnlich davongekommen waren: Israel, Polen und der Sowjetunion. Fragt man, was die Wirklichkeit der Bundesrepublik, der sich Gemeinsinn zuwenden kann, konstituiert, so braucht man, um ihren Ursprung festzuhalten, nicht lange zu rätseln: Die Konstitution der Bundesrepublik beginnt am 8. Mai 1945. Schon die Entlassung aus der Kriegsgefangenschaft begann für Hunderttausende mit einer Option: in den ‚Westen‘ oder in die ‚Zone‘. Innerhalb weniger Monate wußte man, was man sich eingehandelt hatte: Chancen und Hoffnungen hier – Unfreiheit dort. Wir waren die ‚noch einmal Davongekommenen‘“.

Ob wir aber gelernt haben? Haben wir die Erfahrungen des Krieges und der Nachkriegsjahre benutzt, um eine neue politische Kultur aufzubauen, an die die Überlebenden glaubten?

Was Alexander Mitscherlichs Analyse betrifft,

haben wir von vornherein die Zugänge zum Aufbau einer neuen politischen Kultur versperrt: „Die Anwendung kindlicher Entlastungstechnik auf die Konsequenzen aus gescheiterten gewaltigen Eroberungszügen und Ausrottungsprogrammen, die ohne den begeisterten Einsatz dieses Kollektivs gar nicht hätten begonnen, geschweige denn bis ‚fünf Minuten nach zwölf‘ hätten durchgehalten werden können, muß erschrecken. Die Versuche, auf diese Weise der Vergangenheit Herr zu werden, wirken auf den distanzierten Beobachter grotesk . . . Die Nazivergangenheit wird derealisiert, entwirklicht . . . Die eigenen Leiden, die ‚hundsgemeine Behandlung‘, die immerhin überstanden worden

ist, werden aus dem Zusammenhang von Ursache und Wirkung isoliert“ (Aus: *Die Unfähigkeit zu trauern*). Als ob man eben mit der Uniform ein „Stück Selbst, dieses Stück Eigengeschichte“ ausziehen könnte. Plötzlich wollte keiner mehr dabei gewesen sein. Die Erinnerung und das Erinnertwerden an jene Zeit rief schlechtes Gewissen hervor. Die Kriegsopfer mußten oft in harter politischer Auseinandersetzung den Staat an seine Verpflichtungen erinnern. Die Verbitterung war ein Teil unserer politischen Kultur geworden, die Leid und Behinderte übersah. In dieser Verdrängung wurden Kriegserlebnisse Teil einer literarischen und rhetorischen Subkultur, die in Vorortszügen oder an Biertischen auflebte. Damit wurden aber nicht nur die Kriegserfahrungen einer ganzen Generation verschwiegen, sondern auch das Generationengespräch gestört: Es kam gleich gar nicht zustande. Gerade über die Punkte, die das Leben der Väter am meisten geprägt hatte, wurde zu Hause nicht gesprochen. Wie leicht hätten sie sich erklären können, wenn sie einiges gesagt hätten von ihrer Angst, von ihrem Haß, von ihren Erschütterungen, von ihrer Sühne, vom Krieg und wie schwer es war, Kriegsverbrechen manchmal vom Krieg zu unterscheiden.

So blieben sie lange in einer Schicksalgemeinschaft unter sich, einfach stumm; besuchten die Treffen des Heimkehrerverbandes oder vereinbarten Kameradschaftstreffen in privatem Bereich. Manche freilich sind an die Plätze ihrer Leiden, ihrer Lager und Kriegseinsätze zurückgekehrt. Ganz allein. Für diese Rußlandreise haben sie oft jahrelang gespart. Mit jedem Kilometer glaubten sie, den Umfang und den Gesamtzusammenhang dessen zu er„fahren“, von dem sie nicht in der Gefangenschaft, sondern erst in der Heimat gehört hatten. Für sie hörte der Krieg nie auf. Man hatte so getan, als ob sie allein am Krieg schuld hätten. Und zwar am verlorenen.

Ein verlassenes Kind bei Leningrad

Die Eltern sind geflohen, gefangen oder gefallen.

Lorenz Knauf

Von 1941 bis 1948 in russischer Kriegsgefangenschaft, unter anderem in den Lagern Elabuga, Kyschtym, Karabasch, Mias und Tscheljabinsk.

Im April 1941 wurde ich nach Meiningen in Thüringen versetzt. Dort wurde ein Strafbataillon aufgestellt, das Infanteriesturmbataillon 500. Diese Einheit kam bei Beginn des „Unternehmens Barbarossa" am 22. Juni 1941 zum Einsatz nach Rußland. Zwei Tage danach waren noch sechsunddreißig Mann übrig.

Im Januar und Februar war ich in Tilsit gewesen. Da haben wir auf Kleinbahnen Kontrollen gemacht. Es hieß, es sei mit russischen Fallschirmjägern zu rechnen. Als ich dann nach Meiningen kam, wußte ich zunächst gar nicht, daß es sich um ein Bewährungsbataillon handelte. Als ich es erfuhr, wollte ich mich wieder fortmelden. Ich kam aber nicht mehr frei. Einmal dabei, war dabei. Da mußte ich mit raus.

Am 21. Juni lagen wir schon in Stellung. Dann sind wir marschiert, und gegen Morgen kam ein Obergefreiter, der brachte drei russische Zivilisten mit. Wir lagen in den Löchern, und da sagte er: „Kommt mal raus da." Er stellte die drei Mann an die Löcher ran und erschoß sie dann mit Genickschuß. Wir waren ganz perplex. Etwas unternehmen konnten wir ja nicht. Es konnte sich keiner leisten, dagegen zu sprechen. Als Soldat konnte man nicht einem anderen Soldaten verbieten, solche Dinge zu tun. Ich sage immer, das ist eine Charakterangelegenheit von jedem einzelnen. Es gab in dieser Hinsicht schlechte und gute Charaktere.

Bei unserem ersten Einsatz, am zweiten Tag, kamen die Zivilisten aus dem Ort. Die wollten hinter uns her, hinter unsere Frontlinie. Da stand ein Leutnant von der Pak. Der hat die Zivilisten alle wieder in den Ort reingeschickt. Der Ort wurde nachher von der Pak zusammengeschossen.

Die Flak kam auch noch mit Geschützen. Die

Fotos wurden an die Karten genäht.

Zivilisten wurden alle mit erschossen. Ich habe gesehen, wie eine Frau, die vorher mit hinter unsere Linie wollte, mit ihrem Kind tot im Graben lag. Eine alte Oma kam da noch an, der machte ich mit den Händen klar, sie solle sich in den Stall reinsetzen und ganz still sitzenbleiben. Nach drei Monaten wurde ich gefangengenommen. Ich hatte Spähtrupp gemacht, es war nur eine Häuserfront, ein kleines Dorf. Wie ich dann da vor ging, kam ein Unteroffizier, ging in Bereitstellung mit dem Maschinengewehr, da sagte ich zu ihm: „Sieh dir mal das Gelände hier an, da soll ich einen Spähtrupp machen. Paß mal auf, wenn was ist, damit ich wieder gut zurückkomme." Wir sind runter und wurden kurz darauf von siebzig, achtzig Russen im Halbkreis umzingelt. Einer von uns ist erschossen worden, drei wurden verwundet. Vier waren unverletzt. Wir sind mit den Russen über ihren Graben gelaufen, da fingen unsere erst an zu schießen. Dann umfuhren wir ein Artilleriefeuer und kamen zum Bataillon. Da war kein richtiger Dolmetscher, und man brachte uns zum Regimentsstab. Wir wurden vernommen und ins Gefängnis Poltawa weitergeleitet. Beim ersten Verhör mußten wir uns nackt ausziehen. Von Poltawa wurden wir nach Charkow ins Zuchthaus gebracht. Eines Morgens holte man uns raus. Wir kamen auf den Hof, da standen achthundert bis tausend Volksdeutsche, Wolgadeutsche. Mit denen sind wir vier Tage marschiert. Wir bekamen zweihundert Gramm Brot, einen Salzhering und ein Stückchen Zucker am Tag. Dann wurden wir durch den Bach geführt. Die Posten gingen über die Brücke. Aus den Pfützen haben viele Wasser getrunken und sind später davon krank geworden. Wir wurden von den Volksdeutschen getrennt und in Waggons gesteckt. Diese waren mit daumenstarken Stäben vergittert und mit Blechtüren verschlossen. Es war ganz dunkel in den kleinen Zellen. Für drei Mann gab es drei Bretter zum Liegen. Darin waren wir mit elf Mann. Ich hab' mir gedacht, setz dich oben hin, auf das oberste Brett, da hast du es wärmer als unten. So hab' ich dann viele Tage gesessen, die Beine hingen dem anderen ins Gesicht. Nach zehn, elf Tagen erreichten wir Potmar, und blieben drei Wochen. Danach kamen wir, nach einer Fahrt von acht Tagen, nach Kasan, wurden auf Schlitten verla-

den und dann – im Oktober/November 1941 – nach Elabuga gebracht. Das war das erste richtige Lager, dort bin ich dann vorerst geblieben.

Die Russen suchten deutsche Kriegsgefangene, die mit Megaphonen über die Frontlinie hinweg zu den eigenen Kameraden sprechen sollten. Die Kameraden wurden aufgefordert, sich in Gefangenschaft zu begeben – sie würden gut behandelt werden und bekämen ausreichend zu essen. Man hat ihnen sogar gesagt, sie könnten in der Gefangenschaft mit Frauen flirten. Mein Zimmernachbar hat sich gemeldet und ist an der Front von deutschen Soldaten erschossen worden.

Im Januar saß ich im Clubraum, wo die Bücher waren, und las Marx und Engels. Da kam ein Politinstruktor vorbei und fragte mich, was mich denn an den kommunistischen Büchern interessiert. „Ich hab' die eine Seite kennengelernt", sagte ich zu ihm „und jetzt möchte ich die andere Seite kennenlernen." Er fragte mich nach meinem Beruf. Ich sagte, ich sei Koch. Einen Tag nach Frühlingsanfang kam ich dann in die Küche. Das half mir zu überleben.

Das allgemeine Essen war sehr schlecht. Pro Kopf gab es einen halben Liter Wassersuppe mit Salzhering, Weißkrautblättern und Hirse. Dann gab es zweihundert Gramm Brot und einen Löffel Haferbrei. Vor Hunger haben viele mit Kartoffelschalen und Mohrrübenschalen gehandelt. Und für einhundert Gramm Brot gab es eine Streichholzschachtel Tabak. Ich habe gesehen, wie manche in das zugefrorene Klo gegangen sind, um Heringsschwänze und Fischblasen herauszuholen.

Da ich mich für die Bücher interessiert hatte, fragte mich der Instruktor, wie ich über Krieg dächte. Ich sagte: „1918 haben wir verloren und da war die ganze Welt gegen uns. Jetzt wird es wohl nicht anders sein. Amerika ist ja auch inzwischen dazugekommen." Daraufhin fragte er, ob ich das aufschreiben würde. Als ich das getan hatte, fragte er, ob ich Grüße an die Heimat schreiben wollte. „Unbedingt", sagte ich, ich wäre froh, wenn meine Frau eine Nachricht bekäme.

Die Goebbels-Propaganda hatte immer gesagt, die Russen machten keine Gefangenen. Das wollten die Russen mit aller Gewalt widerlegen, und darum haben sie uns erlaubt, diese Rotkreuz-Karten zu schreiben. Die sollten nach

Deutschland befördert werden, und zwar über Schweden, die Schweiz oder die Türkei. Die Postsäcke wurden aber von deutscher Seite nicht angenommen. Dann hieß es, die Postsäcke würden hinter den deutschen Linien abgeworfen. Später hörte ich von Kriegsgefangenen, die beim Regiments- oder Bataillonsstab gewesen waren, daß die Säcke ungeöffnet verbrannt worden seien. Als die Russen das erfuhren, haben sie Flugblätter abgeworfen. Da hab' ich dann auch meine Adresse draufgeschrieben. Meine Frau hat verschiedene Blätter bekommen, sie hat sich aber nicht getraut zu schreiben, weil sie Angst vor Repressalien von deutscher Seite hatte. Nachbarn hatten gehört, wie meine Adresse im Moskauer Sender genannt wurde. Da Schwarzhören strengstens verboten war, haben sie sich jedoch nicht getraut, meine Eltern zu benachrichtigen. Die erste Post von meiner Frau erhielt ich 1946.

Im Oktober 1942 wurden wir wegen der näherrückenden Front vor Stalingrad von Elabuga in den Ural verlegt. Ich kam nach Kyschtym.

Stalin hatte gesagt, daß es den russischen Gefangenen in Deutschland sehr schlecht gehe. Wenn sich das nicht ändere, könne es den deutschen Kriegsgefangenen in der Sowjetunion auch nicht besser gehen. Daraufhin soll es den russischen Gefangenen in Deutschland besser gegangen sein. Das haben wir dann auch gespürt. Im Juli 1943 gab es allgemeine Aufbaukost für die Kriegsgefangenen. Wir durften einen Monat lang nicht arbeiten, damit wir uns erholten. Die Kriegsgefangenen, die sehr schwach waren, haben die gute Kost nicht vertragen und sind gestorben. Als es uns 1941/42 so schlecht ging, haben wir versucht, möglichst eine Portion mehr herauszuschlagen. Die Toten haben wir unter der Pritsche versteckt, um noch ihre Portion Essen und ihr Stück Brot zu bekommen. Kleidung hatten wir kaum, darum haben wir ihnen die Sachen ausgezogen.

Im April 1944 kam ich ins Lager Karabasch. Ich arbeitete im Kupferbergbau bis zu neunhundert Meter tief. Es passierten viele Unfälle. Wir arbeiteten zwölf Stunden. Eine Stunde liefen wir zur Arbeit und eine Stunde zurück.

Im Dezember 1944 kamen wir mit etwa sechshundert Ungarn zusammen. Viele waren typhuskrank, drei Viertel von ihnen starben. Manche gingen bei fünfunddreißig Grad Kälte im Hemd spazieren.

Vom Frühjahr 1946 an war ich im Lager Mias. Ich arbeitete in einer Autofabrik, wir bauten SIS-Lastkraftwagen. Dort habe ich Farbe und anderes geklaut und an die Russen verkauft. Dann arbeitete ich auf dem Bau. Ich schippte Zement von den Waggons und lud Baumstämme ab.

Mein letztes Lager war Tscheljabinsk.

Im Mai 1948 wurde ich entlassen. Die Heimfahrt dauerte elf Tage und führte über Brest-Litowsk nach Frankfurt/Oder. Bei den Kontrollen wurden uns alle Papiere und Aufzeichnungen abgenommen.

Ende Juni 1948 traf ich in Wiesbaden ein – acht Tage nach der Währungsreform. Kein Kopfgeld. Nach vier Wochen das erste Stempelgeld.

Russische Flugblätter wurden über den deutschen Linien abgeworfen. Sie sollten Wehrmachtssoldaten die Angst nehmen, in Gefangenschaft zu gehen.

Grüße an die Heimat

An die deutschen Offiziere und Soldaten

an der Front!

An unsere Angehörigen und Freunde

in der Heimat!

Wir unterzeichneten deutschen Wehrmachtsangehörigen befinden uns in sowjetrussischer Kriegsgefangenschaft. Unser Leben ist in Sicherheit, und wir werden gut behandelt. Wir haben die Möglichkeit, nützliche Arbeit zu leisten. Unsere Lebensbedingungen sind gut und zufriedenstellend.

Wir benutzen die Gelegenheit, unsere Vorgesetzten und Kameraden an der Front zu bitten, unsere Grüße an unsere Familien in der Heimat weiterzuleiten und ihnen zu schreiben, daß sie um uns ganz ohne Sorge sein können; uns erwartet nach Kriegsende ein frohes Wiedersehen in der Heimat.

[Es folgen handschriftliche Unterschriften mit Angabe von Name, Einheit und Heimatort:]

Deutsch Ernst 11/JR 396 ...

Zand Leo 3. Komp. Ldbl. Batl. 869 ...

Reimann ... 9. Komp. JR. 473 ... Aachen ...

... Behrens Willy Bau-Batl. 410 ... Altona ...

Pessoff ... 6. A.R. 66 ...

Thoon Willi 1/J. Ldbl. 16 Landwehr ...

Garska Karl 12/J.R. 396 Fischer ...

Möller Walter 6/J.R. 434 ... Hellinghausen ...

Semmer Bernhard 3 P. 110 ...

Kurt Tappert

Von 1943 bis 1949 in russischer Gefangenschaft, unter anderem in den Lagern Beketowka bei Stalingrad, Elabuga, Kasan und Selenedolsk.

Am 2. Februar 1943 geriet ich beim Traktorenwerk „Rote Brigade" in Gefangenschaft. Wir hatten bis dahin noch zwei Gebäude gehalten, das Traktorenwerk und ein grünes Gebäude, das wir „Schnellhefterblock" nannten, weil dort Büromaschinen hergestellt wurden. Hier, in Stalingrad-Nord, befand sich auch der Flugplatz Betomnik und das „Hüttenwerk Roter Oktober".
Ich befand mich mit 30 bis 35 Mann meiner Kampfgruppe im Erdgeschoß des Schnellhefterblocks, als wir plötzlich ringsum russische Pan-

geschossen. Als der Melder nicht zurückkam, habe ich einen zweiten losgeschickt. Dann fanden wir den Gang, durch den der erste abgehauen ist. Der zweite kam auch nicht mehr. Wir haben die Maschinengewehre auf Dauerfeuer gestellt und angegurtet, und an den Eingängen haben wir noch eine geballte Ladung deponiert. Dann haben wir uns durch den unterirdischen Gang fortgemacht.
Im Zentrum von Stalingrad-Nord befand sich ein Rondell, auf das alle Straßen sternförmig zuliefen. Das war unser letzter Divisionsgefechtsstand, wohin alle Meldungen gingen. Und dorthin führten auch die Gänge. Dort sahen wir Kolonnen von Gefangenen vorüberziehen, von den Russen bewacht. Jedesmal, wenn die Wachtposten vorbei waren, sprang einer von uns aus

Kurt Tappert (Mitte) mit Kameraden

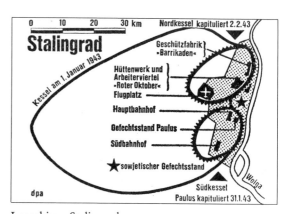

Lageskizze Stalingrad

zer sahen. Wir waren völlig eingekreist. Einige von uns haben noch auf die Panzer geschossen, aber da habe ich gesagt: „Es hat keinen Sinn mehr, Kameraden, jeder ist entlassen, jeder ist ab sofort für sich selbst verantwortlich. Es hat keinen Wert, sich lebendig begraben zu lassen. Wir gehen hier raus."
Als wir draußen standen, sahen wir vor der Giebelwand des Traktorenwerks „Roter Oktober" massenhaft deutsche Landser – alle mit erhobenen Händen. Und plötzlich schossen die Russen mit ihren Panzern in die Herde und das Mauerwerk hinein. Als wir alle draußen waren, stürzte die Wand ein und begrub die Menschen unter sich. Da bin ich mit meinen Leuten wieder in das Gebäude hineingegangen und habe meinen Melder losgeschickt. Während wir auf den Melder warteten, haben wir ab und zu noch hinaus-

dem Gang und reihte sich in die Kolonnen ein, bevor der nächste Posten ihn sehen konnte.
Wir sind dann bis in die Nähe von Beketowka marschiert. Wir übernachteten im Freien. Die Lager, wo sie die Gefangenen sammelten, waren von Stalingrad-Süd und Stalingrad-Mitte schon überfüllt. Dann gingen wir für vier Wochen auf den sogenannten Todesmarsch.
Da sind von allen gefangengenommenen Einheiten die Offiziere zusammengestellt worden. Und die mußten marschieren, während die Mannschaften in der Hauptsache in Beketowka untergebracht blieben. Wir Offiziere sind in einem großen Kreis marschiert, durften aber nicht auf der Straße gehen, weil die Russen ihr gesamtes Kriegsgerät aus Stalingrad abzogen und an die Donez-Front schafften, Richtung Charkow. Auf diesem Marsch hat es die meisten Toten bei uns

gegeben. Wir sind den ganzen Tag gelaufen, übernachtet haben wir im Schnee. Wir hatten kaum was zu essen. Ich habe mich mit sieben Mann zusammengetan. Wir haben uns nachts eine Zeltplane in den Schnee gelegt und uns mit einer anderen zugedeckt. Einer mußte immer wach bleiben. Wenn er nicht mehr konnte, haben wir den nächsten geweckt. Viele sind erfroren. Mal gab es ein Stück Brot, mal eine Suppe. Das meiste aber war Schnee. Das war die größte Gefahr – da haben sich die meisten zu Tode geschissen.

Wir waren teilweise so apathisch, daß uns alles nicht mehr rührte, teilweise aber kochten wir innerlich vor Wut. Auf dem Marsch waren etwa zweitausend Mann. Nach vier Wochen im März endete er, und wir kamen wieder ins Lager Beketowka. Dort wurden wir in Eisenbahnzüge verladen und fuhren bis kurz vor den Ural. Von meinen Mannschaften war kein einziger mehr dabei. Erst später, bei den Schulungen, haben wir von den Russen offiziell erfahren, daß 97 000 Soldaten in Stalingrad gesund in russische Gefangenschaft geraten sind. Wir wußten nicht, wo wir ausgeladen wurden, weil wir ja noch nicht Russisch konnten.

Danach kam ich in das Offizierslager in Elabuga. Zuerst waren wir im A-Lager. Später, als auch die Japaner dorthinkamen, wurde ein zweites Lager, das B-Lager, aufgemacht. Es wurde getauscht, und man brachte uns ins B-Lager. Schließlich gab es noch ein Straflager für Parteigrößen.

Bei den zahlreichen Verhören während der Gefangenschaft mußten wir uns immer korrekt nach Vorschrift melden, also: Name, Vorname, Vatersvorname, und Zuname, Truppeneinheit und Ort der Gefangennahme. Wenn man dann gesagt hat: „Gefangen Woina Plenni Stalingrad" – dann hieß es, nicht ohne Respekt: „O, Stalingrad!"

Bei den Verhören wurden wir allerdings auch oft beschimpft. Am besten kam man davon, wenn man keinerlei Angst zeigte. Wenn man ängstlich war, haben sie mit einem gemacht, was sie wollten.

„Ihr habt da hinten requiriert!" – hieß es. „Ich habe nicht requiriert", antwortete ich dann, „ich war immer an der Front." Das wollten sie einem oft nicht glauben. Sie hatten unsere Wehrpässe

und darin war alles eingetragen. Am Schluß hieß es: „Ja, aber ihr habt so viele Soldaten von uns erschossen!"

Vor der Kapitulation waren wir die deutschen Verbrecher. Nach der Kapitulation ist es in dieser Hinsicht etwas besser geworden. Man kannte sich mit den Russen einfach nicht aus. Auf der einen Seite zeigten sie einen solchen Respekt vor den Soldaten, auf der anderen Seite knebelten sie uns im nächsten Moment und ließen uns merken, daß sie es waren, die das Sagen hatten. Es kam immer darauf an, was sie gerade wollten.

Es hat auch Deutsche gegeben, die sich an den Verhören beteiligten und die Leute überredeten, sich der Antifa anzuschließen. Eines Tages wurde ich rübergeholt zum Club – in so eine Bretterbude, wo sich die russischen Offiziere aufhielten. Da sitzt der Sohn von meinem alten Lehrer und sagt: „Sie sind doch auch von Bamberg, da müssen Sie doch meinen Vater gekannt haben." Da habe ich gesagt: „Den habe ich sehr gut gekannt, Herr Oberst, aber ich bin der Überzeugung, wenn der wüßte, was sein Sohn hier treibt, dann würde er Sie heute noch ohrfeigen." Ich bin nie wieder zu ihm ins Verhör gekommen.

Bei den Vernehmungen habe ich gemerkt, daß die Dolmetscherin öfters was Falsches übersetzt hat. Da habe ich protestiert: „Wenn Sie nicht die Wahrheit sagen, sage ich kein Wort mehr!"

Im zweiten und dritten Jahr kam es zu Mißhandlungen. „Aufstehen!" hieß es mitten in der Nacht und wir wurden zum Verhör geholt. Da hat man sich auf gar nichts vorbereiten können. Sie wollten, daß man eine Tat gestand, die man gar nicht begangen hatte. „Ich habe das nicht getan!" sagte ich. „Bringt mich doch um, dann habe ich wenigstens meine Ruhe, ich komme sowieso nicht mehr heim." Doch sie versicherten einem das Gegenteil. „Nein, nein, du kommst wieder heim." Sie klemmten meine Finger in die Tür, oder ließen mich auf Holzscheiten knien. Man kann das nur von Mann zu Mann sagen, nicht in der Öffentlichkeit. Man weiß ja nicht, was einem noch passiert. Deswegen sagen ja die meisten auch heute noch nicht aus.

Einen Sonntag gab es nicht. Statt dessen waren im Monat vier Tage arbeitsfrei. Wenn in der Fabrik eine Maschine kaputtging, so wurde am nächsten Tag nicht gearbeitet, das galt auch für die Zivilisten. Ich arbeitete in einer Furnierfabrik, da ha-

Gefangene in Stalingrad

ben wir einmal vier Tage hintereinander freigehabt, weil eine große Maschine kaputtging. Nach der Reparatur lief die Maschine zur Probe und war gleich wieder kaputt. Da hatten wir wieder frei – und das war dann schon einer der arbeitsfreien Tage vom nächsten Monat.

Wir arbeiteten immer in drei Schichten: Die Frühschicht ging von 4 Uhr morgens bis mittags 12 Uhr – die nächste Schicht ging von 12 bis 8 Uhr abends und die dritte von 8 Uhr abends bis zum nächsten Tag um 4 Uhr morgens. Als Frühstück gab es Krautsuppe. Wir haben fast nur Krautsuppe bekommen. Als es kein Kraut mehr gab, sind die Leute, die OK waren, also ohne Kommando, mit Säcken auf die Wiese gegangen und haben Brennesseln gesammelt. Oft haben wir auch die Brennesseln frisch von der Wiese weggegessen. Neben dem Schöpflöffel Krautsuppe erhielten wir noch Brot – 400 Gramm, dann gabs acht Stunden nichts mehr. Nach der Arbeit haben wir unsere Sachen geflickt. Abends gabs dann wieder einen Teller Suppe, und wenn wir die Norm erfüllt hatten, dann haben wir 200 Gramm Brot bekommen. Auf einem der Gebäude im A-Lager stand auf Deutsch: „Bäckerei". Die Schrift stammte noch aus der Zeit des Ersten Weltkriegs, als dort schon einmal Deutsche als Kriegsgefangene gewesen waren.

Die Verpflegung war unterschiedlich. Die deutschen Mannschaften kriegten zum Beispiel 10 Gramm Zucker, während wir Offiziere 20 Gramm erhielten. Beim Fett waren es auch 5 Gramm Unterschied. Aber Fett gab es nie, es stand nur auf dem Zettel geschrieben.

Ein Mitgefangener, der früher als ich zurückkehrte, hat meiner Frau geschrieben, eigentlich könnte man schon leben, wenn man das, was einem nach dem Verpflegungszettel zustand, auch wirklich bekam. Gelegentlich mußten wir den Essensempfang mit unserer Unterschrift bestätigen. An dem Tag gab es dann immer das zu essen, was auf dem Zettel stand.

Die Russen haben aus Sperrholz Panzerplatten gemacht. Sie klebten sieben bis acht Schichten Sperrholz aus verschiedensten Holzarten übereinander. Als Klebstoff benutzten sie Ochsenblut und Kasein – ein Abfallprodukt aus Magermilch. Das haben wir immer geklaut und gegessen.

Man hat sich überhaupt beholfen, so gut es ging.

Generaloberst Jeremenko und N. S. Chruschtschow, Mitglied des Kriegsrats der Stalingrader Front, mit Soldaten auf dem Marsch in die Kampfzone.

Die Überlebenden von dreihunderttausend Mann der 6. Armee ziehen durch die Schneewüste der russischen Steppe in Gefangenschaft.

Lager Elabuga. Zu dem Komplex gehörten drei Kirchen, die als Magazingebäude benutzt wurden.

Dr. Kohler, der bekannte „Arzt von Stalingrad", hat mir im A-Lager einmal einen rostigen Nagel ohne Narkose herausoperiert. Wir haben einen Stacheldrahtdorn abgebrochen, den hat er mit einem Hammer vorn flachgeklopft und scharf gemacht. Dann hat er gesagt: „Du mußt die Zähne zusammenbeißen, ich habe nichts anderes und kann dir ja nicht mit dem Hammer auf den Kopf hauen." Dr. Kohler hat vielen Leuten das Leben gerettet. Die Gefangenen haben ihm aus den Fabriken jedes Stück Blech mitgebracht, das sie stehlen konnten, um wieder ein Messer daraus zu machen.

Im Herbst 1946 erhielt ich die erste Post von zu Hause. Ich hatte dreieinhalb Jahre nicht schreiben dürfen. Im Januar 1946 habe ich die erste Karte geschrieben. Sie ist jedoch erst Ende September 1947 angekommen. Dreieinhalb Jahre habe ich mich gefragt: Leben sie noch, und wenn ja, wissen die, daß du noch lebst?

Im Herbst 1946 erhielt meine Frau den Brief eines Kameraden, der sie über mein Schicksal unterrichtete.

1949 kam für mich nach zehn Jahren Krieg und Gefangenschaft die Heimkehr. Im März wurde ein großer Heimkehrertransport zusammengestellt. Auch einige Kriegsgefangene aus Elabuga wurden dazugeholt. Sie wurden noch einmal alle durchgefilzt. Vor allem unter der Achsel wurde nachgesehen, ob sich da das SS-Zeichen befand. Fünf Mann wurden wieder aus dem Transport herausgeholt. Aber da die Personenzahl stimmen mußte, fuhr schnell ein Posten auf die Kolchose und hat einfach die ersten fünf Männer aufgeladen. „Zurück ins Lager," hieß es – und da war ich dabei. Ich arbeitete in der Zeit auf der Kolchose. Dort gefiel es mir ganz gut, weil wir da mehr zu essen hatten als im Lager. Im Lager herrschte eine Mordsgaudi, die russischen Posten und Of-

fiziere waren betrunken und haben gesungen. Wir wurden nicht kontrolliert – wir hatten keine Papiere. Wir haben uns einfach so auf die Pritsche gelegt. Am nächsten Morgen wurde für die Eisenbahnwagen Holz und Eis geholt. Wir haben uns immer freiwillig zur Arbeit gemeldet, damit sie uns gar nicht erst durchsuchten. Keiner wußte, wer wir waren. Erst in Frankfurt/Oder haben wir dann Papiere bekommen.

Die Lagerfotos

Ein Kamerad, den wir den „Königsberger" nannten, kam 1945 mit einem Gefangenentransport aus Ostpreußen ins Lager Elabuga. Er hatte eine kleine Kamera mit Film durch die ersten Filzungen gerettet und mit ins Lager gebracht. Als frisch Gefangener schloß er sich, wie das üblich war, älteren an, die schon ihre Erfahrungen hatten. Wir hatten bereits zwei bis drei Filzungen mitgemacht – und ich sollte insgesamt an die 200 mal gefilzt werden – und wir wußten, wie das lief. Man wußte, worauf es an dem besonderen Tag ankam, ob sie Messer, Briefe, irgendwelche Aufzeichnungen suchten oder Gegenstände, die aus den Arbeitsstätten mit ins Lager geschleppt worden waren.

Es gelang uns immer wieder, die Kamera zu verbergen, und so konnte der „Königsberger" in der Zeit von 1945 bis 1947 43 Aufnahmen machen. Beim Fotografieren gingen wir zu zweit vor: Einer von uns beiden stellte sich immer in die erste Reihe, der andere in die zweite Reihe hinter ihn, damit man immer die Kamera rasch dem anderen geben konnte. Manchmal wurde durchs Knopfloch fotografiert. Auf diese Weise entstanden die Fotos in den Lagern Elabuga, Kosyltau und Selenedolsk. Sie gehören zu den ganz wenigen Fotos, die von Deutschen in russi-

Diese beiden etwa postkartengroßen Fotoalben wurden im Lager aus Furnierholz gemacht.

scher Kriegsgefangenschaft gemacht und herausgeschmuggelt werden konnten.

Im Jahre 1947 stürzte ein Kamerad vom Bau und zog sich mehrere Knochenbrüche zu. Für uns war sofort klar, daß der für die Russen nicht mehr interessant war. Ich kannte den deutschen Lagerarzt, der sich gut mit der russischen Ärztin verstand. Ich hatte bei meiner zeitweisen Arbeit in der Wäscherei auch zusätzlich immer etwas für ihn gewaschen. So hatten wir uns ein wenig angefreundet. Als feststand, daß der verletzte Kamerad heimgeschickt werden sollte, habe ich den Arzt eingeweiht. Er erklärte dem Kameraden, er werde ihm das Bein vor dem Transport noch vergipsen. Im Silikatwerk haben wir Kalk genommen und haben daraus und aus braunem Packpapier einen Gipsverband gemacht. Unter

dem Knie hat der Arzt dann den belichteten Film eingegipst. Wir haben dem Kameraden nichts davon gesagt, die Heimkehrer wurden ja unterwegs oft kontrolliert. Wenn er etwas gewußt hätte, wäre er möglicherweise Gefahr gelaufen, sich zu verraten. Der Arzt hat ihm gesagt, er solle den Gipsverband nicht abnehmen, bis er wirklich zu Hause sei. Dort solle er ihn aufschneiden und als Andenken gut aufbewahren.

Als der „Königsberger" 1955, acht Jahre später, selber heimkehrte, hat er unseren Kameraden besucht und zu ihm gesagt: „Einen schönen Gruß vom Doktor, und ich soll fragen, ob du den Gipsverband aufgehoben hast." Und dann hat der ihm den Film gezeigt.

Die Bilder sind auf den Seiten 67 bis 75, 94/95 und 97 bis 104 wiedergegeben und erläutert.

Kostbarster Besitz des Gefangenen: das Foto von Frau und Kind.

Drei Jahre sind vergangen. Der Junge ist größer geworden.

Hans Kurz

Von 1943 bis 1950 in russischer Kriegsgefangen-schaft, unter anderem im Lager Elabuga.

Ich bin Jahrgang 1897 und hatte bereits am Er-sten Weltkrieg teilgenommen. Über Metz wurde ich abgeschossen. Im Zweiten Weltkrieg kämpf-te ich als Oberleutnant in der 6. Armee unter General Paulus. 1943 wurde ich von den Russen bei Stalingrad gefangengenommen.
Die hier wiedergegebenen Bilder habe ich im

Ein deutscher Gefangenenzug bei Millerowo

Lager Elabuga mit Wasserfarben auf eine dünne Holzplatte gemalt.

Das eine Bild erinnert an meine Freunde, die bei unserem Marsch durch Kälte und Schnee, auf unserem Weg in die Gefangenschaft starben.

Das andere Bild symbolisiert die Sehnsucht der Gefangenen nach der Heimat. Es zeigt eine Vision: Der Westen ist hell von der Sonne beschienen. Zu sehen ist das Fichtelgebirge und Schönbrunn – der nächste Ort von Wunsiedel aus.

1950 wurde ich aus der russischen Kriegsgefangenschaft entlassen.

Nächste Seite: Gefangene der Heeresgruppe Nord – 1942, 1943, 1944.

Max Hornig

Von 1943 bis 1949 in russischer Kriegsgefangenschaft, unter anderem in den Lagern Krasnogorsk, Grjasowjez und Tscherepowjez.

Kurz nach dem Tod meines Vaters wurde ich im September 1943 zum Fronteinsatz nach Rußland abkommandiert. Am Tag meiner Gefangennahme im November 1943 wurde ich im russischen Armeegefechtsstand durch Nikita S. Chruschtschow, damals Kriegsrat an der Dnjepr-Front, verhört. Danach verbrachte ich mehrere Monate in verschiedenen Auffang- und Durchgangslagern. Von Februar bis April 1944 lag ich wegen Entkräftung im Lazarett Lager 27 – Krasnogorsk. Dort hatte ich durch den politischen Lagerbeauftragten die Möglichkeit, ein erstes Lebenszeichen über Radio Moskau meiner Mutter zukommen zu lassen. Das Abhören dieses Senders wurde seinerzeit in Deutschland als Feindunterstützung streng geahndet.

Im Mai 1944 wurde ich in das Lager 7150 – Grjasowjez – transportiert. Erst am 12. April 1945, kurz vor der Kapitulation, erhielt meine Mutter eine anonyme Nachricht von mir. Da Berlin-Karlshorst Sitz der russischen Militäradministration wurde, mußte meine Mutter Mitte Mai 1945 wegen der Evakuierung des Viertels innerhalb von vierundzwanzig Stunden unsere Wohnung verlassen. Sie starb drei Monate später.

Im Dezember 1945 traf meine erste an meine Mutter gerichtete Karte in der Heimat ein. Im März 1946 erhielt ich die erste Post aus der Heimat – von meiner Braut und meinem jüngeren Bruder, der noch im letzten Kriegsjahr gefallen war.

Drei weitere Jahre des Wartens und Hoffens im Kriegsgefangenenlager 7150 folgten.

Nach harten Erd- und Straßenbauarbeiten bei Gluthitze im Sommer und kräftezehrendem Holzeinschlag im Urwald von Panowka bei bis zu 40 Grad Kälte im Winter hatten wir im Lager 7150 ab 1946 jedoch das große Glück, musikalische und kulturelle Betreuungsarbeit leisten zu können, die als Abwechslung und Ablenkung in der jahrelangen Leere und Eintönigkeit des Gefangenenalltags überall begeistert angenommen wurde.

Ein Frühheimkehrer sandte 1946 einen ausführlichen Bericht über das Lager 7150 unmittelbar nach seiner Rückkehr an meine Braut. Ich gebe ihn hier wieder, ergänzt um einige eigene Bemerkungen in Klammern:

Das Lager Grjasowjez

Das Offizierslager 7150 liegt in der Nähe des Städtchens Grjasowjez im Rayon Wolodga an der Bahnlinie Moskau–Archangelsk, 560 Kilometer östlich Leningrad und 454 Kilometer nördlich Moskau. Es liegt auf dem Gelände eines ehemaligen Klosters, von dem allerdings nur noch ein einziges Steingebäude steht. Das Lager ist ein Rechteck von 800 mal 180 Metern. Es wird von vierfachem Drahtzaun umschlossen. An den vier Ecken und den beiden Längsseiten befindet sich je ein Wachturm.

Die Belegschaft des Lagers besteht aus 3600 Offizieren, einschließlich einem Oberst und einigen wenigen Mannschaften, die als „Spezialisten" Schlüsselstellungen innehaben (Schusterei, Schneiderei, Schlosserei usw.). An Baulichkeiten enthält das Lager: Ein Steingebäude, das ehemalige Kloster, das Unterkünfte, Büroräume und die Bäckerei sowie die Elektrowerkstatt enthält; sieben Holzhäuser russischer Bauart: die Kommandantur vor dem Lager, das Lazarett in der Vorzone, den Club als Versammlungsraum für ungefähr 250 Personen, ein Haus mit Bücherei und Schneiderei, ein Haus für Invalide, ein Haus für die Lagerleitung und die Schusterei. Alle übrigen Baulichkeiten bestehen aus luftgetrockneten Lehmziegeln mit Strohmengung. Die Dächer sind mit Holzschindeln gedeckt. Diese Gebäude sind sieben Unterkunftsbaracken, Speisehalle mit Küche, Wäscherei mit Trockenraum, Wasserhaus und eine im vergangenen Jahr fertiggestellte Baracke, die bisher zu Arbeitszwecken benutzt wurde, in diesem Winter aber belegt werden soll. Im Lager befindet sich ferner die Banja, die Bad-, Entlausungs- und Friseurraum enthält. Im Bau befindet sich eine große Werkbaracke. Vor dem Lager liegen die Magazine, die Schlosserei, die Elektrostation und die zur Lagerkolchose gehörenden Baulichkeiten. Eine Unterkunftsbaracke ist ungefähr 60 Meter lang und 12 Meter breit. In ihr sind 300 bis 400 Personen untergebracht. Unterbringung auf Pritschen, Platz für jeden 2 Meter mal 40 bis 50 Zentimeter. Als Unterlage besitzt jeder einen Strohsack, als Bedeckung ein Bettlaken und eine Wolldecke. Die Pritschen sind meist zweistök-kig, manchmal dreistöckig.

Das Klima ist in dieser nördlichen Region natürlich sehr kalt. Im Winter 1945/46 betrug die Kälte bis zu minus 52 Grad. Der erste Schneefall setzte bereits am 23. September ein. Der letzte Schnee liegt an den Nordhängen noch Anfang Juni. Das Lager in einem leicht hügeligen Gelände. Sonst ist das Gelände, soweit es nicht kultiviert ist, sumpfiger Wald.

Wecken ist im Sommer um 5 Uhr, im Winter um 7 Uhr. Zapfenstreich ist durchgehend immer um 22 Uhr. Das Licht wird um 1 Uhr nachts abgeschaltet. Eine Stunde nach dem Wecken ist das Antreten zur Arbeit. Für die Nichtarbeitenden ist um 12 Uhr 30 Mittagessen, für die Arbeitenden nach Rückkehr. Abendessen ab 18 Uhr 30. Die Zählung findet nach Einbruch der Dunkelheit statt, aber nicht später als 21 Uhr.

Als Verpflegung bekommen die Lagerinsassen die für die gefangenen Offiziere vorgesehene Ration. Sie ist, wenn sie voll ausgeliefert wird und die Arbeit nicht allzu schwer ist, ausreichend. Der Verpflegungssatz ist in einem Stalinbefehl vom Mai 1943 festgelegt. Wenn er voll zur Ausgabe kommt, besteht er aus 600 Gramm Brot, 40 Gramm Zucker, 30 Gramm Fett täglich, dazu kommt mittags eine Suppe, die meist sehr dünn ist, und mittags eine kleine Menge Kascha, eine Art Brei. Die Bestandteile des warmen Essens wechseln nach der Jahreszeit und den Anlieferungen, die Nahrung ist aber im ganzen gesehen ziemlich einförmig: Hafer, Kohl, Kartoffeln, seltener Erbsen, Nudeln, Soja- oder Maismehl.

Die Bekleidung besteht aus den mitgebrachten Uniformstücken, soweit sie noch irgendwie brauchbar sind, nur bei völligem Verschleiß werden Ersatzstücke geliefert, und zwar gebrauchte Uniformen. Während des Winters 1944/45 war die Bekleidungslage fast katastrophal, während sie im Winter 1945/46 als ausreichend bezeichnet werden konnte. Damals bekamen jedenfalls alle im Freien Arbeitende Filzstiefel, eine Wattehose, einen etwa knielangen Schaffellmantel und eine Pelzmütze. Schlecht war es im letzten Winter nur um Handschuhe bestellt, die sehr dünn waren. Ferner waren dickere Strümpfe nicht

oder nur vereinzelt vorhanden, da der Russe nur Fußlappen aus Leinen lieferte. Auch Lederschuhe waren kaum vorhanden. Nachdem wir fast eineinhalb Jahre barfuß und meist nur mit selbstverfertigten Holzpantoffeln gelaufen waren, erhielten wir im Sommer Schuhwerk, und zwar Schnürschuhe, die aus einer Holzsohle und Oberleder aus Segeltuch bestanden. Die Herstellung erfolgte im Lager. Die Unterwäsche, von der wir eine Garnitur besaßen, wurde in mehr oder weniger großen Abständen getauscht und in der Wäscherei gewaschen. Alles andere hat der Gefangene selbst zu waschen. Die Wäscherei stellte hierfür sogenannte Lauge zur Verfügung.

In der letzten Zeit war es möglich, daß die im Lager Anwesenden einmal in der Woche baden konnten. Das „Baden" bestand darin, daß man eine Schüssel heißes Wasser bekam, mit dem man sich dann völlig abseifte. Das sonstige Waschen erfolgte im Freien. Das Wasser dazu holt man sich aus dem Bach, der durch das Lager fließt, und zwar zu allen Jahreszeiten. Für die Körperpflege bekam man monatlich 100 Gramm Seife, die allerdings sehr sodahaltig war und die Haut angriff. Dadurch und durch die vitaminarme Verpflegung traten Hautkrankheiten häufig auf.

In der Friseurstube konnte sich jeder Lagerinsasse zweimal in der Woche rasieren lassen. Rasierapparate im eigenen Besitz waren kaum vorhanden. Die Haare wurden uns während unseres Aufenthaltes im Lager vom 18. Juli 1944 bis zum 4. August 1946 zweimal geschoren, das letzte Mal Anfang Januar dieses Jahres. Kämme und andere Kulturgegenstände waren im Lager natürlich Mangelware. Wir waren aber bemüht, uns die am dringendsten benötigten Gegenstände selbst herzustellen.

Die ärztliche Betreuung wurde durch russisches und deutsches Personal durchgeführt. Chefarzt des Lagers war eine russische Kapitän-Ärztin, der eine Oberärztin und verschiedene Schwestern zur Seite standen. Alle wichtigen Entscheidungen wie Arbeitsbefreiung und Einweisung in das Lagerlazarett wurden nur durch sie getroffen. Die deutschen Ärzte standen den Lazarettabteilungen vor und führten die ambulante Behandlung durch. Ihr Einfluß war gering. Ferner war noch ein sehr guter deutscher Chirurg tätig, der in schwierigen Fällen zu Rate gezogen wurde und der auch bei den Russen über einigen Einfluß verfügte, sowie ein Zahnarzt, der natürlich sehr viel zu tun hatte, da die einseitige Ernährung auch die Zähne angriff. Im ganzen ist aber festzustellen, daß im Lager 7150 bislang weder Hungererscheinungen noch Epidemien aufgetreten sind. Auf dem sehr gepflegten Lagerfriedhof haben wir bisher 86 Kameraden zur letzten Ruhe bestattet, von denen ein Teil Unglücksfällen zum Opfer fiel. Dieser Prozentsatz an Todesopfern ist im Vergleich zu anderen Lagern verschwindend gering.

Die Lagerbetriebe: Die *Bäckerei* arbeitet in drei Schichten zu je acht Stunden. Das dort hergestellte Brot wird wegen seines hohen Wassergehaltes von über 40 Prozent in Formen gebacken. Es ist aber trotzdem noch sehr naß. Auch die *Küche* arbeitet den ganzen Tag über. Außer der eigentlichen Küche gehören noch die Kaffeeküche und der Brotschneiderraum zu ihr. Dort wird das aus der Bäckerei kommende Brot gewogen und ausgegeben, ebenso der Zucker. Die *Schneiderei* besteht aus zwei Betrieben, der Schneiderei für die Gefangenen und der Maßschneiderei, die Uniformen für die russischen Offiziere anfertigt. Hier sind fast nur Facharbeiter beschäftigt, während in dem Parallelbetrieb die meisten nicht vom Fach sind. In der *Schusterei* sind die Verhältnisse genauso.

Die *Töpferei* arbeitet fast ausschließlich für den russischen Markt. Sie wurde von Deutschen aus Liebhaberei entwickelt und dann auf russischen Befehl hin ausgebaut. In ihr wird Tongeschirr aller Art für den Zivilbedarf hergestellt; ferner Kleinplastiken, Aschenbecher, Vasen usw. Für das Lager fielen ab und zu einige Tonschüsseln ab, die dann die verrosteten Konservenbüchsen, die für gewöhnlich das Eßgeschirr darstellten, ersetzten. Die *Holzschuhfabrik* stellt Schuhwerk für den Lagerbedarf her. Aus dem Flachs der neben dem Lager gelegenen Flachsfabrik werden in der *Flachsschuhfabrikation* Seile geflochten und aus diesen dann Schuhe gefertigt. Die Erzeugnisse sind sowohl für das Lager als auch für den Markt bestimmt. Preis für ein Paar: 22 Rubel. Für den Bedarf der Lagerbetriebe und für den Zivilbedarf werden in der *Flachsspinnerei* Fäden verschiedener Länge und Dicke hergestellt. Auch die hierbei verwendeten Spinnräder mit vier Spindeln werden im Lager konstruiert und hergestellt. Dieses ist eine Arbeit des *Kon-*

struktionsbüros. Dieses Büro plant auch die Barackenbauten sowie neue Anlagen und Verbesserungen im Lager usw. So wurde erst vor kurzem eine *Mühle* hergestellt, um den Verpflegungshafer zu mahlen und ihn dadurch besser verdaulich zu machen. Die übrigen Betriebe: *Schreinerei, Stellmacherei, Schlosserei, Köhlerei* arbeiten nur für den Russen.

Was die *Schnitzerwerkstatt* betrifft, so muß ich weiter ausholen und berühre damit gleichzeitig einen nicht unbedeutenden Teil des Lagerlebens. Schon in den ersten Anfängen des Lagerlebens machte sich ein Mangel an allen möglichen kleinen Gebrauchsgegenständen bemerkbar. Da in jener Zeit noch keine Arbeit angeordnet war, begannen einige geschickte Kameraden mit den ersten Schnitzversuchen. Die Gegenstände, meist Pfeifen oder Dosen zum Aufbewahren von Zucker und Fett, waren zuerst noch ziemlich primitiv und roh, aber man muß bedenken, daß wir uns die Messer und Werkzeuge erst selbst herstellen mußten und auch darin keine Erfahrung besaßen (ebensowenig wie in der Herstellung von Zeichenfedern für Gedicht- und Notenbändchen). Doch allmählich vervollkommnete sich alles, und heute kann man von den Mitgliedern der Schnitzerwerkstatt sowie auch von den Liebhaber-Schnitzern die herrlichsten Dinge bekommen: Schachspiele, Dosen und Etuis für alle möglichen Zwecke, Kämme, Löffel, Buchhüllen, Ordner, Spielkarten (aus Holz!), Kleinplastiken usw. Würde man von diesen Gegenständen eine Ausstellung veranstalten (wie 1947 geschehen), ich glaube, es würde nur wenige geben, die nicht von ihrem künstlerischen Wert überzeugt wären.

Von dieser künstlerischen Richtung hat sich eine technische abgezweigt. Ich meine hiermit die Uhrmacherei. Die Uhren, die wir im Lager besitzen, sind aus Holz und Konservenblech gebaut. Sämtliche Berechnungen wurden ebenfalls von Lagerangehörigen angestellt. Diese Uhren gehen auf die Minute genau.

Der Arbeitseinsatz der Offiziere begann im April 1945. Der Befehl dafür wurde vom Innenministerium, dem die Kriegsgefangenen unterstehen, im Mai dieses Jahres herausgegeben. Die Stabsoffiziere werden im Rahmen der sogenannten Selbstbedienung zu Lagerarbeiten herangezogen. Außer den obengenannten Betrieben sind die

Versammlung im Lager Grjasowjez. Rechts am Zaun das Orchester.

Kriegsgefangenen hauptsächlich im Sommer beim Straßenbau und im Winter beim Holzschlag tätig. Kleinere Kommandos sind auf den umliegenden Kolchosen, der Lagerkolchose, der Fischfabrik, der Brauerei in Wologda und bei kleineren Bau- und Straßenkommandos beschäftigt. Die Arbeitszeit beträgt ohne An- und Abmarsch acht Stunden, mit allem etwa zehn Stun-

Die Duschanlage wurde von den Gefangenen konstruiert und gebaut.

Die kleine „Tanz"-Besetzung

den. Körperlich am schwersten sind die Erd- und Holzarbeiten.

Gearbeitet wird nach russischem Normsystem. Bei 112 Prozent wird eine Zusatzverpflegung von 100 Gramm Brot, 4 Gramm Zucker und einem Viertelliter Suppe gewährt. Die Bewachung bei der Arbeit ist locker, und es besteht dabei Gelegenheit, mit der Bevölkerung zusam-

Gefangene in Grjasowjez führen das Stück „Der Revisor" von Gogol auf.

menzukommen und so die monatlichen zehn Rubel Löhnung in Verpflegung umzusetzen.

Die übrige Zeit des Tages, soweit man nicht mit Essenempfang, Zählung o. ä. beschäftigt ist oder, von der Arbeit erschöpft, sich gleich schlafen legt, kann man nach eigenem Ermessen ausfüllen. Da Kartenspiele verboten sind, wird sehr viel Schach gespielt, auch Domino. Im Sommer, wenn die Sonne einmal schön scheint und der ewige kalte Wind ruht, ist die Wahl natürlich nicht schwer. Dann liegt man in Gruppen und Grüppchen in der Sonne und klöhnt.

Aber auch sonst ist für Abwechslung gesorgt. So haben wir für unseren Sold in Moskau Musikinstrumente gekauft. Wohl die gesamte Lagerbelegschaft hatte sich an der Spende beteiligt, und eine Handvoll deutscher Musikexperten traf mit Zustimmung des russischen „Kulturnaja"-Offiziers, eines wohlgesonnenen Hauptmanns, die Auswahl. Nachdem die Instrumente Ostern 1946 angekommen waren, hatte das Lager, zusammen mit den schon vorher vorhandenen bzw. selbstgebauten Instrumenten, ein Orchester von 40 Mann. Einer der beiden Dirigenten ist der bekannte Schlagerkomponist Hans Carste, der im Lager außer einer großen Anzahl von Schlagern eine Operette „Die rote Nelke" geschrieben hat, die wir auch aufführten. (Der andere war der ehemalige österreichische Staatskapellmeister Leo Ertl.) Ende 1946 entwickelte sich aus dem großen Orchester eine kleine „Tanz"-Besetzung. Samstagabends fand in diesem Sommer immer ein Promenadenkonzert im Freien statt, das der leichten Muse gewidmet war. Für Kenner spielte im Club ein Quartett öfters Sonaten. Unvergeßlich wird wohl allen Lagerangehörigen das Pfingstkonzert 1946 bleiben, bei dem Haydn, Bruch, Schubert, Tschaikowsky und Richard Strauß gespielt wurden und dessen Abschluß und Höhepunkt die „Egmont"-Ouvertüre war. An sonstigen Kunstgenüssen wären einige Theateraufführungen wie „Die Räuber", Wolffs „Professor Mamlock" und Goetz' „Tote Tante" sowie die kabarettartige „Bunte Bühne" zu erwähnen. Vorträge politischer und kultureller Art wurden öfters in den Baracken und im Club abgehalten. In diesem

„Russische Tänzerin" aus der Schnitzwerkstatt und zwei Medaillons, ebenfalls Arbeiten von Gefangenen.

Sommer befahlen die Russen, auch Sport zu treiben und schufen vor dem Lager zu diesem Zweck eine Art Sportanlage. Der Bach wurde im Sommer auch eifrig zum Schwimmen benutzt. Für die Lesehungrigen stand eine Bibliothek zur Verfügung, die aber überwiegend politische Bücher enthielt.

Die religiöse Betreuung fand an arbeitsfreien Sonntagen statt oder an hohen Feiertagen, soweit diese nicht arbeitsfrei waren, nach der Arbeit, und zwar in beiden Konfessionen. Weihnachten und Ostern waren arbeitsfrei; das war aber auch alles, was die Russen an diesen Tagen für uns taten. Wir haben versucht, mit diesen Festen uns ein Stück Heimat zu erhalten und haben sie so gut gefeiert, wie es nur möglich war. Daß in diesen Tagen die Gedanken besonders in die Heimat gehen, braucht man wohl nicht besonders zu erwähnen. Auch sonst ist die Sehnsucht nach der Heimat und den Angehörigen sehr groß, aber in den kleinen Kreisen die sich im Laufe der Jahre zusammengefunden haben, hilft

Das Melodienbändchen

Unten: Zwei Seiten aus dem Gedichtbändchen

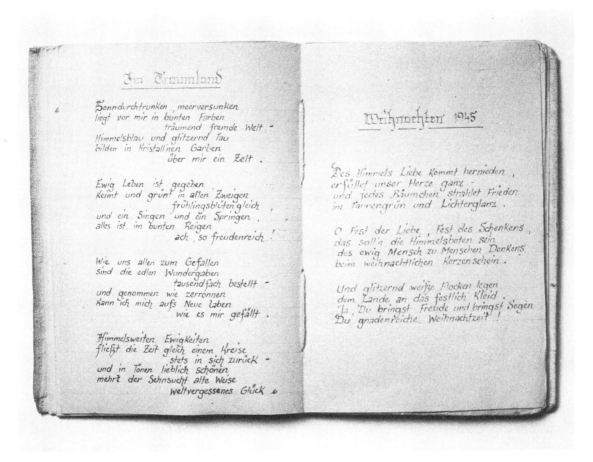

Politische Umerziehung

einer dem anderen, und wenn einer verzweifeln will, so wird er wieder aufgerichtet, und ein derber, wenn auch oft nur allzu gezwungener Scherz, hilft darüber hinweg.

Was könnte besser die Stimmung charakterisieren als unser „Heimatlied" –, das in unserem Lager geschrieben wurde:

Wenn die Wolken westwärts zieh'n

Aus dem Meer des Lebens
warf des Schicksals Hand
uns vor vielen Monden
in ein fremdes Land –
doch was nützt das Quälen

Max Hornig

und das Stundenzählen,
schließ die Augen,
träum' vom Glück,
träume dich zurück . . .

Wenn die Wolken westwärts zieh'n,
zieht mein Herz mit ihnen
dorthin, wo die Wiesen blüh'n
und die Felder grünen,
schaut in jedes kleine Haus,
richtet tausend Grüße aus,
und es rauscht der grüne Wald,
Seh'n uns wieder, bald, ja bald . . .

Soweit der Bericht meines Lagergefährten.

Das Lager 7150 war und blieb dank relativ guter Organisation seitens deutscher und auch russischer Lagerführung und dank der günstigen Gemischtbelegung – überwiegend junge Offiziere, Subalternoffiziere bis einschließlich Hauptmann, eine Anzahl von Stabsoffizieren und wenige Mannschaften und Unteroffizieren – wohl eines der am humansten geführten Lager der über 3000 Lager in der Sowjetunion, in denen die 3 Millionen in russische Gefangenschaft geratenen deutschen Soldaten ihre so unterschiedlichen Schicksale erfahren haben.

Ab 1948 hörten wir dann von den ersten größeren Heimkehrertransporten. Aufgrund der einsetzenden Gerüchte und Latrinenparolen wurde die seelische und nervliche Belastung für die wartende Masse der Gefangenen immer unerträglicher.

Im August 1948 erfolgte der Transport fast unserer geschlossenen Freundesgruppe in das Lager 7437 – Tscherepowjez –, wo wir entgegen allen früheren Hoffnungen auch die sechste Weihnacht hinter Stacheldraht verleben mußten. Am 8. März 1949 habe ich schließlich die letzte Post aus Rußland an meine Braut geschrieben, kurze Zeit darauf ging es auf Transport und am 29. März 1949 vormittags verabschiedete ich mich in Frankfurt a. d. Oder von meinen Weggefährten aus über fünfjähriger Gefangenschaft.

Wir wurden als Zwanzig-, Fünfundzwanzigjährige ohne die Möglichkeit der Wehrdienstverweigerung in den Krieg eingezogen. Wir haben gebüßt für die Schuld, daß fast eine ganze Nation falschen Propheten nachgelaufen ist.

Heinrich Meier

Von 1944 bis 1949 in russischer Kriegsgefangenschaft in verschiedenen Abteilungen des Lagers Saporoschje.

Noch hatte der Winter seinen Abschied nicht genommen, aber die Sonne kam doch schon für einige Stunden wärmer durch – in jenen ersten Märztagen des Jahres 1944, die die letzten meiner Teilnahme am Krieg und für Jahre die letzten meiner Freiheit sein sollten.

Wir gehörten einer Division an, die sich offenbar für Brückenköpfe ganz besonders geeignet fühlte. So waren wir monatelang am Kuban-Brükkenkopf eingesetzt gewesen und trafen uns später im Cherson-Brückenkopf wieder. Nachdem wir diesen aufgeben mußten, standen wir im Raum Winniza den Russen gegenüber. War unsere Division im Cherson-Brückenkopf allein auf sich angewiesen gewesen, so stand sie nun in einem Heeresverband und war auch von den Kampfhandlungen der Nachbardivisionen abhängig. Aus diesem Grunde wurden Beobachtungstrupps von unseren Einheiten zu den Nachbardivisionen geschickt, um als vorgeschobene Beobachter das Verhalten von Freund und Feind im Auge zu behalten. Einem dieser Trupps gehörte ich an, bis ich bei einem Großangriff der Russen, der die Front in einer Breite von vielen Kilometern ins Wanken brachte, von meiner Truppe getrennt wurde.

Die ganze Front war in Bewegung geraten, und dabei geschah es, daß wir am 9. März 44, dem Tag meiner Gefangennahme, bis Mittag mit den zurückgehenden Truppenteilen in einer Richtung marschierten und statt zu rasten, plötzlich wieder einige Kilometer weiterzogen. Keiner schien sich genau auszukennen. Da ich noch immer von meiner Einheit entfernt, nunmehr schon über eine Woche, jeden Tag vom frühen Morgen bis in die späte Nacht hinein marschiert war, beschloß ich am Nachmittag, ein paar Ruhestunden zusätzlich einzulegen. Darin wurde ich durch eine nach Osten auf der Hauptstraße eines kleinen Orts fahrende Panzereinheit bestärkt. Leider zog ich daraus den falschen Schluß. Die Panzereinheit war zwar für mich sichtbar nach Osten gefahren, aber nach einigen Kilometern war sie erst nach Süden und dann

endgültig nach Westen, also in Richtung des allgemeinen Rückzugs, abgebogen. Ich bezog in einem Haus an einer Seitenstraße Quartier und war verhältnismäßig guter Dinge. Während des gemeinsamen Abendessens mit meinen Quartiersleuten – es gab Bratkartoffeln, wozu ich das Fett beigesteuert hatte – kamen noch ein paar Nachbarn hinzu, um Neues zu erfahren und ihre Angst zu überwinden. Sie wollten wissen, wie ich die Lage beurteilte, und eine ältere Frau erkundigte sich, ob sie wohl ihren Sohn, der bei der deutschen Wehrmacht Hilfsdienste angenommen hatte, wiedersehen würde. Außer tröstenden Worten konnte ich diesen Leuten nichts sagen. Ihre Warnungen, daß morgen die Russen da seien, schlug ich in den Wind und lachte darüber. Nach einer ruhigen Nacht – ich hatte schon lange nicht mehr so gut geschlafen – stand ich in aller Frühe auf. Nach der Morgentoilette setzte ich meinen Marsch Richtung Westen fort – zum Frühstücken hatte ich mir keine Zeit genommen, denn es war mir in dem leeren Hause allzu unheimlich geworden. Von meinen Quartiersleuten hatte ich nach dem Abendessen nichts mehr gesehen und gehört. Sie waren wie vom Erdboden verschwunden.

Vielleicht einen knappen Kilometer mochte ich gegangen sein, als ich aus einem der Häuser am Dorfrand angerufen wurde. Ein Mann, nur mit Hose und Hemd bekleidet und kaum als Soldat erkennbar, war vor ein Haus getreten. Ich werde seinen Ruf „Kuda, Pan?" (Wohin, mein Herr) wohl nie vergessen. Ich war zwar überrascht, aber wäre nicht auf den Gedanken gekommen, daß der Ort bereits von russischem Militär besetzt sein könnte und der Mann ein zur regulären Truppe gehörender Soldat war. „Uman!" gab ich im Weitergehen dem Mann zur Antwort, was heißen sollte, daß ich zur nächsten größeren, im Westen liegenden Stadt wollte. Der Mann verschwand im nächsten Hause, und ich glaubte, daß damit alles in Ordnung war. Plötzlich fiel hinter mir ein Schuß und ich wurde mit dem Ruf „Stoi!" (Halt) aufgefordert stehenzubleiben.

Meine Gefangennahme spielte sich dann mit solcher Schnelligkeit ab, daß keine Zeit für lange Überlegungen blieb und irgendwelche Gefühle bei mir gar nicht erst aufkommen konnten. Alles an mir war äußerste Konzentration, und erst viel später, am Abend vor dem Einschlafen, stellte sich die Angst vor der Zukunft ein, die Angst vor dem Ungewissen.

Kaum war der Schuß verhallt, tauchten aus allen Häusern ringsum Soldaten auf. Der Soldat, der mich zuerst angerufen hatte, holte mich in sein Nachtquartier und untersuchte mich auf Waffen und Munition. Mit schnellem Griff nahm er mir Karabiner, Munition und Uhr ab. Auch mußte ich meine Dienstjacke ausziehen und abgeben, da ihm und seinen Kameraden mein Anorak als ausreichende Bekleidung für mich erschien. Kaum war die Filzung, die ich mit erhobenen Händen über mich ergehen lassen mußte, beendet, wurde ich von einem Soldaten aufgefordert, ihm zu folgen. Auf demselben Wege, den ich eben erst gekommen war, ging es zurück.

Inzwischen war die Sonne aufgegangen und ringsumher war alles hell geworden. So erkannte ich nun auch in dieser Ortschaft die Zeichen dieses Krieges, abgebrannte, aber noch schwelende Häuser, die ich in der Dunkelheit gar nicht gesehen hatte. Auch einen erschossenen Polizisten, einen Russen, der in deutschen Diensten gestanden hatte, sah ich im Straßengraben liegen. Der Anblick ließ mich erschauern und erinnerte mich daran, daß ein gleiches Los mich jederzeit ereilen konnte. Der tote Polizist schien mir zu sagen, wie wertlos mein Leben geworden war

und wie dankbar ich den Soldaten sein konnte, die mich gefangengenommen hatten und mich weiterleben ließen. Unterwegs trafen wir, mein Bewacher und ich, einen Hauptmann der Roten Armee, der sich auf dem Wege der Hauptkampflinie befand. Es schien der Kompaniechef des mich begleitenden Rotarmisten zu sein, denn er hielt ihn an, befragte ihn meinetwegen und schickte ihn dann zurück. Mir jedoch gab der Hauptmann zu verstehen, indem er seine Pistole zog und damit seinen Worten und Gesten Nachdruck verlieh, weiterzugehen – und zwar von der Straße weg in die am Straßenrand stehenden Büsche.

Ich weiß heute nicht mehr, welche Gedanken mein Gehirn in diesem Augenblick durchrasten, aber mit Sicherheit weiß ich noch, daß ich sehr große Angst bekam, wie nie zuvor und nie danach. Ich glaubte, das sei nun das Ende, denn ich war mir sicher, daß der Hauptmann mich deshalb am Straßenrand erledigen wollte, damit mein Leichnam nicht auf der Straße den Verkehr behinderte. An das Nächstliegende aber, daß der Hauptmann nicht über die nasse, verschmutzte Straße, sondern lieber neben der Straße über die weniger morastigen Felder laufen wollte, daran dachte ich in jenen Augenblicken nicht. Die Todesangst hemmte meinen Schritt. Meine Kehle

war trocken, und ich brachte anfangs kein Wort heraus. Nach Überwinden des ersten Schreckens aber riß ich mich zusammen und bat den Hauptmann um mein Leben. Der aber lachte, wies mit der Hand nach vorn und bedeutete mir, ruhig weiterzugehen. Mit der gezogenen Pistole ging er hinter mir her. Er war kein unsympathischer Mensch und hätte mir im normalen Leben keine Furcht eingeflößt. Auch hatte mich sein Lachen durchaus beruhigt – dennoch verließ mich mein unbehagliches Gefühl, ein „Auf-den-Tod-ge-faßt-Sein" erst, als der russische Offizier mich in einem Hause seinem Vorgesetzten übergab. Anstelle der Angst trat nun die Neugierde: Ich würde erfahren, wie es in einem russischen Bataillonsgefechtsstand aussah, oder sogar in einem Regimentsgefechtsstand.

Der ranghöchste Offizier war gerade geweckt worden. Das erste, was ich von ihm zu sehen bekam, waren seine Unterhosen, als er sich von seiner Lagerstatt am Ofen erhob.

Er vernahm mich während seiner Morgentoilette. Das Verhör war kurz, aber exakt. Die Fragen, die er stellte, befaßten sich mit meiner Einheit, und die Antworten hätte er ebensogut aus meinem Soldbuch ablesen können. Als ich ihm auf seine Fragen nach Stärke und Bewaffnung meiner Einheit keine Auskunft geben konnte, weil ich als einfacher Soldat keinen Überblick hatte und schon seit mehreren Tagen ohne Verbindung mehr zu meiner Einheit gewesen war, beendete er das Verhör und ließ mich einfach stehen. Er setzte sich an einen Tisch und frühstückte, ohne mich weiter zu beachten. Ich stand etwa eine Viertelstunde auf demselben Fleck, und wußte nicht, was ich tun sollte. Nur das Schimpfen und Spucken eines alten Bauern, der das Haus bewohnte und sich über meine Anwesenheit ärgerte, störte die Stille des Morgens. Der russische Offizier bedeutete ihm, ruhig zu sein, worauf der alte Bauer sich brummend in eine Ecke des Zimmers verzog. Plötzlich trat ein sehr junger Soldat ins Zimmer, zog mich am Arm nach draußen und führte mich ins Nachbarhaus. Er war offensichtlich der Bursche des Offiziers und sicher nicht älter als fünfzehn Jahre. Ich rechnete damit, daß er mich zu einer Truppe Soldaten führen würde, die mich zum Empfang zuerst einmal verprügeln wollten. Es kam jedoch alles ganz anders.

Der junge Rotarmist brachte mich in einen Raum, in dem zwei junge Mädchen in Uniform einen Fernsprech-Klappenschrank bedienten und Ferngespräche an die Truppe vermittelten. Ich wurde zu meiner Überraschung aufgefordert, mich zu setzen und zu frühstücken. Meine Aufregung während der letzten Stunden war

aber so groß gewesen, daß ich selbst beim Anblick eines Stückes Speck keinen Appetit bekam, dankend ablehnte und nur eine Zigarette annahm und rauchte. Es war eine deutsche, von Russen erbeutete Zigarette. Während ich rauchte, fing der junge Soldat ein Gespräch mit mir an. Er wollte zunächst wissen, zu welcher Truppengattung ich gehörte, und als ich ihm mehr mit Gesten als Worten verständlich gemacht hatte, daß ich Funker sei, wurde er noch freundlicher, und im weiteren Verlauf des Gesprächs redete er mich nur noch mit „Radist" an, dem russischen Wort für Funker. Er wollte weiter wissen, ob ich auch einen russischen Soldaten getötet hätte, was ich mit dem Hinweis verneinen konnte, daß ich als Funker glücklicherweise nicht in die Verlegenheit gekommen sei, schießen zu müssen. Erst danach erfuhr ich den eigentlichen Grund, weswegen er dieses Gespräch mit mir gesucht hatte. Er wollte von mir hören, wie es ihm wohl erginge, wenn er in deutsche Gefangenschaft geraten sollte. Ich sagte ihm, daß er nach Deutschland gebracht würde und dort bis Kriegsende arbeiten müsse.

Meine Auskunft stellte ihn zufrieden. Zum Schluß wollte er nur noch wissen, ob meine Eltern wegen meiner Gefangennahme Repressa-

Ein Gefangener kocht eine Suppe.

lien, eventuell sogar Verhaftung und Tod zu befürchten hätten. Ich verneinte und hatte den Mut, ihm zu sagen, daß unsere Propaganda dasselbe auch von den Angehörigen der russischen Gefangenen behauptete, und das sei doch sicher auch nicht wahr. Er gab mir lachend recht und war über meine Antworten erleichtert und zufrieden. Ich begann nun meinerseits zu fragen, und zwar nach dem, was mich im Augenblick am meisten interessierte: „Wie wird es mit mir weitergehen?" Er gab bereitwillig Auskunft: Ich würde ins Innere Rußlands transportiert, um am Wiederaufbau des zerstörten Landes mitzuarbeiten. Für mich sei der Krieg zu Ende, während er noch den Strapazen und Gefahren eines kämpfenden Soldaten ausgesetzt sei. Ich hätte nur zu arbeiten – allerdings schwer und lange Zeit.

Ein plötzliches Signal ertönte. Der Bursche gab mir zu verstehen, daß dies das Zeichen zum Aufbruch sei. Er nahm mich mit auf den Hof, wo die ersten Soldaten sich inzwischen bereits eingefunden hatten. Mein Erscheinen löste bei ihnen sofort eine lebhafte Auseinandersetzung aus. Was sollten sie mit dem plötzlich aufgetauchten Gegner tun. Der Ausgang schien für mich recht ungewiß, bis einer der Anwesenden, der sich bisher nur wenig am Disput beteiligt hatte, mich aus dem Kreis der Streitenden herausführte und mir sein Kochgeschirr zum Tragen gab, das mit Panzerabwehrmunition gefüllt war. Um mich zu besänftigen und gleichzeitig zu beruhigen, drehte er mir eine Machorka-Zigarette aus Zeitungspapier und reichte sie mir zum Rauchen. Der Truppenführer erschien und ließ die Männer antreten.

Für mich war es eine Selbstverständlichkeit, meinem Beschützer ins Glied zu folgen. Damit war der Anführer jedoch nicht einverstanden, und er ließ mich herausholen. Ich wurde zu einem Rotarmisten geschafft, der bereits einen anderen Soldaten zu bewachen hatte, einen unbewaffneten Russen. Der Rotarmist erhielt den Befehl, uns aus der Kampflinie zu bringen. Während die angetretene Truppe sich in Bewegung setzte und an die Front marschierte, traten wir den Weg in die Gefangenschaft an: Vornweg der gefangene Russe, ich in der Mitte und am Schluß unser Bewacher.

Wir mochten etwa einen Kilometer auf der Straße marschiert sein, als ein Soldat auf einem Pferd

In einem Sammellager bei Rostow wird an Gefangene Brot ausgeteilt.

ohne Sattel uns entgegengeritten kam und bei uns anhielt. Er sprach ein paar Worte mit unserem Posten, und ich erkannte, daß der Reiter betrunken war. Immer näher trieb er sein Pferd an mich heran, aber seine Versuche, mich niederzureiten, hatten keinen Erfolg. Nun nahm er seine Gerte, mit der er bisher sein Pferd angetrieben hatte, und schlug damit auf mich ein. Aber schon beim dritten Schlag zerbrach der Stock. Langsam wurde das unserem Posten zuviel. Mit seiner Maschinenpistole hieb er ein paarmal auf das Hinterteil des Pferdes, worauf dieses davontrabte. Uns bedeutete er, rasch hinter eine Hecke zu marschieren. Nach einigen vergeblichen Versuchen, die Hecke zu durchreiten, gab der Reiter auf und ritt brummend davon.

Einige hundert Meter weiter stießen wir auf sechs deutsche Soldaten, die vor einem Hause unter Bewachung herumsaßen.

Mein russischer Mitgefangener wurde ins Haus geholt und erschien nach etwa einer halben Stunde bewaffnet wieder auf dem Hof. Vielleicht war er kurze Zeit in deutscher Gefangenschaft gewesen, hatte sich aber befreien können und mußte überprüft werden. Denselben Weg, den wir soeben zu dritt gekommen waren, schritt er mit seinem früheren Bewacher zurück.

Nach kurzer Ruhepause wurden wir sieben Gefangene in Marsch gesetzt. Es ging abermals gen Osten, nach Rußland hinein. Im nächsten Dorf – wir mochten vielleicht acht Kilometer von dem Ort meiner Gefangennahme entfernt sein – stießen wir zu einem weiteren Trupp Gefangener. Es waren dieses Mal außer zwei Deutschen und fünf russischen Hilfswilligen auch vier russische Zivilisten darunter, von denen einer als Kolchosvorsteher, ein anderer als Gemeindevorsteher und die beiden anderen als Chauffeure bei den Deutschen gearbeitet hatten. Wir wurden in ein Haus geholt und in einen großen Raum gesperrt, vor dessen Tür ein russischer Soldat Posten bezog. Einer von uns wurde aus dem Zimmer geholt, aber es dauerte nicht lange und die Tür wurde wieder aufgerissen. Der Mann kam zurück, und der nächste wurde mitgenommen. Dann war ich dran. Ich wurde in einen Raum gebracht, in dem sich zwei Offiziere der Roten Armee und eine Frau befanden. Die Frau saß auf dem Schoß des älteren und ranghöheren Offiziers, und beide schmusten. Der jüngere Offizier forderte mich in deutscher Sprache auf, meine Taschen zu leeren. Ein Feuerzeug, ein Taschenmesser und eine Heimatzeitung war alles, was sich noch in meinen Taschen befand. Die Dinge waren schnell unter den Anwesenden verteilt; das Feuerzeug steckte der ältere Offizier ein, nachdem er ausprobiert hatte, ob es auch funktionierte, und das Taschenmesser erhielt die Frau. Meine Zeitung blieb unbeachtet. Ein paar belanglose Fragen folgten und das Verhör war schon wieder zu Ende. Sie schafften mich zurück zu meinen Gefährten, und ich suchte mir auf dem Boden des Raumes eine Stelle zum Schlafen. Am anderen Morgen ging es in aller Frühe Richtung Osten weiter.

Nach drei bis vier Stunden Marsch begegnete unser kleiner Trupp einem höheren russischen Offizier mit einigen Begleitern, die uns anhielten, und nach einem Gespräch mit unseren Posten schickten sie uns wieder den Weg zurück, den wir gerade gekommen waren. Offensichtlich sollte irgendwo in Frontnähe eine neue Sammelstelle für Kriegsgefangene eingerichtet werden. Bis zum Abend durchquerten wir noch zwei Ortschaften und langten fast wieder bei unserem Ausgangspunkt vom Tag zuvor an. Die Nacht verbrachten wir in einer Scheune, und am Kanonendonner merkten wir, daß wir der Front wieder sehr nahegekommen waren. Am nächsten Morgen befanden wir uns nach ein paar Kilometern Marsch plötzlich mitten drin in der breiten voranmarschierenden russischen Front. So konnten wir auch einer berittenen Horde nicht lange verborgen bleiben. Als sie uns entdeckte, fing sie sofort an, uns zu attackieren.

Vergeblich versuchten unsere beiden Posten uns zu schützen. Aber gegen diese Horde von etwa zwei Dutzend Leuten waren sie machtlos, und um selbst nicht niedergeritten zu werden, mußten sie uns schließlich den Angreifern überlassen. Da wir durch ein abgeerntetes Sonnenblumenfeld gingen, rissen die Reiter die stehengebliebenen Stengel aus der Erde und schlugen sie uns um die Köpfe. Weil aber die Stengel bereits beim ersten Schlag zerbrachen, griffen die Reiter zu

anderen Mitteln, uns zu belästigen. Einem deutschen Soldaten, der in der ersten Reihe unseres Trupps ging, nahmen sie mit einem Griff die Brille weg, und als er mit Bitten versuchte, die Brille wiederzubekommen, schlug ein Reiter ihm die Eisenkette, die ihm als Pferdehalfter diente, über den Kopf. Der deutsche Soldat ließ sofort von dem Dieb ab. Die Reiter hatten nun die Wirkung ihrer Ketten erkannt und jeder zweite schlug damit auf uns ein. Mittlerweile hatten sich auch noch zwei uniformierte Mädchen eingefunden, die ihre Kameraden anspornten, fester zuzuhauen und insbesondere auf die russischen Zivilisten einzuschlagen, die am Schlusse unseres Zuges marschierten und die sie wohl für Verräter hielten. Erst zwei deutsche Flugzeuge bereiteten dem Spuk ein Ende. Im Nu waren die Reiter nach allen Seiten auseinandergestoben.

Um den Fliegern nicht aufzufallen, legten wir uns auf Befehl der Posten auf den Boden. Der Angriff dauerte nur wenige Minuten, dann formierten wir uns erneut zum Weitermarsch. Außer ein paar Schrammen hatten wir bei der Prügelei nicht viel abbekommen. Lediglich der älteste russische Zivilist – ich schätzte ihn auf über siebzig Jahre – lag wie leblos am Boden. Sein Gesicht war blutverschmiert, und er konnte sich anfangs nur mit Hilfe seiner Mitgefangenen aufrichten und bewegen. Er war von den Ketten mehrfach im Gesicht getroffen worden, das inzwischen stark angeschwollen war.

Das Geschehen war von einem russischen Oberleutnant beobachtet worden, der nun zu uns herüberkam, mit den Posten sprach und ihnen Ratschläge erteilte. Es stellte sich heraus, daß dieser Offizier ein deutscher Landsmann war. Als Jude war er, wie er uns erzählte, schon vor Jahren aus Hitlerdeutschland nach Rußland emigriert. Er sprach uns in unserer Muttersprache an und erkundigte sich nach seinem Heimatort; doch leider stammte keiner von uns von dort. Das Treiben der russischen Reiter entschuldigte er damit, daß sie am Morgen Wodka erhalten und zuviel getrunken hätten. Er riet unseren Posten, nicht weiter mit den vorwärtsmarschierenden Truppen zu ziehen, sondern die nächste Bezirksstadt im Hinterland anzusteuern, um dort ein Sammellager ausfindig zu machen. Zum Schluß wollte er noch zweierlei wissen: Erstens, worauf unserer Ansicht nach die derzeitigen Erfolge der

Roten Armee zurückzuführen seien – auf die Leistung der Truppe oder auf die amerikanischen Waffenlieferungen. Zweitens, wie die Stimmung bei unseren Offizieren sei.

Da keiner meiner Kameraden bereit war zu antworten, ich aber den Oberleutnant nicht ärgern wollte, meldete ich mich nach einigem Zögern zu Wort und sagte ihm, was er gern hören wollte: „Die Stimmung unserer Offiziere kann man bei den anhaltenden Rückzügen nicht als gut bezeichnen. Es heißt: ‚Die Lage ist ernst, aber nicht hoffnungslos‘. Worauf die Erfolge der Roten Armee zurückzuführen sind, kann ich als einfacher Soldat nicht beurteilen, aber sie sind bestimmt nicht nur den Waffenlieferungen einer verbündeten Nation zuzuschreiben."

Ein Lächeln huschte über sein Gesicht. Er schien mit meinen Antworten zufrieden zu sein. Zum Abschied wünschte er uns alles Gute und nach Beendigung des Krieges eine gesunde Rückkehr in unsere Heimat.

Wir änderten also abermals unsere Marschrichtung und gingen wieder denselben Weg zurück. Wir machten zur Mittagszeit Rast bei drei etwas abseits eines Dorfes gelegenen Häusern, und die Posten sorgten dafür, daß wir Wasser bekamen. Die Märzsonne schien an diesem Tage recht warm, und die kurze Rast tat uns sehr gut. Wir hatten uns in die Sonne gesetzt oder hingelegt, und einige der Kameraden waren sogar eingeschlafen, als wir ein weiteres Mal von einem Trupp russischer Soldaten aufgescheucht wurden. Wieder fürchteten wir Prügel, und so krochen wir enger zusammen, um uns besser schützen zu können. Aber die Soldaten wollten nur wissen, ob einer von uns noch Orden oder Ehrenzeichen besaß. Trotz der vorangegangenen Kontrollen und Filzungen befand sich an der Uniformjacke eines Gefangenen noch ein Verwundetenabzeichen und ein Infanteriesturmabzeichen. Er wurde gebeten, beides auszuhändigen, und erhielt zu unserer Überraschung dafür zwei Schachteln Zigaretten, die er kameradschaftlich aufteilte, womit die Raucher unter uns unerwartet zu einer Zigarette kamen. Nachdem man uns vielleicht ein bis zwei Stunden Mittagspause gegönnt hatte, brachen wir wieder auf und zogen weiter.

Wir hatten die Ortschaft gerade durchschritten, als uns zwei russische Frauen in ländlicher Kleidung einholten. Sie redeten auf unsere Posten ein und versuchten, sie am Weitermarschieren zu hindern, denn unter den gefangenen Zivilisten befanden sich die Männer der beiden Frauen. Sie hatten ihnen in einem Korb drei große Brote und Gurken mitgebracht, aber die Posten wollten zuerst nicht zulassen, daß sie die Nahrungsmittel ihren Männern aushändigten. Da die Posten unseren mitleidsvollen Blicken und den Bitten der russischen Gefangenen aber nicht widerstehen konnten, machten sie den Frauen zur Bedingung, die Sachen unter uns alle aufzuteilen. Die Frauen waren einverstanden und versprachen ihren Männern, am nächsten Tage nochmals zu kommen und noch mehr Brote zu bringen. Um die Brote aufzuteilen und um zu essen, machten wir wiederum eine kurze Rast. Es war lange her, seit wir zuletzt etwas gegessen hatten. Die Frauen durften während unserer kargen Mahlzeit bei ihren Männern bleiben und versuchten, sie zu trösten. Abends erreichten wir eine Ortschaft, in der uns die Posten für die Nacht in einem Stall unterbrachten. Am nächsten Tag holten uns die Frauen tatsächlich noch einmal ein und es kam uns wie ein Wunder vor, daß sie nicht nur den weiten Hin- und Herweg überwunden, sondern uns auch noch in dem Durcheinander einer vorwärtsmarschierenden Front gefunden hatten. Die mitgebrachten Brote und Gurken wurden wieder aufgeteilt, und so hatten wir abermals etwas im Magen. Die nächste Nacht verbrachten wir glücklicherweise nochmals in einem Stallgebäude, denn im Monat März war es in den Nächten doch noch sehr kalt.

Über Nacht fiel Schnee, und der Boden war weiß, als wir am Morgen weitermarschierten. Die aufgehende Sonne brachte den Schnee sehr schnell zum Schmelzen und der durch das Schmelzwasser aufgeweichte Boden erschwerte uns sehr das Vorwärtskommen. Als um die Mittagszeit die Sonne verhältnismäßig warm auf uns niederschien, zogen sich ein paar Kameraden während der Mittagsrast die Schuhe aus und hängten sie sich beim Weitermarsch über die Schulter. Auch ich war versucht, diesem Beispiel zu folgen, denn ich hatte mir bereits vor meiner Gefangennahme Blasen an den Füßen gelaufen, aber ich kam nicht mehr rechtzeitig dazu, weil wir rasch weitermarschierten. Das war mein Glück, wie ich bald merken sollte.

Auf unserem Weg hatten wir einen Fluß zu überqueren. Die Brücke war zerstört, und auf der von russischen Pionieren errichteten schmalen Notbrücke floß der Verkehr immer nur in einer Richtung. Wir mußten warten, weil der Verkehr uns entgegenfloß und für die Russen wegen des Nachschubs für die Front in diesem Augenblick auch weitaus wichtiger war. Wir standen also am Straßenrand und warteten auf ein Zeichen der Miliz, die den Verkehr regelte, als plötzlich einer der vorübermarschierenden Soldaten auf uns zusprang und einem der Gefangenen die Schuhe von der Schulter riß. Ehe wir begriffen, was geschehen war, und ehe unsere Posten einschreiten konnten, war auch schon der zweite von uns seine Schuhe los. Sein verzweifelter Versuch, die Schuhe zurückzuerhalten, brachte ihm nur ein paar derbe Schläge ein. Der Russe verschwand ungeschoren mit seinem Diebesgut in dem Gewühl der an uns vorüberziehenden Soldaten. Unsere Posten taten in diesem Augenblick das einzig Richtige: Sie trieben uns schnell zusammen, entsicherten ihre Maschinenpistolen und stellten sich, beschimpft und bedroht von ihren eigenen Kameraden, schützend vor uns auf.

Endlich war der Weg für uns frei und wir begannen, den Fluß zu überqueren. Die Posten trieben uns zur Eile an, damit wir schnell über die Brücke kamen und von einzelnen entgegenkommenden Nachzüglern nicht belästigt wurden. Im Laufschritt erreichten wir das andere Ufer. Mit Schaudern dachte ich daran, wie die beiden Kameraden ohne Schuhe weiterkommen wollten, denn der Winter war noch nicht zu Ende. Bereits gegen Abend wurde es wieder kälter und beide haben sehr gefroren.

Wohl aus Mitleid mit den beiden quartierten uns die Soldaten für die Nacht in einer Wohnung ein, wobei die beiden Posten abwechselnd in dem einzigen Zimmer schliefen. Wir Gefangenen lagen auf dem Boden, die beiden ohne Schuhe erhielten den wärmsten Platz am Ofen. Am nächsten Tag legten die Posten einen Ruhetag ein und sorgten mit den Bewohnern des Hauses dafür, daß wir mittags und auch zum Frühstück am daraufffolgenden Morgen so viele Pellkartoffeln und Gurken bekamen, wie wir essen konnten. An diesem Ruhetag setzte bereits vor der Mittagszeit ein heftiges Schneegestöber ein, das

bis in die Abendstunden andauerte. Über Nacht war draußen alles zugeschneit, aber trotzdem setzten unsere Posten den Marsch in der Frühe des nächsten Tages fort.

Für unsere beiden Kameraden, die ihre Schuhe verloren hatten, wurde es ein leidensreicher Tag. Obwohl die Posten den beiden ein paar Tücher besorgt und sich unsere Kameraden die Füße damit ordentlich umwickelt hatten, drang ihnen das Schmelzwasser sehr schnell an die bloße Haut. Dazu kam, daß der gestern noch weiche Boden durch den Frost in der Nacht hartgefroren war und dadurch jeder Schritt den Barfüßigen Schmerz bereitete. In der nächsten Ortschaft gingen unsere Bewacher mit uns zu einem Haus, vor dem eine Russin ihren Landsleuten heißen Tee einschenkte. Einer der Posten bat sie, auch uns Gefangenen Tee zu reichen, wurde aber von ihr abgewiesen, und als er versuchte, wenigstens für unsere beiden Leidenden einen wärmenden Trunk zu erhalten, wurde er von der Frau sogar beschimpft und daraufhin mit Nachdruck von einem Offizier der Gruppe, die zuvor von der Russin bewirtet worden war, vom Hause weggejagt. Ein Versuch, in einem der Nachbarhäuser ein paar neue Lappen zu erhalten, hatte mehr Erfolg. Nachdem die Füße der beiden Kameraden umwickelt waren, gingen wir weiter.

In dem Raum, in dem wir in der nächsten Nacht untergebracht wurden, befand sich ein kleiner Eisenofen, so wie ihn die Landser im Stellungskrieg manchmal in ihren Unterkünften hatten. Auch an diesem Abend sorgten unsere Posten dafür, daß wir etwas zu essen bekamen. Es gab für jeden einen Teller voll Kohlsuppe und ein Stückchen Brot dazu. Wir wurden davon zwar nicht satt, aber die Wärme in unserem Raum und die warme Suppe schuf ein behagliches Gefühl. Wir waren zufrieden und legten uns schlafen.

Kurze Zeit war es still, dann jedoch fingen unsere beiden Kameraden zu wimmern an. In der Wärme des Ofens tauten ihre erfrorenen Füße auf und schmerzten nun sehr. Wir rieten ihnen, vom Ofen wegzurücken, was einer der Kameraden sofort befolgte. Er schlief dann auch recht bald vor Übermüdung ein, aber der andere war selbst durch die Androhung von Schlägen nicht vom

Elf Monate vor der Kapitulation: Demonstration der sich abzeichnenden deutschen Niederlage in Moskau.

Ofen wegzubringen. Sein Wimmern hielt fast die ganze Nacht hindurch an. Er war am anderen Morgen nicht zu bewegen, sich seine Füße für den Weitermarsch mit neuen Tüchern zu verbinden. Mit Hilfe einiger Gefangener gelang es, seine Füße zu umwickeln, aber schon nach zwei, drei Stunden Marsch wollte er nicht mehr weitergehen. Er ließ sich in den Schnee fallen und blieb regungslos liegen. Die Posten hielten an, riefen uns zusammen und forderten uns auf, ihm zu helfen. Zwei Kameraden versuchten, ihn aufzurichten, ihn unterzuhaken und ihn unter Zureden zum Weitermarschieren zu bewegen. Er aber wehrte sich, entglitt ihnen und ließ sich wieder zu Boden fallen. Zu viert versuchten wir, ihn auf die Schultern zu heben und zu tragen. Mit beiden Händen schlug er um sich und traf dabei einen der Träger voll ins Gesicht, der ihn vor Schmerz losließ. Noch einmal landete er im Schnee, wo er weiterhin wild um sich schlug und auf einmal anfing, sich zu winden und zu krümmen.

Wir hofften, daß er sich mit der Zeit beruhigte, aber als auch noch Schaum aus seinem Mund trat, resignierten wir. Unsere Bewacher waren ebenfalls ratlos, und einer von ihnen, der an der Spitze unseres Zugs marschierte, forderte uns zum Weitergehen auf, da er einsehen mußte, daß wir mitten im freien Gelände, weit entfernt von jedem Haus, dem kranken Gefangenen nicht helfen konnten. Unser Trupp setzte sich also langsam in Bewegung. Nur wir vier, die wir den Kranken hatten tragen wollen, zögerten noch, da wir nicht wußten, was mit ihm nun geschehen sollte. Wie ein Ruck ging es jedoch durch uns, als der andere Posten seine Maschinenpistole von der Schulter nahm und sie zu unserer Überraschung unserem Wortführer, einem Feldwebel, in die Hand zu drücken versuchte. Schnell wandten wir uns ab und schlossen uns den anderen an, die bereits vorausmarschiert waren. Nach ein paar Minuten hörten wir den Knall eines Schusses, und schweigend ging die Kolonne ihren Weg weiter. Was muß im Herzen des Russen vorgegangen sein, der, um nicht einen wehrlosen, kranken Gefangenen erschießen zu müssen, bereit war, seine einzige Waffe einem Gegner auszuhändigen!

Die Strapazen des Marsches und die Aufregung hatten uns alle sehr mitgenommen, und wir waren froh, als wir kurz nach Mittagszeit eine Stadt mit einer Kommandantur erreichten. Davor standen einige russische Soldaten herum, die uns teils mitleidig, teils mit Schadenfreude betrachteten. Einer unserer Posten war in die Kommandantur gegangen und kam mit neuen Anweisungen zurück. Die gefangenen russischen Zivilisten wurden ausgesondert und kamen in ein Lager, das sich in der Stadt befand. Wir Deutschen wurden in einen Saal geführt, in welchem sich bereits etwa ein Dutzend deutscher Gefangener aufhielt. Den restlichen Tag sowie die folgende Nacht über blieben wir dort und erhielten am Abend ein Stück Brot und einen Becher voll Tee.

Tags darauf zogen wir Deutschen zusammen mit unseren beiden russischen Posten unserem Ziel, einem Auffanglager für Kriegsgefangene, entgegen. Nach wenigen Stunden Marsch hatten wir bereits die nächste Schwierigkeit zu überstehen. Ein junger Leutnant der Roten Armee war mit einem Panjewagen an einem Hang steckengeblieben, und während sein Fahrer sich bemühte, das Fahrzeug wieder in Gang zu bringen, sah sich der Offizier nach Hilfe um. Ob aus Ärger über die Panne oder über die Weigerung unserer Posten, ihm zu helfen – plötzlich jedenfalls hatte er seine Pistole in der Hand und bedrohte uns damit. Abermals entsicherten unsere Posten ihre Maschinenpistolen und sofort gingen sie in Anschlag auf den Leutnant, um uns zu schützen. Der russische Offizier schimpfte auf uns und die Posten, steckte aber seine Pistole wieder ein und ging zurück zu seinem Panjewagen.

Am Nachmittag konnte unser zweiter Kamerad, der keine Schuhe mehr besaß, nicht mehr gehen. Einige von uns hatten ihm schon lange geholfen, indem sie ihn unterhakten und mit sich schleppten. Es wurde eine kleine Rast eingelegt, und einer der Posten verschwand. Nach wenigen Minuten kam er mit einem Pferd für den Fußkranken zurück. Mag der Teufel wissen, wo und wie er es in der kurzen Zeit aufgetrieben hatte. Wir halfen unserem Kameraden auf das Pferd und kamen so an diesem Tage noch im Auffanglager an. Der Kranke wurde sofort von uns getrennt, in eine Baracke geführt und, wie ich hoffe, dort auch gleich ärztlich versorgt.

Noch heute gilt mein Dank den beiden russischen Soldaten, die sich so viel Mühe gaben, uns heil ins Lager zu bringen.

Deutsche Kriegsgefangene auf dem Marsch durch Moskau am 17. Juni 1944

Gerhard Birkner

Von 1944 bis 1948 in russischer Kriegsgefangen-schaft, unter anderem in den Lagern Beketowka, Orscha und Wolsk.

Die Front brach Ende Juni 1944 im Raum Witebsk auf einer Breite von rund dreihundert Kilometern zusammen. Ich bin insgesamt neunmal eingekesselt gewesen, aber jedesmal haben wir wieder einen Ausbruch geschafft. Wir wurden dann versprengt. Viele sind gefallen. Zum Schluß waren außer mir noch vierzehn Kameraden übriggeblieben.

An einem Waldrand in der Nähe eines Dorfs haben wir dann am 29. Juni unsere Waffen zusammengestellt. Russische Partisanen, die mit dem russischen Militär keine Verbindung hatten, kamen und holten sich die Waffen. Kurze Zeit darauf erschien ein kleines russisches Kommando aus dem Dorf, ein Leutnant und zwei Soldaten. Sie trugen die für uns fremdartige Uniform mit dem Hemd, das über der Hose getragen wird. Für uns war es wie ein Schock, diesen Leuten zu begegnen, die man bisher nur mit dem Fernglas beobachtet hatte. Das erste, was sie

haben wollten, waren unsere Uhren und Taschenmesser. Sie haben uns in das Dorf mitgenommen, das ein paar hundert Meter entfernt war. Dort mußten wir die Stiefel ausziehen. Dann haben sie uns zunächst einmal registriert. Auf einem Militärwagen ging es ab in Richtung Osten, in ein russisches Hauptquartier.

Über das Auffanglager Orscha kamen wir mit der Bahn nach Moskau. Man brachte uns in ein großes Stadion, eine ehemalige Pferderennbahn. Wir wurden in größere Blocks eingeteilt und in Abständen von etwa fünfzig Metern aufgestellt. In der Mitte des Platzes wurden Latrinen ausgehoben. Auf der einen Seite des Platzes war eine große Tribüne. Von dort wurden wir fotografiert und gefilmt. Die Verpflegung, die tagelang schlecht gewesen war, wurde sehr gut. Nach einigen Tagen Aufenthalt auf diesem Platz hieß es: Aufbruch. Es wurde marschiert. Wir wußten zunächst noch nicht, wohin es ging. Es war uns klar, daß wir hier nicht bleiben konnten. Und wir hatten auch schon von den Arbeitslagern gehört. Zunächst einmal waren wir froh, aus dem Schützengraben heraus zu sein. Man konnte auf einmal nachts durchschlafen. Man konnte sich aufrecht bewegen. Man konnte den Kopf heben,

statt sich vor Geschossen zu ducken. Das war eine Umstellung für jeden. Man hat sich zunächst einmal freier gefühlt. Alles andere war ja ohnehin neu. Es war noch zu keiner Monotonie geworden, wie es nachher im Gefangenenlager der Fall war. Dann kam der Marsch durch Moskau, am 17. Juni 1944. Dem hat sich keiner entziehen können.

Wir marschierten in Blocks, in jeder Reihe fünfundzwanzig Mann. Der Zug begann mit Generälen und Offizieren, die ich aber nicht gesehen habe, das war viel zu weit vorne. Wenn man sich das vorstellt: fünfzigtausend Mann – da sieht man den Anfang nicht. Ich war ungefähr im ersten Drittel. Die Straßen in Moskau sind sehr breit. Neben uns lief die russische Bewachung mit Gewehren, zum Teil saßen diese Soldaten auf Pferden. Die Bevölkerung verhielt sich unterschiedlich. Es gab russische Zivilisten, die uns etwas zustecken wollten, was aber nicht möglich war, weil der Abstand ja zu groß war. Manche warfen uns Äpfel zu. Andere haben uns mit Steinen beworfen oder uns angespuckt.

Es war deprimierend. Ich war nicht am Rand des Zuges. Ich ging mehr in der Mitte und war sehr froh darüber. Der Marsch zog sich über zwei bis drei Stunden hin.

Sie haben uns während des Marschs getrennt, auf verschiedene Bahnhöfe geführt, und per Güterzug auf Lager in ganz Rußland verteilt. Ich fuhr im Verlauf von zwei Tagen in wackeligen Waggons nach Stalingrad, und zwar in den Stadtteil Beketowka. Stalingrad ist eine große Stadt, die sich über dreißig Kilometer an der Wolga entlangzieht. Sie besteht aus verschiedenen Ortsteilen. Dort bezogen wir das erste Lager. Es war mit Stacheldraht und Wachtürmen versehen.

Jeden Abend und jeden Morgen war Zählung. Der russische Lagerkommandant war seiner vorgesetzten Stelle dafür verantwortlich, daß die vierhundert Gefangenen im Lager vollzählig waren. Zwei Stunden lang stand man auf derselben Stelle, weil irgendeiner gefehlt hat, oder weil sie sich verzählt hatten. Es gab immer einen deutschen Lagerkommandanten und einen deutschen Arbeitseinteiler, die etwas russisch konnten. Die hatten Verbindung zum russischen Offizier und führten mit ihm die Zählung durch.

Absolut neu war für uns die Arbeitsnorm, die erfüllt werden mußte. Man geht also acht Stunden zur Arbeit, und der dortige Natschalnik, Inspektor oder Meister sagt, in acht Stunden muß die und die Arbeit erledigt werden. Wenn man mit zehn Leuten kommt, dann gilt das mal zehn. Wenn man die acht Stunden gearbeitet hat, und er ist zufrieden, dann ist die Norm erreicht. Dann bekommt man hundert Prozent geschrieben bzw. einhundertundeins Prozent. Für diese einhundertundeins Prozent bekommt man eine Scheibe Brot mehr am Tag und eine Handvoll Brei. Erreicht man nur neunzig Prozent, fällt der Brei weg, das Brot wird kleiner. Erreicht man nur achtzig Prozent, gibt es nichts zusätzlich.

Zunächst einmal ging es los mit Planierungsarbeiten. Man hatte das Gefühl, die wollen uns die Arbeit mit Schaufel und Besen beibringen. Später wurde dann in Stalingrad Straßenbau gemacht, im Ortsteil Beketowka. Dort wurde dann auch mit dem Bau neuer Häuser und Wohnblocks begonnen. Da habe ich auch mitgearbeitet. Ich habe in den Wohnungen Fußböden verlegt.

In jedem Lager gab es einen Lagerarzt und eine Ärztin. Jeden Monat wurde festgelegt, zu welcher Arbeitsgruppe man gehört, das heißt, man mußte sich ganz ausziehen, dann sagten sie: „Kehrt!", und man ging wieder hinaus. Sie teilten uns in Gruppen ein, in Gruppe eins, das

waren die Kräftigsten, in Gruppe zwei oder drei. Die Schlappengruppe ging nicht zur Arbeit. Sie blieb im Lager, um sich zu erholen.

Die verlangte Arbeitsnorm konnte man – je nach Arbeit – umgehen. Wir haben teilweise auf Kolchosen gearbeitet. Dort mußten wir zum Beispiel Kartoffeln stecken, etwa dreißig Personen auf einem Feld. Der Natschalnik kam mit einem Pferd, hat den Platz abgemessen und gesagt, daß alles bis abends fertig sein muß. Er kam zwischendurch einmal und hat nachgesehen. Wir haben angefangen zu stecken, aber bald festgestellt, daß das in der Zeit nicht zu schaffen ist. Etwas entfernt von uns, zweihundert bis dreihundert Meter, waren russische Frauen bei derselben Arbeit. Wir haben sie beobachtet. Die haben, nachdem der Natschalnik weg war, Gruben ausgehoben, haben Kartoffeln hineingeschüttet und die Grube wieder zugemacht. Wenn dann der Natschalnik am Abend kam, waren die Kartoffeln weg und die Folge waren einhundertundeins Prozent, Norm erfüllt.

Nach einem Tag Arbeit im strömenden Regen

Gerhart Birkner nach der Rückkehr

wurde ich mit vielen anderen krank. Ich hatte Lungenentzündung und Ruhr. Ich kam vom Lager in ein Behelfslazarett in Krasnomaisk, einem Ortsteil von Stalingrad, und lag da einige Wochen.

Es hieß dann, ein Transport sollte nach dem Süden gehen. Eines Tages war ich dabei. Jeder hat sich gefreut. Leider ging es nicht nach Süden. Es ging nach Norden, und zwar nach dem Ort Wolsk in der Nähe von Saratow. Für diesen Transport mit ungefähr siebenhundert, achthundert Leuten hatte man die Schwächsten herausgesucht. Normalerweise war das eine Bahnfahrt von zwei Tagen. Es hat aber drei Wochen gedauert. Man hat uns tagelang auf Bahnhöfen stehengelassen. Jeden Morgen wurden die Toten rausgeholt.

Es hat sich niemand um uns gekümmert, außer einigen Gefangenen, die als Sanitäter fungierten. Diese mußten feststellen, wer noch lebte. Es gab täglich eine Büchse voll heißes Wasser, in dem eine gekochte Kartoffel drin war, oder grüne gekochte Tomaten.

Dieser Transport brachte noch einhundertzwanzig Lebende in das Lazarett Wolsk. In den Zimmern war kein Platz. So wurden wir auf dem Korridor von Professor Duschtin versorgt. Das war ein russischer Arzt, der in Heidelberg studiert hatte und recht gut Deutsch sprach. Eines

Nachts, um elf Uhr etwa, kam ich auch dran. Ich war ja nur noch Haut und Knochen. Ich wog damals achtundsiebzig Pfund. Professor Duschtin hat mir gesagt, daß er mir helfen wolle. Ich kam am nächsten Tag in eine Schwerkrankenstube und bekam unter anderem siebenmal Bluttransfusionen. Ich habe mich dann innerhalb eines halben Jahres langsam wieder erholt. Ich habe in dieser Zeit geschnitzt – zum Beispiel auch Schnitzereien mit Einlegearbeit.

Ich war Goldschmied und Graveur. Andere Kameraden, die Tabaksdosen aus Aluminium herstellten, haben mir die Tabaksdosen zum Gravieren gebracht. Ich habe mir ein Skizzenbuch mit Entwürfen für Monogramme angelegt. Ein Monogramm sollte ja auf der Tabaksdose sein.

Wenn man wenig zu essen bekommt, raucht man. Ich habe ein Luntenfeuerzeug mitgebracht, das die meisten hatten, die rauchten. Ein Messer war sehr wichtig, war aber verboten. Trotzdem habe ich ein Messer mitgebracht, das stammte aus einem Stück Eisensäge. Ich war so leichtsinnig, das Messer auch mit auf die Heimfahrt zu nehmen. Ich mußte damit rechnen, daß wir unterwegs noch einmal gefilzt wurden. Wenn man das Messer gefunden hätte, hätte ich wieder zurückfahren müssen. Die Vorschriften, welche Dinge man haben durfte oder nicht, waren sehr streng in der Gefangenschaft.

1944 konnten wir beobachten, wie amerikanisches Kriegsmaterial nach Rußland kam. Das Lager war in Beketowka am Hang, und wir konnten das ganze Wolgatal mit dem Ortsteil Beketowka beobachten, den Fluß, die Bahnlinie von Astrachan her. Da rollte amerikanisches Kriegsmaterial jeglicher Art nach Norden ins Land hinein. Man war immer nur auf das Nächstliegende gefaßt. Wir wurden eigentlich durch die Transporte aufmerksam gemacht auf die Kriegslage und haben uns gesagt, wenn die Russen solche Unterstützung mit amerikanischem Material bekommen, dürfte wohl für Deutschland nicht mehr viel drin sein.

Wir wurden mit Spenden aus Amerika verpflegt. Da gab es zum Beispiel Fleischbüchsen mit Aufschriften: „Oscar Meyer, Chicago." Als ich im Lazarett in Stalingrad war, gab es eines Tages für jeden von uns Rubel, die die Amerikaner den Russen für deutsche Gefangene zur Verfügung gestellt hatten. Das wurde auch ausbezahlt.

Dr. vet. Hans Kobert

*Von 1944 bis 1949 in russischer Kriegsgefangen-
schaft, unter anderem in den Lagern Elabuga,
Tornowoi, Sollny.*

Ich bin im August 1944 in Bessarabien bei Kischinew gefangengenommen worden. Balti war
unser Sammellager. Wir waren einige tausend
Mann. Wir wurden nach sechs Wochen mit achtundneunzig Mann in einen Waggon verladen.
Der Waggon wurde zugenagelt. Wir hatten also
nur einen ganz schmalen Streifen, um Luft zu
holen. Die Fahrt dauerte bis November. Es ging
in Richtung Norden und endete in Kasan, an der
Wolga, von wo aus das Kontingent per Schiff in
zwei oder drei Tagen Wolga- und Kamaaufwärts
nach Elabuga, unserem Endlager, verfrachtet
wurde. Während des ganzen Transportes gab es
zweimal eine warme Suppe. Meistens wurden
nur Salzfische in den Waggon geworfen. Wir
hatten fürchterlichen Durst, und der konnte nur
gestillt werden, wenn wir auf einem Bahnhof
rausgelassen wurden und warmes Wasser direkt
aus der Lokomotive bekamen.
In jeden Waggon hatte man achtundneunzig
Leute hineingepfercht.
Einige lagen quer zum Schlafen, die übrigen
standen eng aneinandergepreßt. Etwa alle zwei
Stunden war „Wachablösung". Unsere Abort-
einrichtung war ein etwa fußballgroßes Loch in
der Wand; eine geknickte Blechrinne führte nach
draußen. Drumherum entstand eine Pfütze. Oft
mußte man sich in der Nacht in die Pfütze legen,
weil nicht genug Platz war.
Es gab viele Tote bei diesem Transport. Man hat
sie morgens neben den Gleisen abgelegt und
notdürftig mit losgetretenen Wacken aus dem
Gleis-Unterbau überdeckt.
Die ersten fingen an durchzudrehen. Es waren
aber auch Leute da, die versuchten, die anderen
von der Misere abzulenken. Ich habe beispiels-
weise Vorträge über Homöopathie gehalten.
Aber das konnte natürlich nicht verhindern, daß
doch der eine oder andere durchdrehte. Ich erinnere mich an einen Kameraden, einen Feldwebel,
der sich von irgendwoher eine Offiziersmütze

Dr. Hans Kobert
Dr. Ottmar Kohler

beschafft hatte. Er kam in unseren Offizierstransport. Einmal fragte er mich, ob seine Frau schon bei mir gewesen sei. Eine Dame mit Pelz. Ich habe ihn beruhigt. Und dieser Mann hat mehrmals in der Nacht versucht, Kameraden zu erwürgen. Es gab immer eine große Aufregung, wenn einer plötzlich um Hilfe schrie und man in der Finsternis den Mann und sein Opfer finden mußte. Dieser Feldwebel hatte eine unglaubliche Kraft. Nachdem er in einer Nacht mehrmals versucht hatte, jemand umzubringen, beschlossen einige, ihn selbst zu erwürgen. Ich habe ihnen gesagt: „Ihr dünkt euch besser als der Russe. Ihr verleugnet eine zweitausendjährige christliche Erziehung. Wir müssen einfach riskieren, daß er unter Umständen einen von uns umbringt. Der Mann ist krank, und kein Verbrecher. Und außerdem: Er macht nicht mehr lange mit." Ich habe mir den Mann angesehen. Er stand dabei – ob er noch alles mitkriegte, weiß ich nicht. Er litt sehr an dystrophischem Durchfall. Als wir mittags mal wieder stundenlang irgendwo in der Kälte stillstanden, versuchte er, die Rinne zu benutzen. Plötzlich stieß er einen Laut aus. „Au", mehr war es nicht. Er fiel in sich zusammen und war tot. Und sofort haben sich zwei Kameraden, die nur im Hemd dastanden, um seine Hose geprügelt.

Wir kamen nach Elabuga, wörtlich übersetzt Gotteswiese. Das war in früherer Zeit ein Wallfahrtsort. Und in diesem Elabuga waren zwei wunderschöne Kirchen, von italienischen Baumeistern erbaut: weiß mit schlanken Türmen. Zu beiden Kirchen gehörte ein Pilgerlager, aus mehreren Blöcken bestehend. Das waren zwei Lager, das A-Lager und das B-Lager. Ich war im A-Lager.

In aller Stille haben sich ein paar von uns mit primitivsten Mitteln, unter anderem aus den Oscar-Meyer-Büchsen, Instrumente gebaut. Wir wurden dann im Winter, wo jede Woche einige von uns verhungerten, ganz überraschend zu einem Konzert in die Aula gebeten. Das war ein großer Raum, in dem natürlich auch Kameraden von uns in übereinanderliegenden Pritschen schliefen. Vier Mann, ein Quartett, saßen da und spielten beim Schein von selbstgebauten Benzinlampen die „Kleine Nachtmusik" von Mozart. Wir hörten zu, halb verhungert. Es drang ein Klang aus einer anderen Welt zu uns.

Wir sind dann, manche mit Tränen in den Augen, stumm, und so überwältigt, daß wir keinen Applaus gespendet haben, zu unseren Unterkünften zurückgeschlichen.

Nach der japanischen Kapitulation kam fast das gesamte japanische Offizierskorps nach Elabuga. Es wurde dazu das B-Lager geräumt, und wir wurden in das A-Lager verfrachtet. Wir lernten die Japaner bei den Feldarbeiten kennen. Denen ging's erheblich besser. Sie bekamen anfangs Reis und Butter. Wir hatten das nie bekommen.

Die Japaner waren anfänglich Internierte und keine Kriegsgefangenen. Sie hörten auf ihre Samurais, die noch ihre Schwerter hatten. Die Schwerter waren vernietet. Nach einem halben Jahr schon haben die aber genauso gehungert wie wir auch. Sie waren im Handumdrehen demoralisiert.

Katholische Geistliche haben manchmal in einem Geräteschuppen Messen gehalten. Die haben damit ja allerhand riskiert. Sie konnten ohne weiteres nach Sibirien kommen, wenn sie erwischt worden wären.

Am Tag meiner Gefangennahme kriegte ich einen Granatsplitter in das rechte Schulterblatt. In Elabuga wurde daraus ein faustgroßer Abszeß. Ich kam vollkommen entkräftet zu Dr. Kohler, das ist der bekannte „Arzt von Stalingrad". Er hat sich die Geschichte angesehen und hat gesagt: „Na, dann wollen wir mal Narkose machen." Die Narkose bestand darin, daß er sagte: „Jetzt schränken Sie mal fest die Arme zusammen, bücken Sie sich nach vorn und beißen Sie die Zähne zusammen." Dann hat er mit einem plattgeklopften und scharfgeschliffenen Nagel den Abszeß geöffnet.

Die Russen hatten später Penicillin. Und wenn Dr. Kohler im Arbeitslager Sollny, wohin ein Teil von uns verlegt wurde, einen Kameraden zu verarzten hatte, der an einer schweren Infektion litt, ging er mit der Mütze durch die Baracken und sammelte Rubel. Unsere „Kapitalisten", die Schlosser, Lkw-Fahrer und Monteure, gaben dabei alles, was sie hatten.

Dr. Kohler ist öfters in den Steinbruch abkommandiert worden. Er hatte sich mißliebig gemacht, weil er kranke Kameraden arbeitsunfähig geschrieben hatte. Im Steinbruch sagten die Kameraden: „Doktor, Ihre Hände brauchen wir noch. Setzen Sie sich in den Schatten. Wir schaffen schon die Arbeit für Sie mit." Und dann wurde eben fester dran geklopft, damit es nicht auffiel, daß Dr. Kohler nicht mitarbeitete. Instrumente, mit denen Dr. Kohler operierte, waren zum Beispiel, wie schon gesagt, plattgeklopfte, scharfgeschliffene Nägel. Er hat auch die wenigen Taschenmesser eingesammelt, die uns nicht abgenommen worden waren. Wir hatten aber auch Leute im Lager, die Messerschmiede oder Instrumentenmacher waren. Die haben ihm aus zerbrochenen Sägeblättern und anderen Metallstücken Skalpelle und Pinzetten gemacht. Eine Hirnoperation hat er mit Hilfe einer Küchensäge gemacht.

Den Entbehrungen und Härten, denen sich die Gefangenen in den Lagern ausgesetzt sahen, waren für viele bereits Jahre schwerster körperlicher und seelischer Strapazen in den Kämpfen vorausgegangen: Diese Soldaten haben sich bei Leningrad in ein Schneeloch eingegraben.

Kurt Tappert / Elabuga

Zur Vorgeschichte der auf den nächsten Seiten wiedergegebenen Folge von Bildern aus dem Lager Elabuga sowie der Fotos aus Kosyltau (Seiten 94/95) und aus Selenedolsk (Seiten 98–104) siehe Bericht von Kurt Tappert (Seiten 34–39).

Im Lager Elabuga arbeiteten wir im Holz- und im Torftransport. Zehn Mann mit Stricken vor einen Wagen gespannt, so mußten wir täglich einen bis eineinhalb Kubikmeter Holz aus dem Wald holen. Oft war die Strecke 45 Kilometer lang. Viele von uns haben sie barfuß zurücklegen müssen, die Wege waren sehr schlecht und es gab viele Steigungen. Im Winter machten wir die Holztouren mit dem Schlitten.
Am schlimmsten waren die Torftouren. Aus Sumpfgebieten, die im Sommer nicht zugänglich waren, mußte zum Heizen Torf geholt werden. Zum Teil führten unsere Touren über zugefrorene Flüsse. Wir mußten manchmal Tagesstrecken von 60 Kilometern zurücklegen. In den Schnee-

stürmen und bei der fürchterlichen Kälte erlitten viele von uns Erfrierungen, denn die Bekleidung war schlecht und das Schuhwerk mangelhaft.
Die Aufnahmen in Elabuga, Kosyltau und Selenedolsk wurden alle mit derselben Kamera gemacht, die der „Königsberger" ins Lager geschmuggelt hatte. Die Aufnahmen im Lager konnten unbemerkt gemacht werden. Bei einer der Groß-Filzungen haben wir alles ins Freie schaffen müssen. In den leeren Unterkunftsräumen haben die Russen sogar die Fußböden herausgerissen und nach Fotos gesucht. Sie wußten, daß fotografiert wurde, und forderten uns auf, alles sofort abzuliefern – dann passiere uns nichts.
„Nix," habe ich gesagt, „nix wird abgeliefert! Wenn die uns erwischen, sind wir so oder so weg." Während die Russen drinnen alles durchsuchten, verbrachten wir drei Tage und zwei Nächte im Freien. In dieser Zeit haben wir die Aufnahmen vom Lagerhof gemacht.
Auf dem Film in unserer Kamera war bereits eine Aufnahme, welche die bei Königsberg Gefange-

1

nen bei einem unvermeidlichen Halt auf dem Transport nach Elabuga zeigt (Bild 1).

Zu den festen Bestandteilen des Lagerlebens gehörte der Zählappell. Wir sehen den deutschen Lagerleiter mit Adjutanten bei der Meldung an den russischen Tagesoffizier (2).

Über die vom Schnee freigehaltene tote Zone und den Lagerzaun – mit einem der Wachttürme –

2

3

geht der Blick von Block I im A-Lager auf die Kama-Ebene. Es ist März 1946 (3).

August 1945. Meeting vor der „Deutschlandhalle". Wir hatten die Halle an die Stelle einer Kirche gebaut. Hier wurden wir zur Wiedergutmachungsarbeit verpflichtet (4).

Rückkehr der Waldläufer: Kriegsgefangene, die Holzhauerarbeit verrichten, gehen über den

4

5

Platz des B-Lagers (5). „Großdawai" nannten
wir die Groß-Razzien in den Unterkünften. Bei
diesen Filzungen mußte jeder seinen Strohsack
und seine gesamte Habe ins Freie schaffen, damit

die Räume durchsucht werden konnten. Die Bilder 6 und 8 entstanden Anfang Mai 1946 im
A-Lager. Sie zeigen den Innenhof von Block I
unter den Fenstern der Invalidenstube mit der

6

7

Küche im Hintergrund links (6) und die Versammlungsterrasse auf der Rückseite des Lagerleitungsblocks (8). – Bild 7 zeigt den Blick vom Pumpenhaus auf Block III. Die Gebäude der ehemaligen Militärakademie waren die einzigen Häuser in Elabuga aus Stein.

Ab und zu kamen hohe Kommissionen in die Offizierslager. Eine Generalskommission vom

8

Juni 1945 im B-Lager: Links ein hoher Beamter
vom Innenministerium aus Kasan. Neben ihm
der oberste russische Lagerkommandant (9). –
Ein Holztransportkommando kehrt vom „Pots-
damer Platz" im Wald zurück. Vorne rechts im
Geschirr gehe ich (10).
Die Waschanlage im B-Lager. Die kleine Bretterbude nannten wir „Onkel Toms Hütte". Hinten

11

links der Eingang eines der Erdbunker, in denen
wir wohnten. Die meisten Einrichtungen haben
wir selber gebaut (11).
Im Lazarettgarten des B-Lagers haben wir uns zu

einer der Pflichtversammlungen mit Vortrag eingefunden (12).
Links neben dem Hauptportal von Block I son-
nen sich die Plennis. Diese Gefangenen haben

12

13

Freischicht. Sie müssen erst abends wieder arbeiten (13). – Mit primitiven Mitteln sorgten wir selbst ab und zu für etwas Ablenkung und Unterhaltung. Im Lazarettgarten des B-Lagers führten Gefangene im Juli 1945 das Theaterstück von Gogol „Der Revisor" auf (14). – Ein kultureller Mittelpunkt war der theologische Zirkel. Hier treffen sich die Mitglieder vor dem Pum-

14

15

penhaus (16). – Januar 1946 im Innenhof von
Block I des A-Lagers laden Waldläufer Holz für

die Bäckerei ab, das sie mit Schlitten herantrans-
portiert haben (15).

16

Professor Wilhelm Peinelt

Von 1944 bis 1953 in russischer Kriegsgefangenschaft, u. a. in Kasan und Stalingrad.

Wir schrieben das Jahr 1949. Im Spätherbst ging wieder ein kleiner Transport in Richtung Heimat ab. Jedoch schon am nächsten Tag änderte sich blitzartig die Plenni-Landschaft. Der Teufelstanz begann. Der das Lager umgebende Zaun wurde abgetragen und durch einen höheren und stärkeren ersetzt. Die Latrinenoptimisten sahen dies als gutes Zeichen, da die russischen Verbrecherlager solche Zäune aufwiesen. Aber bald wurden sie eines Besseren belehrt, denn die Bewachung wurde verdoppelt und die Niemandszone bevölkerten Bluthunde.

Als wir eines Morgens aus dem Schlaf gerissen wurden, stand ein Blauer an der Tür und verlas Namen in alphabetischer Reihenfolge. War er bei Z angelangt, begann er wieder bei A. Das erhöhte für die Blauen die Spannung und zerriß unsere Nerven. Jedes Mal, wenn er bei Z angelangt war, atmete jeder auf, nicht dabeigewesen zu sein. Das ging so mehrere Tage weiter, bis wir zermürbt und völlig teilnahmslos auf die Nennung des eigenen Namens warteten. Wir ahnten Fürchterliches, waren doch die Aufgerufenen und Abtransportierten von ganz bestimmten Einheiten: Angehörige des deutschen diplomatischen Dienstes, die man in der Mandschurei geschnappt hatte, dpa-Korrespondenten, Kriegsberichterstatter, Ingenieure, Wissenschaftler, Experten aller Art, Angehörige bestimmter Truppenteile, Dolmetscher, Offiziere, die im Ausland gewesen waren, 1-C-Angehörige, Staatsanwälte, Richter, Agronomen usw. Und langsam sickerte die für uns unfaßbare Wahrheit durch: Unsere Kameraden waren alle in Aussetzung der Todesstrafe zu fünfundzwanzig Jahren Arbeit im Besserungslager verurteilt worden.

Warum? Weshalb? Wollte Stalin wie in Katun – und wie die Bolschewiken während der Revolution – die geistige Elite verschwinden lassen? An Schlaf war nicht mehr zu denken. Wir grübelten und grübelten und waren dem Herrgott dankbar, daß er uns verschont hatte. Plötzlich wurde niemand mehr aufgerufen. Eine unheimliche Stille lag über dem Lager. Niemand brauchte mehr auszurücken. Das war bisher immer das sicherste Zeichen dafür gewesen, daß ein Heimtransport unmittelbar bevorstand.

Gegen 17 Uhr wurde zum Appell angetreten. Der Kommandant hielt eine Ansprache und sagte, daß man die letzten Kriegsverbrecher aufgespürt und verurteilt hätte. Die Aktion sei vorbei und wir könnten uns auf die glückliche Heimkehr zu unseren Frauen und Kindern vorbereiten. Es brach kein Jubel aus. Was heißt hier Kriegsverbrecher? Hans, ein Freund, war Attaché in der Mandschurei gewesen, Kurt in Java, Werner dpa-Korrespondent in Hamburg und später in der Mandschurei, Rütters Vertreter von Krupp. Das sollten Kriegsverbrecher sein?

Wir schlichen in unsere Baracken, einen unsäglichen Haß im Herzen. Zwei Tage verstrichen. In der Küche wurden Vorbereitungen für den Transport getroffen. Niemand ahnte, daß es nur die Inszenierung eines ebenso teuflischen wie menschenverachtenden Schauspiels war. Der normale Kreislauf kehrte zurück. Hie und da lachten die Plennis wieder. Die Aussicht auf die Erfüllung des jahrelang gehegten, sehnlichsten Wunsches, zu den Lieben zurückkehren zu dürfen, verdrängte die Erinnerung an das Geschehene. Das Leben ging eben weiter, auch im Krieg war das so. Fiel ein Kamerad, wurde weitergestürmt, immer vorwärts, immer vorwärts, so befahl es die Pflicht.

Die letzten Rubel wurden ausgegeben, denn die Russen hatten zum Abschied Wodka zum Verkauf freigegeben. Wir waren noch nicht ganz nüchtern, als uns die ganze Wucht der Wahrheit traf. Eines Tages wurden wir um vier Uhr früh geweckt. Wir sahen es dem Blauen an, mit welcher Begeisterung er wieder Namen aufrief, in der alten spannenden Weise. Dieses Mal wurden meine Nerven geschont, denn ich war schon ganz vorn bei den Aufgerufenen. Am Lagertor standen Lkws bereit, mit schwerster Bewachung. Mit Kolbenstößen wurden wir hinaufgejagt, Spreizschritt – und ab ging es wie die Feuerwehr durch die Stadt.

Vor einem riesigen Backsteinkomplex mit Wachttürmen öffneten sich die Tore, und wir waren im Gefängnis. Wir waren ohne Wattezeug aus der Baracke herausgeholt worden und standen volle zehn Stunden frierend in der Dezemberkälte. Obgleich die Angst die Blasen füllte, getraute sich keiner die Hosen herunterzulassen, er hätte sie nie mehr zugekriegt. Wir traten sofort zum altbewährten Kreiselspiel an. Nach dem Prinzip des Wasserwirbels ließen wir uns in einen Knäuel schieben, so gelangte jeder einmal in das Wirbelzentrum, wo es heiß war, um dann langsam wieder an die kalte Außenwand zu gelangen. So rollte das Spiel stundenlang ab und bewahrte uns vor ernsthaften Erfrierungen.

Schließlich wurden wir in das Innere des Gefängnisses getrieben. Ich war zuvor nie in einem Gefängnis gewesen. Nackte Wände und Metalltreppen, -türen, -geländer, Netze zum Schutz vor Selbstmorden und in der Mitte eine gähnende Leere. Nachdem wir Stockwerk um Stockwerk gestiegen und eine Unmenge von Türen passiert hatten, standen wir vor den uns zugewiesenen Zellen. Es wurde nach altem Rezept wieder alles durcheinander gemischt, um Zellenbildung zu vermeiden. Kameraden aus anderen Lagern waren schon da. Von ihnen erfuhren wir Dinge, die für einen Normaleuropäer unglaublich sind. Ein Kamerad, ich glaube, er kam aus Kuybischew, berichtete, daß sich der dortige Kommandant etwas Besonderes hatte einfallen lassen. Die Verhaftungen waren dort ebenfalls in zwei Etappen vorgenommen worden. Da der Kommandant befürchtete, daß nach der ersten Welle die verzweifelten Gefangenen die Kommandantur stürmen könnten, gab er dem Versprechen, daß nun alle heimführen, wirkungsvoll Nachdruck. Er beschränkte sich nicht, wie unser Kommandant, auf die Freigabe von Wodka. Er ließ aus der Stadt eine Kapelle und Menschen kommen und feierte in bester Laune die sowjetisch-deutsche Verbrüderung. Große Transparente wurden für die Fahrt zum Bahnhof angefertigt, zum Beispiel mit der Losung Stalins: „Die Hitler kommen und gehen, das deutsche Volk aber bleibt bestehen." Die Kameraden wurden gebadet und neu eingekleidet, und mit Hurra und Hurrä fuhr man ohne Posten durch das Lagertor zum Bahnhof – und landete im Gefängnis.

Alles, was wir noch in den Taschen hatten, wurde von den Filzern in die ihren geleitet. Das ging mit einer derartigen Schnelligkeit vor sich, daß wir es erst merkten, als alles beendet war. Für Eheringe, soweit bis dahin gerettet, versprachen sie uns eine schriftliche Bestätigung, die sie erst im Büro ausfüllen lassen müßten. Wenige sahen ihren Ring wieder.

Je acht Plennis wurden in eine Zweimannzelle eingewiesen. Alle auf einmal konnten weder liegen noch sitzen. Aber wir waren ja erfahrene Plennis, sprachen uns ab und arrangierten uns schnell. Schrecklich war nur, daß die ganze Nacht das Licht brannte. In einer Ecke stand der sogenannte Scheißkübel – das war unser Hauptproblem.

Wir hörten an der Zentralheizung Klopfzeichen. Da wir einen Funker bei uns hatten, wurde sofort die Verbindung aufgenommen. Wir erfuhren, daß sich auf ein bereits bestehendes Zeichen eine bestimmte Zentrale meldete, die Nachrichten aufnahm und sie in bestimmten Zeitabschnitten für den Informationsdienst meldete. So erfuhren wir ständig, wer zur Vernehmung oder Verhandlung gerufen wurde und daß er die Norm, nämlich fünfundzwanzig Jahre, erfüllt hatte. Überall, in den Gängen, bei dem täglichen Rundgang im Hof, kratzten wir die Zahl 25 mit einem S – für Stalin – ein.

Als einen der ersten meiner Zelle holte man mich ab. Zuerst wurde mir der Kopf kahlgeschoren. Dann wurde ich in das Fotoatelier der Anstalt geführt, die Russen wollten ein Porträt für das Verbrecheralbum von mir haben: Profilaufnahme links, Profilaufnahme rechts und ein schönes Bild von vorn. Durch mehrere Türen wurde ich in ein unteres Stockwerk geführt und in einen kahlen fensterlosen Raum hineingestoßen. An der Wand war ein Schreibtisch postiert, hinter dem ein Blauer saß. An der Wand gegenüber stand ein Stuhl in Scheinwerferlicht getaucht. Das war mein Platz. Auf diese Weise konnte ich das Gesicht des Vernehmenden nicht sehen. Er stellte mir so blöde Fragen, daß ich ihn auslachte. Was konnte mir schon passieren? Fünfundzwanzig Jahre war die Höchststrafe, und die hatte ich ja praktisch in der Tasche. „Du Spion in Paris, du Offizier, du wieviel sozialistisches Gut gestohlen, du wieviel Rotarmisten erschossen?" Ich glaube, er war ziemlich angeheitert. Zunächst habe ich ihm erklärt, daß ich kurz nach dem Abitur nach Paris gegangen sei, um Französisch zu lernen, und zwar, da ich von zu Hause nicht sehr begütert war, als Werkstudent, das heißt, ich mußte tagsüber arbeiten und am Abend studieren. Er fragte mich daraufhin: „Und was hast du ausgekundschaftet? Du Spion. Jeder, der ins Ausland geht, ist Spion."

Worauf ich ihm antwortete: „Das mag zwar bei Russen der Fall sein – aber bei mir nicht. Kennen Sie sich in der Geschichte überhaupt aus? Ich habe Ihnen doch schon erklärt, daß ich als geborener Österreicher nach dem Versailler Vertrag in die Tschechoslowakei eingebürgert wurde. Damals war ich also kein Deutscher, sondern Ausländer. Als ich mit meinen achtzehn Jahren nach Paris fuhr, hatte ich den Namen Hitler zwar schon einmal gehört. Aber mit der NSDAP, mit den Faschisten, wie Sie sie nennen, habe ich nichts anzufangen gewußt. Dafür hatte ich gar kein Interesse.« Darauf gröhlte er: „Du Spion, alles was Ausland, alles Spion, Spion, dawei, Spion, wirst verurteilt, dawei, hinaus“.

Da die Stalingrader Gerichte die Masse der angelieferten Delinquenten nicht fassen konnten, wurden provisorische Vorkehrungen getroffen. Ich landete mit neun anderen Verbrechern in einem Feuerwehrdepot. Da das Gebäude nicht weit vom Gefängnis lag, wurde der Marsch entgegen den Gepflogenheiten zu Fuß zurückgelegt. Wir wurden von fünfzehn Mann und vier Schäferhunden bewacht. Trotzdem gelang es einem von uns, die Bewachung zu durchbrechen und sich unter einen vorbeifahrenden Lkw zu werfen. Seine Nerven waren am Ende, er erlöste sich durch den Freitod.

Im provisorischen Gerichtsgebäude mußten wir uns zunächst hinlegen, um wieder gefilzt zu werden. Dann saßen wir auf dem Boden des Ganges und harrten der Dinge, die da kommen sollten. Einer nach dem anderen wurde aufgerufen und kehrte lachend mit dem Satz zurück: „Norm erfüllt, fünfundzwanzig Jahre.“ Dies wurde laut und in russischer Sprache in den Gang gebrüllt, damit die herumstehenden Zivilgenossen merkten, was wir von ihrer Gerichtsbarkeit hielten.

Schließlich war ich an der Reihe. Flankiert von zwei Posten mit entsicherten Maschinenpistolen betrat ich den Feuerwehrraum. Vorn saß das hohe Gericht, bestehend aus einem Oberst mit nackter Brust, das heißt ohne Orden – er war also nicht an der Front gewesen. Als Beisitzer fungierten Majorinnen mit Orden, die sie sich wohl im Partisaneneinsatz erkämpft hatten. Rechts saß der Staatsanwalt und ihm gegenüber der Verteidiger – ja, den gab es auch, alles mußte korrekt zugehen. Vor dem Richtertisch stand der Arme-

sünderstuhl, auf den ich mich jedoch nicht gleich setzen durfte. Daneben standen meine beiden Leibwächter. Hinter mir waren dreißig bis vierzig Stuhlreihen für Zuhörer aufgebaut. Es waren ausgesuchte Genossen, die in den Betrieben berichten mußten. Sie verhielten sich sehr diszipliniert – nur ein stürmischer Applaus nach der Verkündigung des Urteils.

Als ich auf meinen Stuhl verwiesen wurde, lachte ich. Dem Genossen Vorsitzenden entging das nicht, und er stellte mich sofort zur Rede. Genau das hatte ich bezweckt. „Erstens, Herr Oberst“, fragte ich, „warum halten mir die beiden Posten die entsicherte MP an die Ohren? Schließlich war ich im Krieg und weiß, daß so ein Ding schnell losgehen kann, und außerdem bin ich bisher achtmal gefilzt worden. Also kann ich in den Taschen keine Handgranaten tragen. Zweitens können wir uns das ganze Theater der Verhandlung ersparen, denn dort auf dem Tisch liegt ja schon das geschriebene Urteil. In Kuybischew hat man alle antreten lassen und ihnen nach dem Abtransport mitgeteilt, daß sie zu fünfundzwanzig Jahren verurteilt wären. Drittens . . .“ – und damit ließ ich die schnur- und knopflosen Hosen fallen und stand ohne Unterhose da – „. . . drittens ist die Genossin, die über mein Leben entscheiden soll, eben eingeschlafen.“ Ein Stoß vom Oberst und die Richterin schreckte auf und sah verdutzt in den Saal.

Das Gericht nahm von meinen Ausführungen keine Notiz. Ich mußte mir stehend die Anklage anhören. Nach § 58, Ziffer 4, wird jegliche Art der Unterstützung des Teiles der internationalen Bourgeoisie, der die Gleichberechtigung des das kapitalistische System ablösenden kommunistischen Systems nicht anerkennt und seinen Sturz erstrebt, oder der sozialen Gruppen und Organisationen, die unter dem Einfluß der Bourgeoisie stehen oder unmittelbar von ihr organisiert sind, jegliche der Union der sozialistischen Sowjetrepubliken feindliche Tätigkeit usw. mit einer Freiheitsstrafe nicht unter drei Jahren bis zur Erschießung belegt. Die Todesstrafe war auf bestimmte Dauer ausgesetzt worden. Mit diesem Paragraphen konnte praktisch jeder und jede Handlung bestraft werden.

Dann entwarf der Staatsanwalt ein wüstes Bild meiner Vergangenheit: Schon im Alter von achtzehn Jahren verriet der Angeklagte die brüderliche sozialistische Tschechoslowakei (die damals noch ein kapitalistischer Staat war), indem er in dem der UdSSR verbündeten Frankreich Spionage zugunsten Hitlers trieb. Dann flüchtete er in das nazistische Deutschland und wurde aufgrund seiner Erfahrungen in Paris im Krieg als Dolmetscher eingesetzt. Anschließend war er als Offizier am Überfall auf die Sowjetunion beteiligt. Er landete schließlich bei der Spionage, indem er für Kommandos verantwortlich war und Feindkarten nach Ergebnissen der deutschen Luftaufklärung anfertigte.

Ich habe mir nicht alles gemerkt. Natürlich entwendete ich auch sozialistisches Eigentum, indem ich Eier aß, die wir bei den Bauern requiriert hatten usw. Auf den Verteidiger verzichtete ich. Also erhielt ich das Wort.

„Der Herr Staatsanwalt besitzt", sagte ich, „eine einmalige Phantasie. Das was er eben vorgetragen hat, macht ihm so leicht keiner seiner westlichen Kollegen nach. In einem Rechtsstaat kann der Staatsanwalt nicht phantasieren, er muß den Tatbestand nachweisen, und erst dann kann das Gericht den Urteilsspruch fällen. Nach sowjetischem Recht jedoch muß der Angeklagte seine Unschuld nachweisen und das, Herr Vorsitzender, kann man vielleicht in einem Zivilprozeß, wenn es um ein Alibi geht . . . Wir wissen genau, daß uns Ihr großer Stalin erschießen lassen wollte. Das aber hat die Weltöffentlichkeit nicht zugelassen. So wird auf eine andere Weise versucht, Rache zu nehmen. Ich bin sicherlich ihrer Meinung, daß Kriegsverbrechen bestraft werden müssen. Aber was Sie hier unschuldigen Soldaten vorwerfen, die genau wie ihre Rotarmisten ihre Pflicht erfüllt haben, ist unfaßbar. Auch wenn wir unsere Heimat nicht mehr wiedersehen – das Verbrechen, das Sie an uns und an unseren Familien verüben, wird die Welt erfahren. Als Christ kann ich nur sagen, fahren Sie zur Hölle."

Der Vorsitzende mußte an meiner Erregung gemerkt haben, daß ich aggressiv wurde. Vielleicht verstand er auch etwas, jedenfalls winkte er dem deutschen Dolmetscher ab, die letzten Sätze zu übersetzen. Vielleicht aber hatte er mit mir schon zuviel Zeit vertrödelt und fürchtete, den Zeitplan nicht einhalten zu können. Er erhob sich und mit ihm standen alle im Saal auf. „Der Angeklagte wird nach § 58, Ziffer 4, zu fünfundzwanzig Jahren Arbeits- und Besserungslager verurteilt."

Die Verurteilung ist der Tiefpunkt der Gefangenschaft und des Verhältnisses zwischen Gefangenen und Russen gewesen. Mit den russischen Frauen und Männern, mit denen wir zusammen arbeiteten, hatten wir im allgemeinen ein recht gutes Verhältnis. Auch die Rotarmisten an der Front behandelten uns nach der Gefangennahme anständig. Sicher gab es auch da wie bei uns Ausnahmen. Das schlechte Verhältnis bestand vor allem zu den Angehörigen des Staatssicherheitsdienstes.

Was die Orte meiner Gefangenschaft angeht, so waren meine Hauptzentren die Tatarische Republik und Stalingrad. Wenn ich Hauptzentren sage, so meine ich, daß die Kriegsgefangenen immer nach einer gewissen Zeit innerhalb eines Gebietes das Lager wechselten. Darin lag System, es verhinderte Gruppenbildung.

Der Russe lebt in dem Trauma, daß der Deutsche alles weiß und alles kann. So darf es nicht verwunderlich erscheinen, daß wir zu allen denkbaren Arbeiten eingesetzt wurden. Irgendein Hochschulprofessor und ein Staatsanwalt bekamen einfach den Auftrag, den Grundriß einer Werkshalle auszumessen, die Entlüftungsanlagen zu konstruieren und nach Bauplänen die Mitgefangenen einzusetzen. Das Arbeiten begann mit Holzfällen, Torfholen, dem Entladen der Schiffe auf der Kama. Dann wurden wir in der Tatarei in verschiedenen Fabriken (Papier-, Alu- und Furnierfabriken) eingesetzt. Schon nach kurzer Zeit arbeiteten wir an den Maschinen. In der Hauptstadt Kasan waren es jedoch vor allem Hoch- und Tiefbauarbeiten.

Vor der Verurteilung wurden alle Aspiranten auf einen längeren Aufenthalt in der UdSSR aussortiert und nach Stalingrad verfrachtet. Da der Lebensstandard davon abhing, was man für eine Arbeit verrichtete, ließ ich mich von deutschen Mitgefangenen alsbald zum Spezialisten ausbilden und wurde Maurer und Gipser. Rückblickend muß ich sagen, daß dies ein Segen für mich war. Nicht nur der Verdienst bescherte zusätzlich Brot. Ich lernte das Handwerk kennen und vergaß während der Arbeitszeit mein Schicksal.

In Stalingrad wurden wir im Lkw zur Arbeit gefahren und wieder abgeholt. Anfang der fünfziger Jahre gab es bereits eine große Stadt im Aufbau. Was wir auf unserer Fahrt zur Arbeitsstelle beobachten konnten, ließ den Schluß zu, daß die Heldenstadt Stalingrad neben Leningrad wohl Vorrang beim Wiederaufbau genoß. Die Kriegsgefangenen stellten bei dieser Arbeit ein erhebliches Kontingent, was auch von den Russen anerkannt wurde.

Am Abend vor der Heimfahrt hatte ich noch einen Schock zu überstehen. Der Läufer berief zehn Mann namentlich in die Verwaltungsbaracke. Normalerweise bedeutete das Aussteigen aus dem Transport. So war es mindestens fünfzehnmal in den vorhergegangenen Jahren geschehen. Ich verabschiedete mich von meinen Kameraden, die mir mit dem üblichen Spruch „Kopf hoch, Willy" die Hand drückten. Ich wurde als erster in eines der Vernehmungszimmer geführt. Ein mir unbekannter, nicht unsympathischer Oberst der Roten Armee wies mir einen Stuhl an und offerierte mir Zigaretten. Ich lehnte ab. Mir war in diesem Augenblick nicht nach Konversation zumute. Er erkannte das sofort und versicherte mir, daß er mich nicht zu einem Verhör gerufen habe, sondern sich nur ein wenig mit mir unterhalten wolle. Er sei eigens von Moskau geschickt worden, um mit einigen Gefangenen zu sprechen. Man wolle wissen, was man nach unserer Meinung falsch gemacht habe. Schließlich solle ja in der Zukunft ein gutes sowjetisch-deutsches Verhältnis entstehen. Auf meine Frage, warum er gerade mich ausgesucht habe, sagte er gelassen: „Sie haben uns Ärger gemacht, und ich nehme an, daß Sie so sprechen, wie Sie denken."
Schließlich nahm ich mir eine Zigarette und kippte auch den mir dargebotenen Wodka hinunter.
„Vor allem, Herr Oberst", begann ich, „hat man unser Vertrauen verspielt. Zu viel hat man uns belogen, und zu oft hat man gegen alliierte Vereinbarungen verstoßen. Sie haben uns grundlos zu Verbrechern gemacht und auch so behandelt. Sie haben das diplomatische Korps, das auf der ganzen Welt tabu ist, wegen Spionage zu fünfundzwanzig Jahren Lager verurteilt. Sie haben Angehörige verschiedener Truppenteile, wie sie es bei allen Armeen der Welt gibt, auch bei der Roten Armee, zu Verbrechern gestempelt. Jedes Heer entnimmt im Notfall Verpflegung aus dem eroberten Land. Jeder, der auch nur ein Ei genommen hat, wurde sofort von Ihnen zum Dieb am sozialistischen Eigentum gestempelt. Und wenn einer wie ich in jungen Jahren in einem

anderen Staat ein Semester verbracht hat, wurde er als Spion verurteilt. Bei uns kann jeder, der einen Paß hat, ins Nachbarland reisen. Bei Ihnen muß er anscheinend, einschließlich des gesamten diplomatischen Personals, immer einen Auftrag haben – sonst hätte man nicht solche Gerichtsverfahren inszenieren können. Und dann die Art, wie uns die Blauen mit harmlosen Fragen hereingelegt haben. „Haben Ihnen die sozialistischen Eier geschmeckt?" Sagte man: „Ja", bedeutete das fünfundzwanzig Jahre. Sagte man: „Nein", war das auch nicht richtig. Trotzdem können Sie, Herr Oberst, beruhigt sein, denn unsere Schilderungen wird uns in Westeuropa sowieso niemand abnehmen. Man wird höchstens hinter unserem Rücken sagen: „Na, etwas Dreck wird der Mann schon am Stecken haben."
Der Oberst hörte sich meine Ausführungen in aller Ruhe an. „Ich habe durchaus Mitgefühl mit Ihnen", sagte er schließlich. „Aber vielleicht versetzen Sie sich auch einmal in die Lage eines Sowjetmenschen. Sie sind in unser Land eingedrungen, obgleich wir einen Nichtangriffspakt mit Deutschland geschlossen hatten. Sie haben zwanzig Millionen unserer Bürger getötet. Ich weiß nicht, wie Hitler in umgekehrtem Falle mit den Rotarmisten umgegangen wäre. Krieg ist nun einmal etwas Schreckliches, und wir sollten alle, die wir die Folgen erlebt haben, darauf hinarbeiten, daß so etwas nie wieder geschieht."
Er stand auf, reichte mir die Hand, gab mir eine Schachtel Pamir und wünschte mir eine gute Heimfahrt.
Am nächsten Tag überreichte er mir am Bahnhof beim Abschied eine Flasche Wodka. Als ich schon den Türgriff in der Hand hatte, drehte ich mich noch einmal um und sagte: „Herr Oberst, dürfte auch ich eine Frage stellen? Was sollten wir mit unseren Schweinehunden machen, die so willig Auskünfte über unsere Truppeneinheiten geliefert haben?" – „Sie sind doch ein intelligenter Mensch", antwortete er, „daher werden Sie doch sicherlich wissen, was Napoleon über Soldaten sagte, die ihre Kameraden verrieten oder Geheimnisse dem Feind preisgaben." Ich antwortete: „Ich nutze den Verrat und verachte den Verräter". – „Genau", sagte der Oberst.
„Sie haben eine Strecke von vier- bis fünftausend Kilometern vor sich. Sie kommen durch viele

Wälder, werfen Sie die Lumpen einfach aus dem Zug. So jedenfalls würde ein sowjetischer Offizier handeln." Schließlich als wir in den Bahnhof Frankfurt a. d. Oder einfuhren, waren die Bahnsteige leergefegt. Wir hörten nur noch die Laut-sprecher: „Alles räumt die Bahnsteige, die Kriegsverbrecher aus Rußland kommen." Da schüttelten auch die russischen Begleitoffiziere die Köpfe. Das war die Begrüßung in Deutschland.

Wesentlich war bei dieser ganzen Tragödie, daß – wie uns viele hohe sowjetische Offiziere versicherten – die Verurteilungen 1949 aus rein politischen Gründen vorgenommen wurden. Denn diejenigen, die sich im Hinterland, weit von der Front entfernt, auf unserer Seite inhumanes Verhalten hatten zuschulden kommen lassen, waren schon in den ersten Nachkriegsjahren ihrer Bestrafung zugeführt worden. Die 1949 Verurteilten gehörten verschiedenen ausgesuchten Einheiten an und hatten nur ihre Pflicht erfüllt. Und das wußten die Richter ebensogut wie wir. Wie wäre es sonst möglich gewesen, daß schon drei Monate nach der Verurteilung, 1950, das erste Kontingent entlassen wurde. Man verurteilt doch einen Schwerverbrecher nicht zu 25 Jahren, um ihn drei Monate später zu entlassen. Chruschtschow eröffnete 1955 die Moskauer

Verhandlungen mit der Behauptung, daß es in der Sowjetunion keine Kriegsgefangenen mehr gebe, nur noch Kriegsverbrecher. Als Adenauer zum Heimflug blies, waren die Verbrecher weg und die Kriegsgefangenen wieder da.

Nur wer es erlebt hat, weiß, wie furchtbar es für jemanden ist, der nichts getan hat, wie ein Verbrecher schwersten Kalibers behandelt und als Werkzeug der Politik mißbraucht zu werden.

Diese Feststellung ist kein Schrei nach Rache, dazu habe ich keinen Grund. Schließlich ist von unserer Seite so viel Böses geschehen. Als Ende 1944 die ersten Soldaten des Bewährungsbataillons – ehemalige Insassen der Konzentrationslager – ins Lager kamen und von den für uns unfaßbaren Vorgängen in den KZ's erzählten, ahnten wir, daß wir Frontsoldaten zwangsläufig die Zeche dafür bezahlen würden.

Ernst Falthammer

Von 1944 bis 1953 in russischer Kriegsgefangenschaft, unter anderem in den Lagern Grjasowjez, Tscherepowjez, Workuta, Maximowka und Krasnopolje.

Ich befand mich zuletzt in einem Waldgebiet westlich der Beresina, wo ich mit den Resten einer Infanterie-Kompanie in Gefangenschaft ging. Der russische Kommissar, der uns entgegentrat, stellte nur die Frage: „Wollen Sie überlaufen oder in Gefangenschaft gehen?" Als wir uns selbstverständlich für die Gefangenschaft entschieden, führte er uns aus dem Wald heraus auf eine Wiese und ließ uns dort lagern. Nach der üblichen Filzung, bei der uns sämtliche Wertgegenstände abgenommen wurden, wurde ich zusammen mit einem Major des XXXXI. Panzerkorps einem General vorgeführt, der uns kurz verhörte und danach einer größeren Gruppe deutscher Kriegsgefangener zuwies. Mit dieser wurden wir in nächtlichen Gewaltmärschen nach Schlobin und von dort an der Eisenbahnlinie entlang zu Güterwagen gebracht. Die Begleitposten interessierten sich besonders für unser gutes Schuhwerk, das sie vielen von uns mit Gewalt abnahmen.

Nach einigen Tagen erreichten wir über Gomel, Brjansk und Kaluga Moskau. Dort wurden wir auf einer Pferderennbahn am westlichen Stadtrand gesammelt, insgesamt etwa 65 000 Mann. Ich habe heute noch die mit Lautsprechern übertragenen Siegesfanfaren und die Meldungen über die Zahl der befreiten Städte und Dörfer in den Ohren. Die Behandlung auf dem gegen die Bevölkerung abgeschirmten Platz kann man als korrekt bezeichnen. Wir konnten uns nach den Entbehrungen der letzten zehn Tage (die Nahrung bestand nur aus Trockenbrot, Salzheringen und Wasser) etwas erholen, weil wir regelmäßig Verpflegung erhielten. Es waren zahlreiche Gulaschkanonen aufgefahren. Ein Großteil der Kameraden hatte Ruhr, so daß zahlreiche Gefangene in Lazarette abgeschoben wurden. Viele sind nicht wieder aufgetaucht. Einige Tage später mußten wir – die Generale mit ihrem Stab in einem Block zu Fünferreihen, das Gros in Zehnerreihen – zum Abmarsch nach dem Jaroslawler Bahnhof antreten. Es war ein einziges Spießru-

tenlaufen, die gesamte Bevölkerung von Moskau war zu unserem Empfang aufgeboten. Da wir unrasiert, durchgeschwitzt und wegen der zahlreichen Filzungen ziemlich abgerissen waren, machten wir einen recht heruntergekommenen Eindruck. Das war wohl auch der Zweck, weshalb man uns der Bevölkerung vorführte. Die Kolonne war aber gut durch berittene Polizei und spalierbildende uniformierte Frauen abgesichert. An dem Bahnhof angekommen, wurden wir in bereitgestellte Waggons verladen. Die Züge verließen sofort Moskau. Nach etwa drei Tagen traf mein Transport auf dem Bahnhof Grjasowjez (südlich von Wologda) ein. Von da ging es in einem vielstündigen Marsch in das Lager Nr. 150, wo wir völlig abgekämpft anlangten. In diesem Lager, dem Rest eines ehemaligen Klosters, mußte der Großteil von uns zunächst im Freien übernachten, bis nach einigen Tagen ein großes Zelt errichtet wurde. Die bisherige Belegschaft bestand in der Hauptsache aus Stabsoffizieren, die im Februar 1943 in Stalingrad in Gefangenschaft geraten waren. Weitere Barakkenunterkünfte mußten wir selbst bauen.

Zunächst wurden wir nur wenig belästigt. Dafür litten wir aber sehr unter der primitiven Unterbringung auf einfachen Holzpritschen, zusammengepfercht auf engstem Raum, ohne Strohsack und Decke. Auf jeden kam nur ein schmaler Streifen, so daß man immer nur auf einer Seite liegen konnte. Im Sommer zog man nur die Schuhe aus. Mit dem Rock deckte man den Oberkörper zu. Im Winter aber mußte man alles anziehen, was man an Kleidung noch gerettet hatte. Man war glücklich, wenn man sich ein paar alte Lumpen zum Wärmeschutz für Hände und Füße organisieren konnte. Dazu kam die Wanzenplage. In den überbelegten Baracken, meist dreihundert bis vierhundert Mann pro Baracke, entwickelte sich durch die Ausdünstungen der vielen Menschen ein übler Gestank. Der Feuchtigkeitsgehalt der Luft war so hoch, daß im Herbst und Winter beim Öffnen der Türe ein dichter Nebelschwaden herausströmte.

Wir Neuankömmlinge meinten, daß wir dieses Leben keine eineinhalb Jahre durchhalten würden, wie es die alten Stalingrader bereits hinter sich hatten. Dazu kam die unzureichende, eintönige Ernährung. Je nach Vorratslage oder nach dem Belieben der russischen Lagerleitung gab es

400 bis 650 Gramm Brot täglich. Es war eine innen glitschige schwarzbraune Masse. Jedem Gefangenen standen außerdem zu: Sieben Gramm Zucker, vielleicht zehn Gramm Margarine (meist mit Grünstich). Dreimal am Tag gab es eine wäßrige Suppe, einmal täglich einen sehr bescheidenen Klecks Brei, genannt Kascha. Für Suppe und Brei wurden je nach Jahreszeit in mehrwöchigen Perioden entweder Hafer, Mais, Buchweizen, Kohl (Kapusta) oder Rote Bete angeliefert. In der Kohlsuppe waren sehr oft kleine Fischchen mitgekocht, das war praktisch unser Salzersatz. Fleisch gab es nur in homöopathischen Portionen, auch in der Suppe gekocht. Es stammte vorwiegend aus Konserven, die von der amerikanischen Firma Oscar Meyer geliefert worden waren. Die Firma Meyer spielte im Leben des Plenni insofern noch eine besondere Rolle, als aus den leeren Dosen allerhand Gebrauchsgegenstände angefertigt wurden: sogenannte Dawai-Büchsen oder Schalen zum Essensempfang, Trinkgefäße, sogar Teile von Musikinstrumenten.

Das Körpergewicht des Plenni sank rasch ab, nur die guten Futterverwerter und die sportlichen Typen kamen besser über die Runden. Die Lagerbelegschaft betrug zwischen 3500 und 4000 Mann, meist Stabsoffiziere (vom Major aufwärts, jedoch keine Generale), dazu etwa 1000 Subalternoffiziere (Leutnant bis Hauptmann) und einige wenige Mannschaftsdienstgrade.

Sehr bedrückend war das Fehlen jeglicher sicherer Nachrichten vom Kriegsgeschehen. Dazu kam nach der Kapitulation die Sorge um das Leben der Familienangehörigen. Es gab im Lager eine Gruppe des Nationalkomitees Freies Deutschland, über die der Russe auf die Insassen politisch Einfluß zu gewinnen suchte. So erfuhren die meisten von uns erstmals etwas Näheres über Konzentrationslager und die Judenvernichtung. Die Namen Auschwitz, Majdanek, Theresienstadt usw. wurden uns bei jeder Gelegenheit präsentiert. Man glaubte uns nicht, wenn wir versicherten, daß wir nichts damit zu tun gehabt hatten. Überzeugte Nationalsozialisten wurden dadurch in ihren Ansichten bestärkt. Sie glaubten auch noch an den Einsatz der „Wunderwaffen" und an den „Endsieg". Nur so war es auch zu verstehen, daß sich zum Beispiel eine Gruppe

bildete, die sich mit der Zahl 88 begrüßten. Der achte Buchstabe im Alphabet ist das H, und die doppelte Acht bedeutete „Heil Hitler". Die im allgemeinen gute Kameradschaft wurde dadurch beeinträchtigt. Es gab eine große Anzahl von uns, die beim Übergang in die Gefangenschaft und durch die neu gewonnenen Erkenntnisse nachdenklich geworden waren. Es wäre aber alles nicht schlimm gewesen, wenn nicht die russische Politabteilung durch Vernehmungen Zweifel an der Ehrlichkeit ihrer Umerziehungsmaßnahmen erregt hätte. Das Mißtrauen, das man unseren Aussagen entgegenbrachte, führte zwangsläufig dazu, daß alles, was vom Russen vorgebracht wurde, als Feindpropaganda aufgefaßt wurde.

Es begann jedoch zunächst verhältnismäßig harmlos. Jeder Kriegsgefangene wurde zu einer Besprechung beim Politoffizier befohlen. Dabei wurde ein umfangreicher Personalbogen erstellt. Man wurde stutzig, wenn auch hier bereits Giftpfeile verschossen wurden. So erlebte ich, als man nach meinem Beruf und dem meines Vaters und Großvaters fragte, und ich wahrheitsgemäß Beamter, Lehrer und Handwerker sagte, daß die Dolmetscherin alles nur mit „Intelligenzia" übersetzte. So wurde es auch in meinem Personalbogen vermerkt. Damit war ich als gefährlicher Intelligenzler abgestempelt, was bei den späteren Vernehmungen immer eine große Rolle spielen sollte. Auffallend war, daß wir Angehörige einer speziellen Wehrmachtdienststelle in Bobruisk (etwa fünfundzwanzig waren im Lager) die ersten waren, die eingehender vernommen wurden. Das bedeutete stets mehrwöchigen Aufenthalt im Karzer.

Offensichtlich wollten die Russen Näheres über unsere Organisation erfahren. Wir waren alle der Auffassung, daß wir mit unserer Tätigkeit im besetzten Gebiet nicht gegen das Kriegsrecht verstoßen hatten. Wir haben die an uns gestellten Fragen wahrheitsgemäß beantwortet. Auf unseren Hinweis, wir seien doch zur Wehrmacht eingezogen worden, wurde uns immer wieder vorgehalten, wir hätten dem Einberufungsbefehl nicht Folge leisten sollen, da es sich in unserem Falle um einen „ungerechten" Krieg gehandelt habe. Unsere Fragen, woran wir das hätten erkennen können, wurden nicht beantwortet. Auf die Frage, wie denn in Rußland mit Leuten verfahren würde, die einem Gestellungsbefehl nicht nachkommen, antwortete man: „Die werden selbstverständlich erschossen." Daß dies in jeder Wehrmacht, also auch in der deutschen, so üblich sei, wurde uns nicht als Entlastung abgenommen.

Wir nahmen diese Erstbefragung aber nicht sehr ernst, wunderten uns nur darüber, daß man offensichtlich zweierlei Maß anlegte. Unangenehm und unerträglich war nur, daß wir als die häufig zu Vernehmungen Geholten plötzlich von einzelnen Bekannten im Lager geschnitten wurden.

Nach der Kapitulation der deutschen Wehrmacht mußte, wohl auf Befehl von Stalin, ein Ukas erlassen worden sein bezüglich der Verwendung von Kriegsgefangenen beim Wiederaufbau der im Kriege zerstörten Städte und Wirtschaftsobjekte sowie bei sonstigen Arbeitsvorhaben. Ende Mai oder Anfang Juni 1945 wurden etwa zwanzig Mann, darunter auch ich, für einen Transport aufgerufen. Es waren vorwiegend Leute, die in ihrem früheren Beruf mit Holz zu tun gehabt hatten. Wir kamen zunächst in das Hauptlager des Gebietes, nach Tscherepowjez an der Bahnstrecke Wologda-Leningrad, wurden jedoch nach weiteren vier Wochen in das Nebenlager Sokol (nördlich von Wologda) verlegt.

Nach einem den Arbeitsbrigaden unbekannten Normensatz wurde die tägliche Arbeitsleistung in einem sogenannten Narjad (wir würden sagen „Arbeitsnachweis") durch ein zwölf- bis vierzehnjähriges Mädchen eingetragen. Der deutsche Brigadier und die Landser, die meinten, gut gearbeitet zu haben, waren regelmäßig enttäuscht, wenn sie am Monatsende mit schlechten Leistungsprozenten an der Lagertafel angeschrieben waren. Es mußte also etwas faul sein.

Die russische Lagerleitung erklärte uns Neuankömmlingen, daß von nun an zur Hebung der Arbeitsdisziplin der Einsatz nach den „altbewährten" militärischen Gesichtspunkten erfolgen solle. Die jetzt eingeschleusten Offiziere sollten als Regiments-, Bataillons-, Kompanie- und Zugführer fungieren und hätten den Auftrag, die Mannschaften zu höherer Arbeitsnorm anzuleiten.

Eines Tages erschienen bei mir die eingesetzten Bataillons- und Kompanieführer mit der Bitte,

ich möge die Objektleitung übernehmen, weil der bisherige Leiter, ein Oberstleutnant, aus gesundheitlichen Gründen – er hatte ein Auge verloren – nicht mehr in der Lage sei, seinen Verpflichtungen nachzukommen. Ich sträubte mich zunächst dagegen, willigte aber schließlich im Interesse der Sache doch ein. Dabei machte ich darauf aufmerksam, daß ich meine Aufgabe darin sehen würde, die bekannten Mißstände in der Benachteiligung der Arbeitsbrigaden abzustellen; ich erwartete, daß ich in diesem Bestreben von allen unterstützt würde.

Nach kurzer Einarbeitung wurde ich bei der russischen Objektleitung vorstellig und forderte, daß wir eine Aufstellung bekämen, aus der hervorging, welche Normen bei den einzelnen Arbeitsvorgängen gefordert würden.

Ich war mir bewußt, daß ich damit ein sehr heikles Thema angeschnitten hatte, erreichte aber tatsächlich, daß ich nach etwa vierzehn Tagen das sogenannte „Normenbüchel" in Händen hatte. Nunmehr konnte ich bei einzelnen Brigaden zur Kontrolle die in das „Narjad" eingetragenen Tagesleistungen aufzeichnen und diese bei einer offensichtlichen Minderbewertung einer Brigade mit den Aufzeichnungen im Büro der russischen Objektleitung vergleichen. Auf diese Weise kam ich dahinter, daß man nachträglich die Eintragungen der jungen Mädchen nach unten abgeändert hatte. Natürlich hatte ich in ein Wespennest gestochen, denn nun kam heraus, daß russische Lagerleitung und russische Objektleitung unter einer Decke steckten und sich den erzielten Profit geteilt hatten.

Ich erreichte in mehreren Fällen die Berichtigung der Narjads. Für die russische Lagerleitung aber war ich nun natürlich nicht mehr tragbar. Eines Morgens gegen vier Uhr erschienen in unserem Quartier mit MPs bewaffnete Posten mit der Weisung, ich und zwei Kameraden hätten sich mit all unseren Sachen, an der „budka" (Eingangshäuschen am Lagertor) zu melden. Dort wurden wir in den gegenüberliegenden Karzer eingewiesen, wo wir einen Kameraden antrafen, der bereits am Vortag aus demselben Grund wie wir eingeliefert worden war. Einige Tage später wanderten wir alle in die Strafbrigade; wir mußten drei Monate lang besonders schwere und unangenehme Arbeiten bei verlängerter Arbeitszeit verrichten.

Die Stimmung unter den Mannschaften, die anfangs den Offizieren gegenüber ausgesprochen feindlich gewesen war, war umgeschlagen, nachdem sich herausgestellt hatte, daß die Offiziere für sie eingetreten und die Betrügereien weniger geworden waren. In diese Zeit fiel übrigens die erstmalige Zuteilung einer Rotkreuzkarte, mit der man die Angehörigen benachrichtigen konnte. Es war eine zusätzliche Bestrafung, daß wir in der Strafbrigade von dieser „Vergünstigung" ausgeschlossen wurden. Nach der Entlassung aus der Strafbrigade war ich noch kurze Zeit auf einem Außenkommando in einem Dorf eingesetzt. Im Juni 1946 erfolgte dann plötzlich die Rückversetzung über Tscherepowjez nach Grjasowjez. Sofort nach meiner Ankunft berichteten mir die alten Freunde, daß die Mitglieder meiner Dienststelle, insbesondere der Chef des Stabes, in den letzten Monaten sehr strengen Verhören mit körperlichen Züchtigungen unterzogen worden waren.

Ich hatte nur wenige Wochen Ruhe. Dann begannen auch für mich die Vernehmungen, die stets mit längeren Karzeraufenthalten verbunden waren. Man legte meine Aussagen von 1944 zugrunde und zog daraus einfach bestimmte Schlußfolgerungen. So wurde behauptet, man habe über mich in Bobruisk Erkundigungen eingezogen und wisse alles. Ich brauche nur zuzugeben, was ich verbrochen hätte. Wir Deutschen hätten die Zivilbevölkerung zur Arbeit gezwungen und dabei geschlagen. Wir hätten die Partisanen bekämpft und verhaftete Personen erschossen. Wir hätten Vieh und Holz nach Deutschland verfrachtet und damit das Gebiet ausgeplündert. Schließlich hätten wir die Bevölkerung zwangsweise als Arbeitskräfte nach Deutschland verschickt. Selbstverständlich traf die eine oder andere Behauptung für die deutsche Besatzungsmacht zu, nur hatte ich persönlich nichts damit zu tun gehabt. Soweit die Anschuldigungen mein Ressort betrafen, konnte ich nur immer wieder betonen, daß die eingesetzten Arbeitskräfte freiwillig gekommen waren, und daß aus meinem Bereich keine Wirtschaftsgüter ins Reich transportiert worden waren, und daß ich die Arbeitskräfte vor einer Verschickung nach Deutschland bewahrt hätte. Alle meine Einwände halfen jedoch nichts. Es wurde bei jeder Vernehmung eine Niederschrift gefertigt, in der diese Un-

wahrheiten bzw. Halbwahrheiten aufgezeichnet waren. Wenn ich diese Niederschriften unterschreiben sollte, begann ein neuer Streit. Ich protestierte zunächst einmal dagegen, daß das Protokoll in russischer Sprache abgefaßt war, und begründete meinen Protest damit, daß ich nicht wissen könne, ob die Dolmetscher richtig übersetzt hatten. Außerdem verlangte ich, daß der eine oder andere Satz gestrichen werden müsse. Darauf wurde der Vernehmende bösartig. Als ich mich einmal standhaft weigerte, zu unterschreiben, erklärte mir der Oberleutnant, daß er Mittel und Wege habe, mich kleinzukriegen. Er äußerte sich etwa folgendermaßen: „Wir wissen jetzt, wo sich Ihre Familie befindet. Sie haben Frau und drei Kinder, und sie wohnen in dem von der Sowjetunion besetzten Gebiet. Wir werden uns einmal dort für sie interessieren." Ein anderes Mal zog er seine Tischschublade auf und holte eine Antwortkarte hervor, die meine Frau geschrieben hatte. Dazu meinte er, ich könne die Karte sofort haben, wenn ich unterschriebe.

Das besondere Glanzstück einer Vernehmung war – mittlerweile war es Winter geworden –, daß der Vernehmer nach Mitternacht erklärte, ich müsse mich erst etwas abkühlen. Er ließ mich durch einen Posten auf eine Glasveranda mit zerbrochenen Scheiben abführen. Dort stand ich in Zugluft und Kälte, bis mich der ablösende Posten nach etwa vier Stunden in den Karzer zurückbrachte.

Der unter der Erde liegende Bunker war in mehrere schmale Einzelzellen mit feuchtem Lehmfußboden aufgeteilt. Die Räume waren mit je einer Bank ausgestattet, die man nur nachts zum Schlafen benutzen durfte, ohne Strohsack und Decke. Tagsüber mußte man stehen, und das wurde vom Posten überwacht. Je nach Laune gab es Halbverpflegung. Alle paar Tage wurde ich nachts zwischen dreiundzwanzig und ein Uhr zur Vernehmung geholt. Mit dieser Methode sollte der „Delinquent" gefügig gemacht werden.

Der engere Freundeskreis im Lager hat mir immer den Rücken gestärkt, sowohl moralisch wie auch materiell. Ich erinnere mich daran, wie mir vier Kameraden durch das kleine Karzerfenster ein vom Munde abgespartes Stück Brot mit ein paar Gramm Margarine und Zucker zusteckten. Auffällig war, daß ich und viele Angehörige meiner Einheit etwa ab Mai 1948 keine Heimatpost mehr erhielten. Wir durften zwar monatlich unsere Rotkreuzkarten schreiben, und diese Karten kamen auch tatsächlich zu Hause an. Es wurde von uns aber als ein schlechtes Zeichen angesehen, daß wir Monat für Monat vergeblich auf ein Lebenszeichen von daheim warteten.

Im Juli 1948 wurde das Lager 150 (Grjasowjez) aufgelöst. Viele waren in Hochstimmung, weil die unverbesserlichen Optimisten den von der russischen Lagerleitung kolportierten Parolen glaubten, daß es nun nach Hause ginge. Wir wurden jedoch erneut in das Lager Tscherepowjez verlegt.

Am 9. Februar 1949 traf auch unsere Dienststelle der Ruf des Lagerläufers: „Sofort mit allen Sachen ans Lagertor." Wir wurden sehr streng gefilzt. Mir wurden die gesamte Heimatpost sowie die letzten zwei noch geretteten Familienfotos abgenommen. Beim Abtransport auf dem Lkw zum Bahnhof gab der eine der Posten dem anderen auf die Frage: „Was sind das für Leute?" nur die Antwort: „Faschisti." Die Reise im Stolypin-Stalin-Wagen (Grüne Minna der Eisenbahn), während der wir von den asiatischen Posten in der niederträchtigsten Weise behandelt wurden, führte über Leningrad, Witebsk, Mogilew und Gomel nach Bobruisk.

Beim Halt im Bahnhof Witebsk hatten wir noch ein besonderes Erlebnis. Zahlreiche Gefangene mußten aussteigen. Dafür erhielt unser Waggon einen entsprechenden Zugang, der von uns, wie üblich, durch das schmale vergitterte Abteilfenster genauestens beobachtet wurde. Plötzlich sagte einer von uns: „Das war Major K." (Einer meiner Leidensgefährten aus dem Karzeraufenthalt im Lager 150, in Dresden beheimatet.) Als unsere Abteilzelle kurze Zeit danach zum Klo-Gang dran war, hörte einer im Vorbeigehen an einem Abteil die Worte: „Hier spricht Otto K., verurteilt zu fünfundzwanzig Jahren." Nun war uns endgültig klar, was man mit uns vorhatte. Wir kamen gegen Mitternacht in Bobruisk an und wurden gegen ein Uhr am Rande der Stadt in einem Steingebäude abgeliefert. Dort mußten wir zunächst warten, bis die in dem Hause schlafenden MWD-Offiziere aufgestanden waren. Dann wurde jeder einzeln in einen größeren Raum geführt, wo unter Leitung eines Oberstleutnants etwa acht Offiziere mit einem Dolmet-

scher eine erste Vernehmung vornahmen. Ich wurde von einem Offizier mit den Worten empfangen: „Bis jetzt ist es Ihnen gelungen, sich herauszureden; hier sind Sie am Ort Ihrer Verbrechen angelangt, und nun werden Sie Ihrer Strafe nicht entgehen." Dabei holte er eine Eisenstange aus der Ecke und drohte mir, daß ich mit dieser geschlagen würde, wenn ich nicht richtig aussagen würde. Dann fragte er, ob ich Mahatsch Kala kannte. Als ich verneinte, meinte er: „Wenn Sie dort ausspucken, bevor die Spucke auf den Boden kommt, ist sie gefroren. Dorthin werden wir Sie bringen." Danach wurde ich in den sogenannten Stabsbunker abgeführt und vom Posten mit einem Fußtritt in Zelle Nr. 5 befördert. Ich flog gegen eine Pritsche, auf der zusammengekrümmt zwei Gefangene lagen. In der kurzen Zeitspanne, solange das Licht brannte, erkannte mich der eine. Es war ein ehemaliger Angehöriger meiner Einheit.

Er flüsterte mir zu, daß er mich erkannt habe, daß in der Nebenzelle unser Oberstleutnant liege, der uns alle in einem langen Protokoll schwer belastet habe, und daß ich mich mit Äußerungen wegen eines in der Zelle anwesenden „Ableuchters" in acht nehmen müsse. Der Stabsbunker war eine etwa zweieinhalb Meter tief in die Erde gegrabene Grube mit einem schmalen Seitengang, an dem, wenn ich mich recht erinnere, acht Zellen lagen. Die Räume waren durch starke Ziegelwände abgeteilt und hatten eine Grundfläche von etwa 3,5 mal 3,5 Metern bei einer Höhe von etwa drei Metern. In Bodenhöhe befand sich ein kleines vergittertes Fenster, das uns ermöglichte festzustellen, wer zur Vernehmung geholt wurde. Meine Zelle war mit zwei einfachen doppelstöckigen Holzpritschen ausgestattet, die für jeweils vier Gefangene vorgesehen waren; Strohsäcke und Decken gab es nicht. Für mich war gerade noch ein Platz frei, da ich der achte Insasse war.

Später bekamen wir aber bis zu zwölf Personen Zuzug, und diese Kameraden mußten die Nacht auf dem Holzfußboden zubringen.

Die etwa zwanzig Angehörigen des WiKdo waren so auf die Zellen verteilt, daß die Mitglieder der einzelnen Gruppen getrennt saßen. Auf diese Weise sollten Absprachen untereinander verhindert werden.

Sehr bald fingen die Vernehmungen an. Sie wurden immer nur nachts und mit äußerster Strenge durchgeführt. Jede Vernehmung begann mit dem gleichen Theater wie früher in Grjasowjez. Man bedeutete mir, daß man alles über mich wisse. Zusätzlich hätten sie ja nun die Aussagen unseres Kommandeurs. Sie wurden mir allerdings zunächst nicht vorgelegt, sondern man wollte, daß ich zu den alten Vorwürfen hinsichtlich Partisanenbekämpfung, Ausplünderung etc. Stellung nahm. Ich konnte aber wahrheitsgemäß nichts anderes sagen als das, was in den vorliegenden Aktenunterlagen der Jahre 1944/48 enthalten war. Allmählich kam ich aber dahinter, was der Oberstleutnant speziell über die Tätigkeit meiner Gruppe ausgesagt hatte. Darum bestand ich darauf, daß er mir endlich gegenübergestellt würde. Als dies dann geschah, mußte ich erleben, daß dieser Mann offensichtlich auswendig gelernte Lügen hersagte: Er stellte die Sache so dar, als ob wir, seine Untergebenen, eigenmächtig Handlungen durchgeführt hätten, die verbrecherisch gewesen seien. Ich konnte darauf nur antworten: „Wir haben lediglich Befehle ausgeführt, die uns durch Sie übermittelt worden sind, und darum müßten gerade Sie die Verantwortung dafür übernehmen." Daß er aus seiner Handlungsweise zudem persönliche Vorteile zog, war besonders bedrückend. Wir konnten täglich beobachten, daß er Vorzugsbehandlung genoß. So hatte er Raucherlaubnis, während uns die zustehenden Zigaretten nicht gegeben wurden. Er lief im vollen Haarschmuck herum, wir waren kahlgeschoren. Er wurde mehrmals in der Woche rasiert, uns wurde alle vier bis sechs Wochen der Bart mit der Maschine geschnitten. Er trug immer Luftwaffenuniform, wir liefen in Lumpen herum. Er erhielt beim Essensempfang den doppelten Schlag, wurde fast jeden Sonntag zu einem Extraessen ins Stabsgebäude geholt und kam mit gefülltem Kochgeschirr zurück.

Die Vernehmungen zogen sich bis Ende April hin. Anfang März glaubte der russische Oberleutnant aber, einen besonders hieb- und stichfesten Anklagepunkt gegen mich gefunden zu haben. Im Jahre 1943 war nämlich in der Ortschaft Stare Dorogi (an der Straße zwischen Bobruisk und Sluzk gelegen) ein von der Wehrmacht unterhaltener Betrieb während eines Partisanenüberfalls abgebrannt. Die Angelegenheit war selbstverständlich von der Feldgendarmerie un-

tersucht worden, es sollen auch Verhaftungen stattgefunden haben und einige Verdächtige erschossen worden sein. Dies sollte nun mir zur Last gelegt werden. Zu diesem Zweck hatte man einen Ortsansässigen veranlaßt, mich in einem längeren Protokoll als Schuldigen zu benennen. Eines Nachts wurden einer meiner Mitarbeiter und ich per Eisenbahn nach Stare Dorogi gebracht. Nach der üblichen Feststellung der Personalien verlas man uns in getrennten Verhören diese Niederschrift. Mir fiel sofort auf, daß der Zeuge meine Personalien – Vorname, Vatersname, Geburtstag und -jahr sowie Geburtsort – so genau hatte angeben können. Ich wies darauf hin, doch ging man über diesen Einwand weg. Gefährlich wurde die Sache allerdings, als wir – wieder jeder einzeln – dem betreffenden Mann gegenübergestellt wurden. Er wurde gefragt, ob wir die Personen seien, um die es ging. Ich war mir klar darüber, daß es für den Zeugen ein leichtes gewesen wäre, diese Frage rasch mit ja zu beantworten. Vielleicht wäre für ihn in diesem Falle sogar ein Vorteil herausgesprungen. Er zögerte aber lange und sagte schließlich „njet". Der Verhandlungsleiter machte ein etwas betretenes Gesicht, protokollierte diese Aussage und entließ mich, ausgesprochen freundlich. Das gleiche geschah mit meinem Kameraden. Von Stund an wurden wir in der örtlichen Polizeistelle sehr höflich behandelt und durften uns in dem eingezäunten Hofgelände frei bewegen.

Eines Tages steckte man mich in eine Artilleriemajorsuniform und fotografierte mich. Das Bild war an den wichtigsten Punkten der Stadt ausgehängt worden. Man suchte Zeugen, die gegen mich aussagen sollten. Ich bin überzeugt davon, daß mich viele der Einheimischen erkannt haben. Wie sich später beim Prozeß herausstellte, hat sich niemand gemeldet, für mich ein Beweis dafür, daß man mich in der Bevölkerung in keiner schlechten Erinnerung hatte.

Ende April 1949 war es so weit, daß über das, was ich ausgesagt haben sollte, eine Niederschrift angefertigt worden war. Als mir das Protokoll von einer Dolmetscherin übersetzt wurde, hatte ich Grund, an vielen Stellen zu protestieren. Zuletzt weigerte ich mich, das Papier zu unterschreiben. Da wurde der Oberleutnant wütend. Er packte einen Schemel und schlug ihn mir auf den Kopf, so daß der Schemel auseinanderbrach.

Ich sackte zusammen und verlor die Besinnung. Als ich wieder zu mir kam, trat er mir mit den Füßen mehrmals in die Seiten und ins Gesäß. In den Bunker zurückgekehrt, konnte ich meinen Zellengenossen die vielen blutunterlaufenen Stellen vorweisen. Am nächsten Tage wurde ich nochmals zur Vernehmung geholt. Diesmal zeigte sich der Oberleutnant nicht. Dafür hatte offensichtlich die Dolmetscherin den Auftrag, mir zu erklären, daß ich den Zornausbruch des Oberleutnants verstehen solle: Er habe in einem deutschen KZ gesessen, und es sei ihm dort sehr schlecht gegangen. Bei meiner Unterschriftsverweigerung seien ihm die Nerven durchgegangen.

In den Tagen vom 16. bis 18. Mai 1949 wurde zwanzig Angehörigen unserer Dienststelle vor dem Militärtribunal der Weißruthenischen Republik der Prozeß gemacht. Als Vorsitzender fungierte ein Major. Ihm standen zwei Beisitzer zur Seite, ebenfalls in Uniform. Eine sehr gebrochen deutsch sprechende und recht ungewandte Dolmetscherin hatte große Mühe, uns den Verhandlungsgang zu verdeutlichen.

Am ersten Tag wurden die Personalien aufgenommen. Alles geschah völlig korrekt.

Am 17. Mai ging man dann zur Tatbestandsaufnahme über, in der pauschal über unsere „verbrecherische" Tätigkeit berichtet wurde. Wir lehnten selbstverständlich jeder einzeln die wahrheitswidrige Auslegung unserer Aufgabenstellung ab. Am gleichen Tage sollten die sechzehn Zeugen vor Gericht erscheinen. Es war aber nur einer gekommen. Dieser sagte gegen einen unserer Kameraden aus, er habe die in seiner Dienststelle beschäftigten Arbeiter mit der Reitpeitsche geschlagen. Auf die Frage des Kameraden an den „Zeugen", ob er das selbst gesehen habe oder woher seine Kenntnis stamme, erhielt er dem Sinne nach die folgende Antwort: „Mir hat es mein Sohn erzählt, und ein Freund von diesem hat es von einem Bekannten gehört, der es gesehen haben will." Darauf antwortete der Sonderführer zum Gericht gewandt: „Und so etwas nennen Sie einen Zeugen!"

Als der Vorsitzende die weiteren Zeugen anforderte, entstand am Eingang des Raumes Unruhe; es stellte sich heraus, daß keiner mehr erschienen war. Das Gericht war zunächst ratlos, forderte den Posten aber dann auf, den draußen wartenden Oberstleutnant hereinzulassen. Er wurde aufgefordert, seine protokollarisch niedergelegten Aussagen zu wiederholen. Er begann auch tatsächlich, die uns allen bereits bekannten Sätze aufzusagen. In diesem Augenblick brach bei uns ein Sturm der Entrüstung los. Man hörte Ausrufe wie: „Sie Lump", „Sie Lügner", „Sie Verbrecher". Er kam ins Stottern, und das Gericht ließ sich unsere Ausrufe von der Dolmetscherin übersetzen. Sie kam aber kaum mit. Es entstand ein großes Durcheinander, so daß man überhaupt nichts mehr verstand. Da das Gericht merkte, daß es mit diesem „Zeugen" nicht weiterkam, verzichtete es auf seine weitere Aussage. Er mußte sich hinten auf die Zeugenbank setzen. Darauf wurde jeder einzeln gefragt, ob er sich schuldig fühle. Alle verneinten und einer rief: „Lügen, Lügen, nichts als Lügen." Damit schloß der Prozeß für diesen Tag und wir wurden wieder in unsere Zellen geführt.

Am 18. Mai 1949 wurde das Urteil verkündet. Es lautete auf Todesstrafe nach einem Stalin-Ukas vom Jahre 1943, dessen Wortlaut uns niemals bekanntgegeben worden war. Mit der Begründung, daß in der Sowjetunion die Todesstrafe nicht mehr vollstreckt werde, erfolgte die sofortige Umwandlung in fünfundzwanzig Jahre Arbeitsbesserungslager. In unserer Galgenhumorstimmung gab es lautes Gelächter, als die Dolmetscherin übersetzte: Arbeits*ver*besserungslager, worüber wiederum das Gericht erstaunt war.

Nun durften wir nicht mehr in den Stabsbunker zurückkehren. Wir wurden in einen gesonderten Raum gebracht und aufgefordert, eine „Kassazia" (Einspruch) an das nächsthöhere Militärtribunal in Minsk zu schreiben. Wir weigerten uns lange, weil uns klar war, daß auch dies nur geschah, um ein ordnungsgemäßes Verfahren vorzuspiegeln. Doch schließlich mußten wir uns dem Zwang beugen.

Am Abend des 18. Mai 1949 noch wurden wir ins Zivilgefängnis der Stadt („Roter Turm") überführt. Dort mußten wir etwa sechs Wochen auf die Verwerfung unserer Kassazia warten, und zwar in einer Großzelle mit über siebzig Insassen, in der ein wegen Kollaboration mit den Deutschen verurteilter Russe ein strenges, aber gerechtes Regiment führte. Die jedem von uns später ausgehändigte endgültige Verurteilungsschrift war auf ganz dünnem Papier geschrieben. Unter dem Vorwand, daß man sie einmal lesen wolle, bemächtigten sich die miteinsitzenden Russen dieser Papiere, da sie sich, weil ungeleimt, bestens zum Drehen der Machorka-Zigaretten eigneten. Infolgedessen ist meines Wissens leider keines dieser Blätter mit unserer Verurteilung in den Westen gelangt.

Im Juli 1949 erfolgte unser Abtransport über Minsk zunächst nach Moskau, Weißrussischer Bahnhof. Das Begleitkommando hatte den Auftrag, uns zum Jaroslawler Bahnhof zu überführen. Dazu diente ein geschlossener Klein-Lkw. Es war ein glühendheißer Sommertag, so daß unsere Kleidung vom Schweiß zum Auswinden naß war. In diesem Zustand fuhr man uns zwei Stunden kreuz und quer durch die Stadt. Wir verlangten, herausgelassen zu werden, da ein 60jähriger Kamerad von uns einen schweren Herzanfall erlitten hatte, was nach langem Hin und Her endlich für drei Mann genehmigt wurde. Ich kann mich erinnern, daß wir im Hofgelände eines Hochhauses standen, wo wir den Kameraden im Schatten niederlegten, und daß uns einige zufällig anwesende Zivilisten erschreckt beobachteten; sie wurden jedoch sofort des Ortes verwiesen.

Der Weitertransport führte uns in das Zivilgefängnis von Wologda. Dort verbrachten wir jedoch nur eine Nacht. Da wir als geschlossene Gruppe in einer leeren Zelle untergebracht wurden, wußten wir nicht, was sich in dem Gefängnis noch zutrug. Das erfuhren wir erst früh am nächsten Morgen. Wir mußten auf dem Hof antreten und trafen dort mit etwa vierhundert deutschen, ebenfalls zu fünfundzwanzig Jahren verurteilten Kameraden zusammen, vielfach auch alten Bekannten. Zur Begrüßung teilten sie uns das Gerücht mit, es gehe nach Kalkutta. Da wir keine Ahnung hatten, was sich in den letzten Jahren in der Weltgeschichte zugetragen hatte, hielten wir es nicht für unmöglich, daß Rußland inzwischen Indien besetzt hatte. Noch am gleichen Morgen, immer abgeschirmt gegenüber der Bevölkerung, erfolgte die Verladung in Dreißig-Tonner Viehwagen, und danach wurden wir bis zum Dunkelwerden auf den Gleisen hin- und hergeschoben. Am nächsten Morgen befanden wir uns schon auf dem Weg. Nach dem Sonnenstand stellten wir fest, daß der Zug Nordkurs

hatte, also in Richtung nach Archangelsk fuhr. Später bog der Zug nach Osten ab. Tagelang ging es nun durch die Taiga, ein unermeßliches Waldgebiet. Rechts und links der Bahnstrecke war der Wald allerdings abgeholzt.

Im Osten begleiteten uns die Uralberge. Wir überquerten noch einmal einen größeren Fluß, erreichten eine größere Eisenbahnstation und lasen dort zum ersten Mal den Namen der Stadt Workuta. Das also war das ominöse Kalkutta! Nach dem Ausladen wurden wir mit Dawei-Geschrei und unter Hundebegleitung – die Posten mit durchgeladener MP – in die Peresylka getrieben, ein großes Sammellager, von dem aus die Strafgefangenen auf die einzelnen Arbeitslager verteilt wurden. Hier trafen wir erstmals mit russischen Gefangenen zusammen, die völlig verroht waren. Wir bemerkten binnen weniger Stunden, daß wir hier unter Diebe, Räuber und Mörder geraten waren. Deutsche Kameraden, die wir antrafen, machten uns darauf aufmerksam, daß wir uns vor allen Nichtdeutschen sehr in acht nehmen müßten. Vor diesen sei nichts sicher, selbst das Stück Brot nicht, das soeben verteilt worden sei. Der erste Beweis hierzu wurde uns geliefert, als einige Russen in unserer Baracke erschienen und einen ehemaligen General aufforderten, seine Marschstiefel herzugeben. Wäre er diesem Wunsch nicht nachgekommen, so hätte es für ihn schlimme Folgen haben können.

Im nächsten Arbeitslager sollten wir nun wirklich an die Arbeit gehen. Ich wog nur noch 43 Kilo (Dystrophie) und wurde zunächst mit vielen anderen mit Lagerarbeiten beschäftigt. Man muß dazu allerdings sagen, daß auch dieser Einsatz kräftezehrend war, zumal die Verpflegung durchaus nicht besser war als bisher. Da ich Wasser in den Beinen bekam, wurde ich im Oktober 1949 ins Lazarett und im November in ein sogenanntes Aufbaulager verlegt. Dort war die Ernährung zwar qualitativ besser, doch weil der russische Barackenälteste Nahrungsmittel unterschlug, so wenig, daß an eine körperliche Erholung nicht zu denken war. Da die Lagerleitung jedoch den Nachweis erbringen mußte, daß sie die Männer wieder arbeitsfähig gemacht hatte, half man sich bei der nächsten Kommissionierung damit, daß man mit Hilfe eines Schreibfehlers die drei von 43 Kilo zur Acht machte, und damit hatte ich fünf Kilo zugenommen. Ich wurde arbeitsfähig geschrieben und in das Zementlager Nr. 61 eingewiesen. Dort wurde ich zu schweren Arbeiten eingesetzt.

Das Gebiet von Workuta liegt auf etwa 67° nördlicher Breite; der Boden ist nur im Hochsommer (Juli/August) etwa vierzig Zentimeter tief aufgetaut. Wir mußten in dem dauernd gefrorenen Boden mehrere Meter tiefe Fundamente ausheben. Für das Setzen von Telegraphenstangen mußten Gruben bis zu fünf Metern Tiefe gegraben werden, mit unzureichendem Werkzeug. Im Winter wurden wir bei bis zu 53° Kälte und eisigem Sturm zum Schneeräumen am Eisenbahnkörper eingesetzt, wobei rechts und links über zwei Meter hohe Dämme zu überschaufeln waren. Im Sommer wurden wir von einer fürchterlichen Mückenplage heimgesucht. Man konnte sich nur schützen, indem man alle freien Körperstellen abdeckte. Wir hatten nichts, und so waren bald Hals, Nase, Augen, Ohren und Hände dick geschwollen und juckten fürchterlich.

Sehr schwierig war es, mit den russischen Gefangenen auszukommen. Sie hatten die gesamte Organisation im Lager in Händen und waren unberechenbar. Rücksicht wurde nicht genommen, weil unsere Brigadeführer bei Erfüllung der vorgeschriebenen Normen Prämien erhielten.

Die Wende kam völlig überraschend. Eines Tages, es war wohl im Juni 1950, erschien im Lager eine Kommission unter Führung eines Generals. Dieser General hatte sich in einigen Baracken Deutschen gegenüber dahingehend geäußert, daß wir wieder in das Kriegsgefangenenverhältnis überführt werden sollten und nach Hause kämen. Niemand wollte das glauben. Doch nach einigen Tagen mußten wir tatsächlich „s wes tschami" ans Lagertor kommen, wurden wieder schärfstens gefilzt und unter stärkster Bewachung (durchgeladene MPs, zahlreiche Hunde) zum Bahnhof gebracht. Der bereitstehende Viehwagentransportzug war vorn, hinten und in der Mitte mit Scheinwerfern gespickt, auch zwei Maschinengewehre waren eingebaut. Jeden Morgen und Abend erfolgte eine Zählung mit Namensaufruf. In einem Tempo, bei dem wir fürchteten, der wacklige Waggon könne jeden Augenblick auseinanderfallen, ging es zurück nach Moskau, wo wir nach etwa einer Woche spät abends auf dem Jaroslawler Bahnhof eintra-

fen. Noch in der Nacht wurde der Zug auf ein Gleisgelände im Westen der Stadt verschoben. Offensichtlich wollte man nicht, daß die Bevölkerung unseren Transport sah. Am zeitigen nächsten Morgen setzte sich der Zug wieder in Bewegung, und zwar in südlicher Richtung, und nach nochmals etwa 8 Tagen landeten wir eines Morgens mitten zwischen Industriewerken und Kohlenhalden.

Seit unserer Abfahrt in Workuta hatten wir insgesamt schätzungsweise 3000 Kilometer in den primitiven Viehwaggons zugebracht, waren daher wie gerädert und völlig abgestumpft. Der Tag verging mit Banja und Entlausung, dann führte man uns am späten Nachmittag in ein durch Planken und Stacheldraht von den übrigen Häusern der Ortschaft abgeteiltes Gelände. Es war das Kriegsgefangenenlager Brjanka. Als wir im „Schafstall" (besonders abgegrenzte viereckige Zone vor dem Lagertor) auf Einlaß warteten, wurden wir bereits von fern von zahlreichen altbekannten Gesichtern begrüßt. In großer Kameradschaftlichkeit verzichteten sofort viele von ihnen auf ihr Lageressen, damit wir ausgehungerten Gestalten wieder Fleisch ansetzen sollten. Bei der üblichen Kommissionierung schüttelte die russische Lagerleitung den Kopf darüber, daß man ihnen solche ausgemergelten Arbeitskräfte geschickt hatte. Ein Drittel von uns wurde sofort für längere Zeit arbeitsunfähig geschrieben, der Rest bis auf weiteres nur zu leichten Arbeiten herangezogen.

Das war Ende Juli 1950. Seit Ende 1948 hatten wir keine Rotkreuzkarten mehr erhalten, seit zwei Jahren nichts mehr von unseren Angehörigen gehört. Wir drängten darauf, wieder schreiben zu dürfen. Doch dauerte es noch bis kurz vor Weihnachten, ehe die nächste Karte ausgegeben wurde. Wir erhielten sie mit der Auflage, darin einen Passus aufzunehmen, daß wir berechtigt seien, Pakete zu empfangen. Allmählich wurden viele von uns, auch ich, wieder arbeitsfähig und in die Brigaden eingereiht. Ich selbst habe mich lange vor dem Arbeitseinsatz gedrückt, wegen des Bruchs in der Bauchdecke, den ich mir bei der Schwerstarbeit in Workuta zugezogen hatte. Ich erreichte jedoch, daß dieser Schaden operativ behoben wurde.

Nach Fertigstellung der für das Lager Brjanka vorgesehenen Arbeitsobjekte wurden wir in andere Lager im Gebiet von Woroschilowgrad verlegt: Krasnopolje und Maximowka. Hier handelte es sich in der Hauptsache um Wohnhausbauten, daneben auch um einige Industriebetriebe. Im Juni 1953 wurde ich völlig unerwartet von zahlreichen lieben Freunden getrennt. Etwa dreißig Mann wurden mit mir im Lager Maximowka aussortiert und in das Nebenlager Gunderowka überführt. Es war dies offensichtlich eine weitere Strafmaßnahme. Wie wir später erfuhren, durften nämlich die zurückgebliebenen Kameraden im Laufe des Herbstes nach Hause fahren. Die Unterbringung in Gunderowka erfolgte wieder in alten, stark verwanzten Holz-Lehm-Baracken. Unsere Stimmung sank auf den Nullpunkt. Wir wurden sofort in Brigaden eingesetzt, die an einem großen Industrieprojekt (Zementfabrik) beschäftigt waren. Es war ein weiteres schlechtes Omen für uns, als am 10. Juni eine Kommission im Lager eintraf, die etwa hundert Kameraden aufrief und vom Abmarsch zur Arbeit befreite. Als wir am Abend zurückkamen, waren diese Kameraden verschwunden, angeblich zum Heimtransport. Mißtrauisch, wie wir waren, glaubten wir nicht daran. Tatsächlich sahen wir einige dieser Kameraden etwa vierzehn Tage später, als wir an einem Hausbaugelände vorbeifuhren. Sie waren also nicht nach Hause gekommen. Anfang Dezember trafen jedoch Pakete und Kartenmitteilungen im Lager ein, aus denen hervorging, daß der Transport doch noch in die Heimat gegangen war.

Erst nachträglich wurde uns der Grund für diese Verschiebung klar, als wir erfuhren, daß am 17. Juni der Aufstand in der sowjetisch besetzten Zone ausgebrochen war. Die Kameraden wären mitten in diese Auseinandersetzungen hineingeraten, und das mußte wohl unbedingt vermieden werden. Nun tauchte die Frage auf, was man mit uns noch vorhatte. Wir glaubten, daß wir auch keine schlimmeren „Verbrecher" waren als die Entlassenen. Eines stellte sich allerdings heraus: Von meiner Dienststelle war bisher niemand entlassen worden.

Wieder vergingen Monate. Dann kam Samstag, der 19. Dezember 1953 heran. Wir kehrten todmüde von der schweren körperlichen Arbeit ins Lager zurück. Ein Raunen ging durch alle Baracken: Es ist eine „Liste" im Lager! Kamerad X hat sie vom Russen ausgehändigt bekommen, sie

wurde ihm aber nach kurzer Zeit wieder abgenommen. Näheres war nicht in Erfahrung zu bringen. Es herrschte eine Aufregung wie in einem Ameisenhaufen, in dem einer herumgestochert hatte. Wer hatte auf der Liste gestanden? Was bedeutete die Liste überhaupt? Verlegung in ein anderes Lager oder tatsächlich auch Heimkehr? Jeder überlegte sich, was er mitnehmen würde, und was er zurückbleibenden Freunden überlassen wollte. Die Erfahrung sagte uns, es sei besser, nicht allzuviel Kleidung und Lebensmittel aus den Paketen aus der Heimat mitzunehmen. Wir mußten mit der üblichen Filzung am Tor rechnen, bei der meist alles abgenommen wurde, was der betreffende Posten gebrauchen konnte. Als bis gegen 23 Uhr nichts weiteres zu erfahren war, legten wir uns angezogen auf die Pritsche. Gleich darauf wurden wir aber durch die Ankunft von zwei Lkws aufgescheucht, die bis über die Kumtleisten mit Paketen angefüllt waren. Es dauerte wieder über eine Stunde, ehe zu erfahren war, wer die Empfänger waren. Als um Mitternacht der Läufer die Namen verlas, waren wir immer noch im Ungewissen, ob es sich um die auf Transport Gehenden handelte oder ob es sich gerade umgekehrt verhielt. In dieser Nacht kam keiner zum Schlafen. Am zeitigen Sonntagmorgen hieß es plötzlich: „Die Heimkehrer sofort mit allen Habseligkeiten ans Tor." Auf unsere Frage, wer das sei, war man erstaunt, daß die Liste noch nicht bekanntgegeben worden war. Ungefähr die Hälfte der Lagerinsassen sollte entlassen werden. Dabei stellte sich heraus, daß die Paketempfänger der letzten Nacht nicht auf der Liste standen.

Der Namensaufruf am Tor und die Filzung dauerten Stunden. Wir standen bei Kälte und Schneetreiben außerhalb des Stacheldrahtes im Freien. Endlich gegen 16 Uhr erschienen die Lkws; sie brachten uns am frühen Abend in das Repatriierungslager Krasnopolje, das wir völlig verwahrlost vorfanden. Wir mußten in den uns bereits bekannten Steingebäuden erst ein großes Reinemachen abhalten, Feuerholz „besorgen" und die Lichtleitung in Ordnung bringen. Am nächsten Morgen erschien ein russischer Funktionär, der uns mitteilte, daß es nun wirklich nach Hause gehen sollte.

Inzwischen war im Lager eine Gruppe deutscher Frauen angekommen. Sie waren von den Russen bei der Eroberung von Königsberg als ganz junge Mädchen verhaftet und verschleppt worden und seit dieser Zeit ohne Verbindung mit ihren Angehörigen. Offensichtlich waren sie zu russischen Staatsangehörigen erklärt worden. Deshalb durften sie wohl auch nicht über das Rote Kreuz mit dem Westen korrespondieren. Ihr Erstaunen war groß, als sie von uns hörten, daß wir schon seit Jahren Postverbindung mit unseren Familien hatten, und daß wir sogar Pakete empfingen. Man hatte sie zehn Jahre lang im Gebiet Inta-Petschora zum Holztransport eingesetzt. Auch ihnen war gesagt worden, daß sie entlassen würden. Wir haben nicht erfahren, ob sie in ihre alte Heimat Ostpreußen entlassen werden würden, oder ob sie auch nach Deutschland ausreisen durften. Für die geleistete „Sklavenarbeit" war ihnen beim Verlassen des Petschora-Gebietes ein größerer Betrag Rubel ausgezahlt worden, und dafür hätten sie sich nun gern etwas gekauft. Die im Lager eingerichtete Kantine hatte aber nicht viel zu bieten, und für die derzeitige hohe Belegschaft reichte der Vorrat in keiner Weise. Soweit ich mich erinnere, gab es eine geringe Menge Weißbrot und Zuckergebäck. Deshalb wurde von uns die Devise ausgegeben, die Lebensmittel diesen Frauen zukommen zu lassen.

Am 23. Dezember vormittags hieß es dann plötzlich, wir sollten uns zu einer Amtshandlung in der Banja einfinden. Unser Mißtrauen war immer noch groß. So wurden zunächst Kundschafter ausgeschickt, um zu erfahren, was dort vor sich ging. Man hatte Tische und Stühle aufgestellt. Auf den Tischen lagen Papierbogen, die zu schmalen Streifen zusammengeschnitten worden waren. Auf der einen Seite des Tisches saßen Kameraden, die Russisch schreiben konnten, und für jeden, der herantrat, wurde etwa folgendes Protokoll ausgefertigt:

...... (Name) aus ...... (Heimatanschrift) wird aus dem Strafvollzug entlassen und nach Ost/West-Deutschland repatriiert.

Das mußte unterschrieben werden. Wieder gab es viele, die erklärten: „Ich unterschreibe nichts mehr." Als aber verkündet wurde, daß ohne diese Aufnahme niemand zum Heimtransport käme, hat sich doch jeder dieser Prozedur unterzogen.

Am Mittag des 24. Dezember 1953 mußten wir dann zum Marsch in das nahe Bahngleis antreten, auf dem bereits die Güterwagen standen. Es mußte noch Holz und Kohle zum Heizen der eingebauten Öfen verladen werden, dann setzte sich der Zug gegen 13 Uhr in Bewegung.

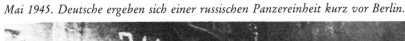

Mai 1945. Deutsche ergeben sich einer russischen Panzereinheit kurz vor Berlin.

Kurt Tappert / Kosyltau

Diese Aufnahmen entstanden im September 1945 in der Nähe der Ortschaft Kosyltau. Wir arbeiteten im Wald und transportierten Holzstämme. Am Ufer der Kama arbeiteten die Floßbaukommandos.

Beim Ziehen der Holzwagen hatten wir eine Methode ersonnen, um zu verhindern, daß der eine oder andere beim mühseligen Schleppen der schweren Last durch den Schlamm es sich leichter machte. Wir hatten nämlich beobachtet, daß mancher seinen Strick nur spannte, aber nicht richtig mitzog. Also haben wir uns Draht besorgt und haben ihn an einem Holzknüppel befestigt – meistens waren es Birkenknüppel –, und an so einem Knüppel zogen jeweils zwei Mann. Auf diese Weise merkte man sofort, wenn einer nicht mitzog.

Die Wagen waren altrussische Panjewagen mit zwei Deichseln. Wer die Deichsel hielt, brauchte nur zu lenken und nicht mitzuziehen. Trotzdem hat jeder nach Möglichkeit vermieden, die Deichsel zu nehmen, denn die Erschütterung durch jeden Stein übertrug sich auf die Deichseln und schlug uns die Haut und die Knöchel auf. So hat jeder lieber gezogen als nur einfach zwischen den Deichselstangen mitzulaufen.

Das mittlere Bild rechts haben wir gemacht, während wir rasteten und die nächste Holzfahrergruppe zum Rastplatz anrückte.

Das unterste Bild auf der nächsten Seite zeigt das Floßbaukommando an der Kama während einer Pause am Feuer. Bei der Arbeit an den Holzflößen sind sehr viele ertrunken, denn die Stämme hatten noch alle ihre Rinde, und wenn die sich voll Wasser gesogen hatte, waren die Stämme glatt wie Seife. Man rutschte aus und fiel ins Wasser.

Wir mußten alle arbeiten, auch die Offiziere. Stabsoffiziere allerdings, vom Oberstleutnant aufwärts, waren davon freigestellt – aber die hatten dann nichts zu essen. So haben alle gearbeitet, da hat es keine Ausnahme gegeben.

Samuel Liebhart

Von 1945 bis 1955 in russischer Kriegsgefangenschaft, unter anderem in Moskau und Workuta.

Ich wurde als Siebenbürger zum rumänischen Militär einberufen, blieb aber in Deutschland und ging zur deutschen Wehrmacht.
Im Juni 1940 trat ich in das Regiment Germania, Hamburg, ein. Ich habe die Feldzüge im Westen, auf dem Balkan und in Rußland mitgemacht.
1943 kam ich zu einem Offizierslehrgang nach Bad Tölz, und anschließend wurde ich zur deutschen Luftwaffe nach Rumänien versetzt, in eine Spezialeinheit zum Schutze der rumänischen Ölfelder. In dieser Einheit war ich als Ordonnanz- und Verbindungsoffizier tätig. Inzwischen war ich deutscher Staatsbürger geworden. Im August geschah der Frontwechsel Rumäniens. Daher gerieten die meisten deutschen Einheiten in rumänische oder russische Gefangenschaft. Ich versuchte mit einem Kameraden zusammen der Gefangenschaft zu entgehen. Bei der Rast in einem Wald wurden wir von einer rumänischen Patrouille überrascht und gefangengenommen. Ich flüchtete mit einem Kameraden in die Karpaten. In einer Berghütte wurden wir wieder von einer rumänischen Patrouille gefangengenommen. Bei der Vernehmung durch den rumänischen Offizier machte er uns das Angebot, im Widerstand gegen die Russen im rumänischen Militär mitzuarbeiten. Man gab mir die Aufgabe, die Verbindung zur deutschen militärischen Führung und zu den deutschen Kriegsgefangenenlagern herzustellen. Dieses Angebot erfolgte, weil sich herausstellte, daß wir gemeinsame Freunde und Bekannte hatten. Getarnt als rumänische Heeresangehörige kamen wir nach Bukarest und stellten die Verbindung zur deutschen militärischen Führung her. Durch Verrat wurde dieser Widerstandskreis von den Russen entdeckt. Mit dem Flugzeug wurden wir im März 1945 nach Moskau gebracht. Dort war ich in den Gefängnissen Lubjanka, Lafortowskaja und Butyrka. Durch ein Sondergericht wurde ich zu zwanzig Jahren verurteilt.
Im Frühjahr 1946 kam ich von Moskau ins Straflager Workuta. Hier waren Strafgefangene in sogenannten Regimelagern. Fast alle Nationen Europas waren dort. Der Großteil der Strafge-

fangenen, die sich hier befanden, waren Ukrainer, Litauer, Letten, Esten, Ungarn, Rumänen, Jugoslawen, Serben, Franzosen, Engländer und Amerikaner.
Nach dem Tode Stalins 1953 nahm die Unruhe in den Lagern zu. Eines Tages bekamen wir Nachschub. Es stellte sich heraus, daß es sich um Gefangene handelte, die aus dem Raum Karaganda nach Workuta kamen. Auch in Karaganda hatte es schon Unruhen gegeben. Die Neuzugänge mobilisierten die Gefangenen in Workuta und brachten sie dazu, die Arbeit niederzulegen und zu verlangen, daß alle Prozesse neu aufgerollt würden. Sie verlangten Freiheiten, die wir bis zu diesem Zeitpunkt nicht hatten. Wir hatten nicht schreiben gedurft und es gab keinerlei Kontakt

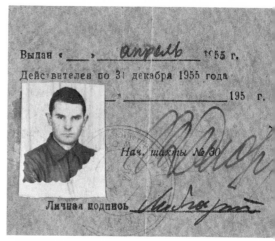

Propusk Nr. 828, ausgestellt in Workuta 1955

zur Außenwelt. Wenn wir von der Arbeit aus dem Schacht kamen, wurden die Baracken abgesperrt. In einer Baracke befanden sich zwei- bis dreihundert Leute. Man muß sich vorstellen, was es bedeutet, wenn vier- bis fünftausend Leute auf einen Schlag die Arbeit verweigern.
Der Streik breitete sich auf alle Lager aus. Teilweise lebten ja außerhalb vom Lager ehemalige Strafgefangene, die hier zwangsangesiedelt waren. Die verbreiteten die Nachricht in den anderen Lagern. Die Gefangenen aller Lager legten die Arbeit nieder. Im gesamten Kohlengebiet wurde die Arbeit eingestellt. Daraufhin bildete sich ein Streikkomitee und verlangte in sechzehn oder siebzehn Punkten Veränderungen.
Dieser Streik dauerte eine Woche. Die erste For-

derung des Streikkomitees war, es müsse eine Regierungsdelegation aus Moskau kommen und sich die Klagen und Beschwerden der Gefangenen anhören und danach eine Entscheidung treffen.

Der Streik wurde so lange weitergeführt, bis diese Regierungsdelegation ankam. Die Leiter waren ein Generaloberst sowie der Kandidat des Zentralkomitees und ehemalige Ankläger in Nürnberg, Rudenko.

Plötzlich wurden die Lager von Truppen umstellt. Wir wurden durch Lautsprecher aufgefordert, sofort den Streik zu beenden und zur Arbeit zu gehen, andernfalls würde man Waffengewalt anwenden. Nachdem vorher im Nachbarlager schon Schießereien stattgefunden hatten

Kombinat Workutaigol, Schacht Nr. 30

und wir von außen informiert wurden, daß es da Tote gegeben habe, entschloß sich das Streikkomitee, den Widerstand aufzugeben und das Lager zu verlassen. Es hätte sonst ein furchtbares Blutbad gegeben.

Tausende von Gefangenen gingen mit erhobenen Händen durch das Tor hinaus in die Tundra. Hier wurden die Rädelsführer herausgesucht von den Spitzeln, die unter den Gefangenen waren. Diejenigen, die im Streikkomitee waren, kamen ins Gefängnis, wir anderen in ein Sonderlager. Nach einiger Zeit wurden die Arbeitskräfte so knapp, daß sie uns wieder herausließen.

Der Streik hatte uns gewisse Erleichterungen gebracht. Es wurde zum Beispiel genehmigt, daß man schreiben konnte. Die Baracken wurden

nicht mehr abgeschlossen. Die Verpflegung wurde besser. Wir brauchten nicht mehr unsere Nummern zu tragen.

Als wir von der Regierungsdelegation Adenauers hörten, hofften wir, daß sich für uns weitere Erleichterungen ergeben würden. Durch die Intervention Adenauers wurde nicht nur die Lage der deutschen Kriegs- und Strafgefangenen verbessert, sondern auch der Deutschen, die bei dem Aufstand in Ostdeutschland am 17. Juni 1953 verhaftet worden waren und auch nach Workuta kamen. Sie wurden alle entlassen. Diese Aktion hat auch allen anderen, die dort waren – Ungarn, Rumänen, Tschechen, Polen – die Freiheit gebracht.

1955 wurde ich entlassen und gegen meinen Willen, mit der Begründung, ich sei dort geboren, mit einem Transport nach Rumänien gebracht, zusammen mit dreihundert Rumänen und hundert Deutschen. Die rumänischen Behörden weigerten sich, mich nach Deutschland zu entlassen, und wollten mir erneut einen Prozeß machen wegen Fahnenflucht und Zusammenarbeit mit antikommunistischen Kräften. Ich setzte mich mit der Französischen Botschaft in Verbindung, die die Interessen der Bundesrepublik in Rumänien vertrat. Nach fünfjährigem Zwangsaufenthalt durfte ich 1960 in die Bundesrepublik ausreisen.

Kurt Tappert / Selenedolsk

Im Mai 1946 wurde ein Teil der Gefangenen aus Elabuga in das „Furnierlager" Selenedolsk verlegt. Selenedolsk haben wir in Grüntal umgetauft; das bedeutet das Wort im Russischen. Oft wurden die Lagerbelegschaften auseinandergerissen, um zu verhindern, daß sich unter den Kriegsgefangenen eine allzu enge Kameradschaft entwickelte. Wir haben auch diesen Transport nach Grüntal heimlich fotografiert: Frühmorgens warten die Kriegsgefangenen am Flußufer in Elabuga auf den Dampfer (Bild 1). – Der Dampfer hatte Mehl geladen, wir mußten die Fracht erst löschen. Das Hin- und Hertragen der Säcke war uns recht, denn wir haben immer ein wenig an ihnen gebohrt und uns auf diese Weise Mehl eingesteckt, um davon Suppe zu kochen. – Wir

begaben uns auf das untere Deck, während oben russische Zivilisten fuhren (2). – Zwei Bilder zeigen das Lager im Schnee – im März 1947 –: Von einem Barackendach fällt der Blick auf den Platz vor dem Lagereingang und auf das Wachhäuschen des Tagesoffiziers. Gefangene kommen gerade von der Arbeit zurück (3). Die Lagerbaracken (4) sind etwa von der gleichen Stelle

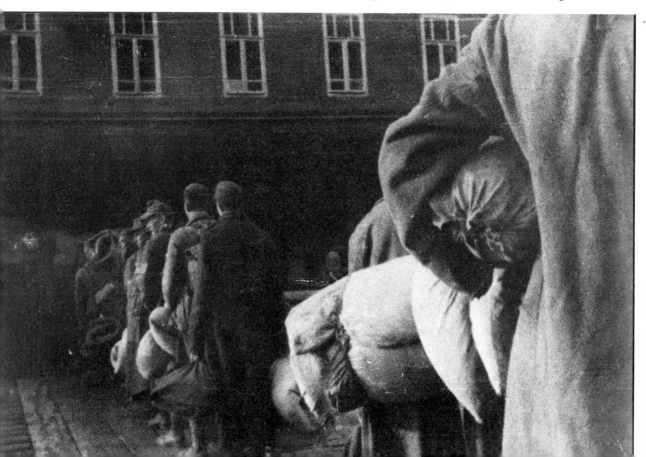

3

aus aufgenommen. Das Lager Grüntal hatte ein Spezialhospital für Schwerkranke (5). Die Leichen der Gefangenen, die in dem Krankenhaus starben, zogen wir mit einem alten Brotwagen zum Friedhof (6). Das gleiche Gefährt ist auf einem anderen Bild neben der Latrine des Hospitals zu sehen (7). Bei dem großen Sterben in Elabuga 1943 waren die Toten auf Schlitten und

4

5

Wagen zu Massengräbern gefahren worden. Hier in Grüntal hatten wir einen Friedhof. Die Schilder auf den Pfählen tragen die Nummern der Toten (8). In der Schlammperiode – April

1947 – mußten Arbeitsunfähige (OK-Geschriebene, d. h. Gefangene ohne Kommando) vom Bahnhof Holz zum Kochen ins Hauptlager Grüntal holen. Da wir nur aus Haut und Kno-

6

7

chen bestanden, war das Tragen sehr schmerz-
haft. Die Wagen konnten wegen des Schlamms
nicht mehr fahren (9). – Auf dem Holzhof der
Furnierfabrik arbeiteten wir an der Kippsäge

(10). Von der Fähre aus wurde die Wolgabrücke
bei Kasan fotografiert. Über diese Brücke sind
wir auch mit dem Zug gefahren. Alle Züge,
besonders die von Sibirien kommenden, hielten

8

vor der Brücke. Wachmannschaften stiegen aus und durchsuchten den ganzen Zug. Sie sahen auch unter den Waggons nach, ob sich dort keiner versteckt hatte. Diese Kontrollen fanden an allen Rayongrenzen statt (11). – Ein Gefangener sitzt in einem nicht benutzten Abort des Spezialhospitals, der als Karzer dient. Da die Fensterscheiben zum Teil zerbrochen sind und

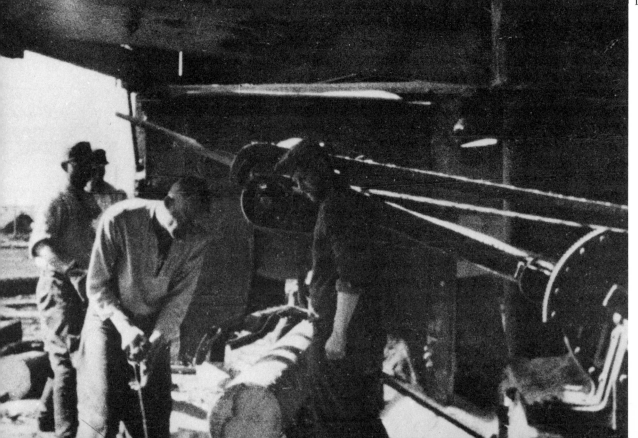

1

der Gefangene nur mit Hemd, Unterhose und Lazarettmantel bekleidet ist, leidet er sehr unter der Kälte. Wer in den Karzer kam, versuchte sich zu wärmen, indem er sich auf den Tisch hockte und den Leinenmantel um sich schlug. Das letzte Bild aus Selenedolsk (auf der nächsten Seite) zeigt einen kranken Gefangenen im Spezialhospital.

2

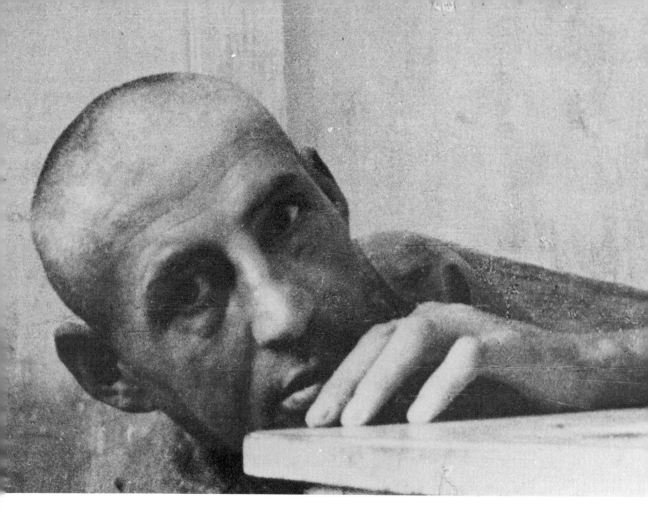

Magdalena Wagner

Von 1944 bis 1949 als Zivilinternierte in russischer Gefangenschaft. Ihr Mann Peter Wagner geriet 1945 in jugoslawische Kriegsgefangenschaft und wurde ebenfalls 1949 entlassen.

Am 27. Dezember 1944 wurde ich als Deutsche aus meiner Heimat, dem Banat, deportiert. Ich war neunzehn Jahre alt und verheiratet. Mein Mann war im Krieg.

Als die Russen einmarschierten, mußten sich alle Frauen im Alter zwischen achtzehn und fünfzig Jahren melden. Die Russen haben uns registriert, je nach Gesundheitszustand, und ob wir Kinder hatten oder nicht.

Es hieß, wir sollten für vierzehn Tage in die Kreisstadt zur Arbeit gebracht werden und sollten für drei Tage Essen und eine Matratze mitnehmen. Aber wir wußten, daß es in die Sowjetunion ging. Wir wurden in die Kreisstadt transportiert und kampierten in einer Schule. Aus allen Dörfern wurden Leute herbeigeholt.

Dann haben sie uns in Viehwaggons geladen – fünfzig Frauen in einen Wagen.

Wir waren achtzehn Tage in den verlausten Waggons unterwegs, bis wir nach Karakupstroj kamen. Dort war ein Bergwerk. Die Russen standen Spalier und haben uns verspottet: „Hitler kaputt", haben sie geschrieben. „Du arbeiten, Hitler kaputt."

Sie haben uns ausgeladen, bei 30 Grad Kälte. Es war der 18. Januar 1945. Dann haben sie uns in die Entlausung geführt. Es war auf der Fahrt Typhus ausgebrochen und viele waren bereits unterwegs gestorben. Zu Essen gab es rohen, in Salzwasser eingelagerten Speck, Tee und Brot, das die Russen von den Banater Bauern geholt haben.

Wir mußten uns alle nackt ausziehen. Dann haben sie uns in die bereitstehenden leeren Barakken geführt. Da waren kleine Zimmer mit je fünf Holzbetten übereinander, auf jedem Bett vier Frauen. Dann haben wir eine Steppjacke gefaßt, eine Stepphose und ein großes Tuch. Eine russische Ärztin sprach zu uns, aber keiner von uns konnte Russisch. Ich habe jedoch sehr schnell Russisch gelernt, weil ich die serbische Sprache verstehen konnte. Wir wurden untersucht und dann in Arbeitsgruppen eingeteilt. Es waren viele Leute dort – auch Männer –, die schon sehr geschwächt aus anderen Lagern kamen. Die älteren Leute hatten sie in drei ausgeräumte Dörfer im Banat geschafft. Dort wurde ein Hungerlager für sie und die Kinder eingerichtet. Aus meiner Familie sind siebzehn Personen in Rudolfsgnad verhungert. Die haben einmal in der Woche Maisschrot zu essen bekommen. Es herrschte Ruhr und Typhus. Meine Schwester hatte zwei kleine Kinder und mußte nicht nach Rußland. Sie war auch in diesem Lager und hat die Toten in das Massengrab hineingetragen. Sie hat überlebt. Wir hatten neben Steppjacke und Stepphose Gummilatschen und Lumpen für die Füße bekommen. Die Handschuhe waren aus Drell. Am dritten Tag ging die Arbeit los. Um vier Uhr morgens heulte die Sirene, da standen wir auf. Da waren Waschtröge mit kaltem Wasser, es gab kein warmes Wasser – auch nicht bei 40 Grad Kälte. Nach dem Waschen traten wir an. Immer zwei und zwei Frauen. Dann hat der Posten gezählt. Mal haben zwei gefehlt, mal vier. Dann hat er immer wieder von vorne zu zählen angefangen.

Wir marschierten vier Kilometer durch hohen Schnee in den Steinbruch. Draußen war die Küche, es gab morgens Krautsuppe oder Mehlsuppe. Ich habe die Waggons mit den Steinen geschoben. Eine schwere Arbeit. Wir haben mit russischen Sträflingen gearbeitet. Die haben die Steine geklopft und in die Waggons geladen. Wir mußten sie zum Bunker fahren, ausleeren und die leeren Waggons bergauf zurückschieben.

Mißhandlungen und Vergewaltigungen kamen in unserem Lager nicht vor. Im Lager waren etwa 300 Frauen. Zwei Kilometer weiter war eine Baracke mit Männern. Wir haben sie nur bei der Arbeit gesehen. Meine Kusine war mit mir. Wir haben sehr zusammengehalten und alles miteinander geteilt.

Es war Januar, sehr kalt. Der Wind ging stark, da sind sehr viele Leute gestorben – hauptsächlich Männer. Die Toten mußten bis zum Abend im Schnee liegenbleiben, bis wir mit der Arbeit fertig waren. Wir haben zwölf Stunden gearbeitet, anschließend wurden einzelne ausgesucht zum Grabstemmen. Dreimal war ich auch dabei. Der Friedhof lag auf einem hohen Berg, außerhalb des Lagers. Zu viert haben wir mit Stemmeisen die gefrorene Erde aufgestemmt. Ein Posten ging mit, der uns sagte, wir dürften nicht eher ins Lager zurück, bis der Tote vergraben sei. Einer aus unserem Ort hat freiwillig die Kisten aus ungehobelten Brettern gemacht, damit man die Menschen hat raustragen können auf den Friedhof. Sie wurden ohne Kiste in die Erde gelegt. Im Frühjahr war die Arbeit leichter. Im Steinbruch habe ich zwei Jahre lang gearbeitet, mal in Tag-, mal in Nachtschicht.

In der Zeit, in der wir im Steinbruch arbeiteten, erfuhren wir, daß der Krieg zu Ende war. Wir mußten nicht aufstehen und nicht antreten. Später erst traten wir im Hof an. Ein Offizier sagte: „Der Krieg ist zu Ende. Mamascha kaputt, Papascha kaputt, Hitler kaputt. Ihr habt niemanden mehr, ihr müßt hierbleiben, bis ihr sterbt.“

Ich habe in dieser Zeit, Juni/Juli 45, große Scharen von Kriegsgefangenen gesehen. Wir gingen zur Arbeit, da sahen wir Kolonnen von Menschen, die kamen immer näher. Einer von ihnen hatte die Uniform an, einer war in der Unterhose, einer hatte nur einen Schuh an, der andere ein Hosenbein ab – lange Haare, gelb im Gesicht; Tausende waren das.

Unsere Lagerküche lag in einem Park. Die russischen Mädchen haben erzählt, daß darunter Tausende Deutsche beerdigt worden seien. Viele sind geflüchtet. Die, die sie wieder gefangen haben, mußten sich bis auf die Unterhose ausziehen, auch im Winter, und die mußten dann die ganze Nacht im Hof stehen.

Die Russen waren auch sehr arm, die Männer waren im Krieg. Die Familien lebten in Lehmhütten. Im Sommer lagen sie morgens auf den Dächern. Eine alte Frau hatte uns mit dem Posten beobachtet. Sie wußte, daß wir oben auf dem Berg Gräber stemmten und daß da die Deutschen beerdigt wurden. Sie hatte ihre beiden Kinder und ihren Mann im Krieg verloren. Als wir die Gräber schaufelten, ging der Posten runter ins Dorf. Die Frau hatte das beobachtet und brachte uns eine große Schüssel mit Maismehlbrei und heißer Milch. Sie bat uns, nichts zu sagen, sie bekäme sonst fünf Jahre Zuchthaus. Wir haben geweint vor Dankbarkeit. Wir taten ihr so leid. Sie glaubte, daß wir unschuldig an allem waren. Ihre Kinder und ihr Mann waren auch unschuldig, hat sie gesagt.

Jedes Jahr kam eine russische Kommission und hat die arbeitsunfähigen Gefangenen mit dem Krankentransport in die Ostzone gefahren.

Ich wurde schwach und kam mit 40 Grad Fieber ins Krankenhaus. Mein Körper war voller Ausschlag. Ich konnte nichts essen. Im Krankenhaus wurde den Menschen der Kopf kahlgeschoren. Ich besaß wunderschöne große Zöpfe. Ich hatte keine Kopfläuse, nur Gewandläuse. Auch mir sollten die Haare abgeschnitten werden. Da habe ich geweint, habe mich vor die Schwester hingekniet und habe gefleht, sie soll mir meine Haare nicht abschneiden. Sie soll mich erschießen, aber nicht meine Haare abschneiden. Da hat sie den Arzt geholt. Er hat mir erlaubt, meine Haare zu behalten. Dann kam ich ins Krankenzimmer, die Schwester mußte mich erst untersuchen, ob ich wirklich keine Kopfläuse hatte. Da waren fünf russische Frauen drin, die haben geschrien, als sie mich mit meinen Haaren sahen: „Die Deutsche mit den Haaren!" Die Frauen konnten nicht glauben, daß ich keine Läuse hatte. Später haben sie mich nicht mehr gehaßt. Sie haben mir sehr viel geholfen. Jede hat mir etwas gegeben.

Nach zweieinhalb Jahren kam ich von Karakupstroj weg. Das Lager war kleiner geworden. Viele waren mit dem Krankentransport weggekommen, und die Lager wurden zusammengelegt. Zwischendurch war ich auf einer Kolchose. Jeder Steinbruch und jede Fabrik hatte eine eigene Kolchose. Als wir auf der Kolchose arbeiteten, sahen wir, daß sich die Leute aus weißen Steinen Altäre gebaut hatten, davor beteten und Opfer brachten. Die Frau, die uns bewachte, hat ihre Opfergaben – Brot und Äpfel – immer uns gebracht. Wenn sie dabei erwischt worden wäre, hätte sie eine Strafe bekommen.

Es kamen Waggons mit Holz aus Sibirien. Das Holz hatten Kriegsgefangene eingeladen, und in die Baumstämme waren Sprüche eingeritzt wie: „Was schmerzt dich in deiner Brust, das harte Wort: du mußt. Das eine Wort doch macht mich still: ich will." Oder: „Noch einen Gruß an meine Frau, ich möchte noch einmal mein Kind sehen."

Ich arbeitete auf dem Bau. Ich habe Mörtel und Steine mit der Schubkarre geschoben und in den dritten Stock getragen. Danach haben wir zu vier Frauen auf dem Lastwagen gearbeitet. Wir haben Kalk für die Betonsteine und Zement transportiert.

In späterer Zeit durften wir zu zehn oder zwölf Frauen nach Makejewka rein. Wir sind mit dem Posten auf den Basar gegangen, haben uns Stoff gekauft und Kleider genäht.

Von dieser Zeit an wurde es für uns leicht. Es kam auch die Antifa, und die hat Kontrolleure in die Lager geschickt.

In unserer Gegend waren viele Kriegsgefangenenlager. Dort war mehr los als bei uns Internierten. Auf einmal hieß es: „Heute abend kommen Kriegsgefangene, da wird ein Konzert gegeben." Die haben gesungen. Ein Sänger war dabei – ich glaube, das war Rudolf Schock. Wenn ich heute seine Stimme höre, bin ich sicher, daß er es war. So etwas hat einen ein bißchen wieder ins Leben zurückgebracht. Die Kriegsgefangenen waren von Posten bewacht, so konnten wir nicht mit ihnen sprechen.

In Makejewka befand sich ein Musterlager, ich habe dort zweimal Landsleute besucht. In dieses Lager führte man Kommissionen, um zu zeigen, daß es den Deutschen in Rußland nicht schlecht ging.

Im Mai 1949 habe ich Post von meinem Mann bekommen – das erste Lebenszeichen seit fünf Jahren. Die Mädchen, die aus Rumänien waren und deren Leute in Österreich lebten, hatten schon eher Post erhalten. Dann hat mir mein Mann regelmäßig geschrieben, ein Bild geschickt, auch ein Päckchen. Das war ein Hallo. Der Posten ist in den Steinbruch gekommen – vier Kilometer mußte ich laufen bis zur Post. In dem Päckchen war Schokolade, Suppenpulver, Pfannkuchenmehl.

Eines Tages hörten wir, es sollte in die Ostzone gehen. Wir hatten uns schon gewundert, weil wir nicht geweckt worden waren und nicht zur Arbeit brauchten. Der Offizier befahl: „Alles antreten!" Er sagte uns, daß wir jetzt zehn Tage lang nicht mehr arbeiten würden. Wir konnten es nicht glauben, daß wir wirklich nach Hause kommen sollten. Dann sind wir nach Stalino gefahren. Dort befand sich das Sammellager.

Wir kamen zum Bahnhof. Da waren schon viele Kriegsgefangene aus Sibirien – ein paar tausend Menschen. Die Blasmusik spielte „Ich hatt' einen Kameraden". Ein Offizier sprach über den Fleiß der Deutschen: den würden sie, die Russen, nie vergessen! Und was die Deutschen alles für Pläne erfüllt hätten – trotz des Hungers hätten sie so viel geleistet! Wir sollten nicht die Kameraden vergessen, die auf dem Friedhof lagen und die Heimat nicht wiedersehen würden. Alles hat geweint.

In Polen sind wir dann nochmals untersucht worden, die Koffer wurden gespiegelt. Wir mußten uns ausziehen. Da sind viele wieder zurück nach Rußland geschickt worden, weil sie irgendwelche Gegenstände bei sich hatten. Sie haben uns alles weggenommen – alle Fotos, auch mein Tagebuch.

Ich habe mich in der ganzen Zeit meiner Internierung nicht verkommen lassen. Viele Menschen sind gestorben, weil sie schlampig wurden. Ich habe immer dafür gesorgt, daß meine Kleider sauber waren. Ich habe nie mein Brot verkauft. Du mußt leben, habe ich mir immer gesagt. Ich habe zum heiligen Antonius gebetet. Nachts, wenn das Licht aus war, sind die Wanzen auf uns gefallen und haben uns fast aufgezehrt.

Mein Leben hatte wieder einen Sinn, als ein Brief von meinem Mann kam. Ich bin ein anderer Mensch geworden. Ich war schon ganz verzweifelt. Heute noch werde ich in der Nacht wach und weine.

Mein Mann war in Jugoslawien bei der Gebirgsartillerie gewesen. 1945 kam er kurz vor der österreichischen Grenze in jugoslawische Gefangenschaft. Er hätte gut nach Österreich flüchten können, aber er wollte auf seinen Bruder warten, der nicht weit von ihm bei der Infanterie war.

In dieser Gegend hatten Panzer riesige Löcher hinterlassen. Da haben die Jugoslawen die Kriegsgefangenen in die Vertiefung hineingetrieben. Sie mußten zuerst Ringe und Uhren abgeben, dann mußten sie die Uniformen ausziehen. Man hatte ihnen gesagt, es ginge nach Österreich, nach Italien, und sie bekämen neue Zivilkleidung. Dann haben sie die Gefangenen zusammengebunden. Die Partisanen kamen mit Pferden und fragten, wer Handwerker sei. Keiner hat sich zuerst herausgetraut, weil jeder annahm, sie sollten zum Erschießen herausgerufen werden. Mein Mann hat sich im letzten Augenblick gemeldet, er war schon gefesselt gewesen. Er bat seinen Bruder, sich auch zu melden. Der

Bruder aber ging nicht mit, er gab meinem Mann seine Zigarettendose: „Nimm's zum Andenken, wenn du am Leben bleibst, ich geh' nicht raus."

Magdalena Wagner nach der Rückkehr zu ihrer Familie

Die Gefangenen mußten erst noch die Vertiefung erweitern, danach wurden sie wieder aneinandergebunden. Mehr als tausend Menschen blieben in der Grube zurück.

Mein Mann war dann in einem kleinen Bauernhaus. Er lag mit einigen anderen auf dem Boden und tat so, als ob er schliefe. Als es dunkel wurde, haben sie das Maschinengewehrrattern gehört und die Schreie „Es lebe Hitler!" – „Es lebe Rußland!" „Es lebe Tito!" Die Gefangenen sind alle erschossen worden. Einige, die nicht gefesselt worden waren, mußten das Grab zuschaufeln. Sie wurden dann einzeln erschossen. Mein Mann wurde auch 1949 aus der Kriegsgefangenschaft entlassen. Er war ein paar Monate eher zu Hause als ich.

Mein Mann stand drei Tage und drei Nächte auf dem Bahnhof und wartete auf mich. Dann ging er nach Hause. In diesem Augenblick kam ich in Regensburg an. Ich konnte nicht mehr und war nervlich am Ende. Als mein Mann nicht am Bahnhof war, dachte ich, daß er mich jetzt nicht mehr wollte. Plötzlich war er da. Wir konnten beide nicht reden. Wir haben nur geweint. Zwei Stunden haben wir nur geweint. Dann hat er mich reingeführt in die kleine Baracke, in der er jetzt wohnte. Da stand ein Holzbett mit einer

Unterkunft im Lager Werschetz

Militärdecke, ein selbstgemachter Tisch und ein Karton als Nachtkästchen. „So, da sind wir jetzt zu Hause", sagte er. Dann meinte er, er müsse weg, stempeln gehen. Er war arbeitslos. Ich habe dagesessen, ich habe nur geweint. Ich bin fast irre geworden. Das war mein zweiter Schock. Da habe ich erst kapiert, daß ich alles verloren hatte. Daß ich wieder vor dem Nichts stand.

Am nächsten Tag haben wir uns bei der Krankenkasse angemeldet. Ich war zu achtzig Prozent kriegsbeschädigt. Ich hatte Dystrophie, war voller Wasser. Ich bin in kein Sanatorium gegangen. Ich wollte nie mehr weg von meinem Mann. Das erste, was ich mir gewünscht habe, war ein Kind.

Heute bin ich noch zu dreißig Prozent kriegsbeschädigt. In Wirklichkeit war ich immer krank – noch nie gesund.

Ehrhard Vogel

Von 1945 bis 1952 in jugoslawischer Kriegsgefangenschaft, Werschetz, Zrenjanin und Mitrovica.

Im Mai 1945 wurde ich mit meiner Fliegerhorsteinheit gefangengenommen. Wir marschierten sechshundert Kilometer bis in das Lager 233 in Werschetz. Da war ich von Juli 1945 bis Ende 1949.

Ende Januar 1949 wurde im Lager Werschetz das Vernehmungslager eingerichtet, nachdem wir für vierzehn Tage im Offiziersnebenlager Zrenjanin untergebracht waren.

Nachdem wir wieder zurückgebracht worden waren, wurden wir zu Untersuchungsgefangenen erklärt und sind dann in das Arbeitslager Potporanje gebracht worden. Von da aus ging es in einzelnen Trupps wieder zurück. Am 1. Juli 1949 befand ich mich wieder im Vernehmungslager Werschetz.

Zuerst wurden wir in Werschetz in Hallen untergebracht, die noch nicht ausgebaut waren. Dort lagen wir verlaust auf dem Dreckboden. Wenn

Lagerstraße in Werschetz

wir morgens aufstanden, lagen links und rechts Tote. An einem Tag sind es zweiunddreißig Tote gewesen, die man nackt auf Karren rausschaffte und verscharrte. Im Herbst ist eine der Hallen abgebrochen und eine andere aufgebaut worden. Dort haben wir erst auf harten Pritschen gelegen. Die Dächer waren undicht, und da wurden aus Blech und allen möglichen Dingen, die man fand, Rinnen angebracht, damit das Wasser ablaufen konnte. Erst im Herbst haben wir Stroh bekommen. Wir hatten Flöhe, später Wanzen.

Das Essen wurde jedes Vierteljahr einmal verändert. Wir haben je ein Vierteljahrlang entweder Graupen, Käfererbsen, Saubohnen oder Sauerkraut zu essen bekommen. Viele Menschen starben an Dysenterie, weil sie das nicht vertragen haben.

Später wurde eine Stacheldrahtuniversität aufgebaut und eine „Bunte Bühne".

Von meiner Zeit aus dem Vernehmungslager weiß ich, daß durch Prozesse gegen Kameradenschinder, die in Deutschland verurteilt wurden, zutage kam, daß Tito ein Weißbuch über die Greueltaten der nazistischen Wehrmacht schrei-

ben wollte. Er wollte von den vielen Toten des Völkermordens in Jugoslawien eine Million mit auf unser Schuldkonto bringen.

Meine Vernehmung hat erst November 1949 stattgefunden. Ich war erst in der Küche mit tätig. Ich hatte die Aufgabe, die Essenskübel in die Zellen zu bringen, wobei ich sah, daß der mich begleitende Posten oft den Essenkübel mit dem Fuß umgestoßen hat. Kameraden, die an Händen und Füssen gefesselt waren, mußten das Essen vom Dreckboden auflesen. Ich bin oft aus der Küche geholt worden und mußte für die Kameraden Wasser pumpen. Ich habe nachts an dem vergitterten Kohlenfenster, das zerbrochen war, die Schreie der Kameraden gehört, die in dem Glaspalast gequält und gefoltert worden sind. Ich habe voll Verzweiflung gebetet, Herrgott mach mit dieser Qual ein Ende. Es war unerträglich, das alles erleiden zu müssen.

Im November 1949 bin ich verhört worden. Ich wurde an Händen und Füßen gefesselt. Nach fünf Tagen und Nächten mit Schlägen und Fußtritten habe ich siebzehn Tote zusammenphantasiert. Die Vernehmer waren zufrieden und verurteilten mich zu zwanzig Jahren Zuchthaus mit Zwangsarbeit. Der deutsche Arzt, der von den Jugoslawen beauftragt worden war, die Totenscheine auszustellen, mußte bei den Kameraden, die totgeschlagen worden waren, schreiben: An Dysenterie verstorben. Er wurde als Zeuge der Vorgänge in diesem Vernehmungslager umgebracht.

Von den anfangs dreitausend Kameraden lebten im Dezember 1946 noch zweitausend, jeder dritte lag bereits unter der Erde. Von den zweitausend sind achthundert Ende Dezember repa-

triiert, eintausendzweihundert Kameraden sind zurückbehalten worden. Sie wurden zu Untersuchungsgefangenen erklärt mit dem Ziel, daß sie ein Schuldbekenntnis ablegten.

Im Dezember 1949 kam ich ins Zuchthaus Mitrovica. Ich stand nackt bei Schneetreiben auf dem Lichthof des Zuchthauses. Anschließend bin ich in verschiedene Arbeitslager gekommen.

Am 20. Februar 1952 wurde ich entlassen. Zu Hause habe ich nahezu zwei Jahre gebraucht, um nervlich wieder einigermaßen in Ordnung zu kommen.

Ludwig Schütte

Von 1945 bis 1951 in jugoslawischer Kriegsgefangenschaft, in den Lagern Werschetz und Zrenjanin.

Ich hatte Graf Neipperg im Oktober 1945 in Maribor kennengelernt, als dort von überall her deutsche Offiziere, Ärzte und Militärbeamte

Oberst von Andrian in Werschetz

Abt Graf Neipperg, gezeichnet in Zrenjanin

zum Transport in das Gefangenenlager Werschetz zusammengetrieben wurden.

Der Abt trug damals seine schwarze Benediktinerkutte mit einer Rotkreuzbinde am linken Arm. Er arbeitete ununterbrochen, um den fast verhungerten Kameraden zu helfen und ihnen Essen zu bringen: eine dünne Wassersuppe oder eine Scheibe Brot.

Ich empfand sofort eine starke Zuneigung zu ihm, die sich dann in den Offiziersgefangenenlagern Werschetz und Zrenjanin noch steigerte. Er war uns Vorbild und Halt.

Im Laufe meiner langen Gefangenschaft habe ich eine Reihe von Skizzen gezeichnet, meistens auf schlechtem Papier und mit mangelhaften Stiften.

Eines Tages – es war im Januar 1946 in Zrenjanin – bat mich der Abt, von ihm zum Geburtstag seiner Mutter ein Porträt zu zeichnen. Auf den Briefbogen, auf den ich das Bild gezeichnet habe, schrieb der Abt seiner Mutter: „. . . da der liebe Gott allein weiß, wann wir uns wiedersehen, möchte ich wenigstens im Bild zu Dir kommen. Einer der Herren hat es gezeichnet, und es wird allgemein als sehr gut und ähnlich gefunden . . .“

Der Abt ist nicht mehr in die Heimat zurückgekehrt.

Er starb am 23. Dezember 1948. Man fand ihn fast unbekleidet, mit durchschnittener Kehle und Spuren schrecklicher Mißhandlungen.

Eine bekannte Erscheinung im Lager war Oberst Freiherr von Andrian. Er wurde später wegen irgendwelcher „Verbrechen" zum Tode verurteilt, dann aber zu zwanzig Jahren Zwangsarbeit begnadigt (Bild auf der gegenüberliegenden Seite).

Walter Marholz

Von 1945 bis 1946 in russischer Kriegsgefangenschaft im Lager Marmaros Sighet in Rumänien.

Ich hatte bereits am Ersten Weltkrieg teilgenommen und war im Zweiten Weltkrieg wieder eingezogen worden. Nachdem ich im Juni 1940 aus der Wehrmacht entlassen worden war, wurde ich am 25. Dezember 1944 zum Volkssturm einberufen.

Von da an hatte ich keine Verbindung mehr nachhause. Nach der Gefangennahme war ich drei Wochen lang im Güterwagen von Brünn nach Rumänien unterwegs. Ich verblieb sechzehn Monate in russischer Kriegsgefangenschaft im Lager Marmaros Sighet. Von dort habe ich eine Reihe von Fotos mitgebracht. Die Negative konnte ich im Brillenetui und im Schuh verstecken.

Als Fotograf war ich „Spezialist". Ich entwickelte Fotos, die ein russischer Offizier machte. Mit primitiven Mitteln habe ich im Lager gearbeitet, bis ich mit Hilfe von Technikern zusätzlich noch ein Gerät für Vergrößerungen bauen konnte.

Die eintreffenden Gefangenentransporte brachten zahlreiche russische Begleitkommandos mit, die ebenfalls Fotoapparate hatten und bei mir Rat suchten und das Fotografieren lernten. Im russischen Club außerhalb des Lagers hatte ich eine Dunkelkammer.

Im Lager gab es eine Theaterbühne und eine Musikkapelle. Als ein russischer Offizier starb, wurden die deutschen Gefangenen in russische Uniformen gesteckt und spielten „Jesus meine Zuversicht".

Walter Marholz in der weiten „Schmugglerhose"

Einmal bin ich von einem russischen Soldaten geknipst worden. Ich stehe im Obstgarten in meinem Schmuggelanzug. In der breiten Tarnhose habe ich Wäsche und Afrika-Soldaten-Kleidung zum Tauschen in die Stadt gebracht. Beim Tausch erhielt ich entweder Lebensmittel oder von einem jüdischen Fotografen Fotopapier.

Im Lager selbst habe ich für Kameraden Geschäfte vermittelt, weil deutsches Geld noch hoch im Kurs stand. Dies habe ich bei den Kaufleuten im Ort festgestellt. Daher brachte ich bei der Heimkehr nicht wenig Geld mit.

Der Eingang des Lagers Marmaros Sighet

Die deutsche Kapelle auf dem Weg in den Ort zieht am russischen Clubhaus vorbei.

Franz Teidenbach

Von 1945 bis 1949 in russischer Kriegsgefangenschaft, unter anderem in Mitau und Riga.

Für mich begann der Leidensweg schon mit der Freiheitseinschränkung im April 1937 – ein halbes Jahr Arbeitsdienst, zwei Jahre Wehrdienst in Ostpreußen. Es folgten sechs Jahre Kriegsdienst und fünf Jahre Gefangenschaft, die am 24. Dezember 1949 in Friedland endete. Insgesamt dreizehn Jahre meiner Jugend, vom zwanzigsten bis vierunddreißigsten Lebensjahr für Führer, Volk und Vaterland. Der Dank und die Wiedergutmachung für fünf Jahre Reparationsarbeit hinter Stacheldraht war eine Abfindung in Höhe von 0,80 DM pro Tag.

Am 13. Februar 1945, am Tag der Roten Armee, geriet ich in Kurland in Gefangenschaft. Die ersten Prügel bekam ich, weil an meiner Uniform das Eiserne Kreuz und ein Verwundetenabzeichen war. Mit anderen Gefangenen mußte ich in der russischen Linie Erdlöcher ausschachten. Am Abend wurden wir in solche Löcher hineingepfercht, oder wir konnten auf der Schneedecke und auf Tannenzweigen schlafen. Die Temperaturen lagen bei ca. 25 Grad unter Null. Zu essen gab es an den ersten drei Tagen nichts. Gegen den Durst blieb uns der Schnee. Vom vierten bis siebten Tag gab es für fünfzig Mann ein Brot. Am achten Tag wurden wir abends in einen Güterwagen gezwängt. Wir standen so eng beieinander, daß man sich nicht mehr bewegen konnte. Nur zusammensacken war möglich. Wer als erster in die Knie ging, wurde hinterher von den oberen qualvoll erdrückt. Diese Nacht brachte die ersten Toten. Gleichzeitig auch den ersten Kannibalismus. Zwei oder drei Gefangene hatten vor Hunger Verstorbenen Fleischstücke aus Schulter und Nacken gebissen. Als wir am Morgen aus dem Wagen heraus sollten, mußten fast alle von den Posten herausgeworfen werden. Vor jedem Waggon lagen Menschenhaufen, die nicht mehr hochkamen. Wer sich auf den Beinen hielt, wurde zu einer Kolonne getrieben. Fünfzehn und mehr Mann nebeneinander. Den Anfang und das Ende dieser Kolonne konnte ich nicht sehen. Sie war endlos. Ein Lager in Mitau war das Ziel. Aber nur einige tausend Gefangene erreichten es. Auf dem Marsch dorthin kippte

einer nach dem anderen um. Vielen stand Schaum vor dem Mund. Wir hatten uns zwar eingehakt, konnten aber nicht verhindern, daß die Schwächsten hinfielen. So kam es, daß die Nachfolgenden über Liegende stolperten oder hinwegtrampelten. Wer am Ende der Kolonne nicht mehr hochkam, wurde mit dem Schaufelbagger in Granattrichter neben der Straße gekippt und zugebaggert. Hin und wieder waren Schüsse zu hören. Durchweg handelte es sich um Erschießungen von Gefangenen, die ihre Uhr oder den Ehering nicht hergeben wollten. In Ortschaften und vor Lazaretten wurden wir mit Steinen beworfen.

Im Lager Mitau blieben wir drei Tage. Täglich bekamen wir 500 Gramm Brot und zweimal einen halben Liter Hirsebrei. Dies war die beste Verpflegung während meiner fünfjährigen Gefangenschaft. Jeder einzelne wurde zu einem Politoffizier gerufen. Es folgte ein Verhör. Zunächst sehr freundlich. „Bitte nehmen Sie Platz. Wollen Sie rauchen? Wie wurden Sie behandelt? Sind Sie verheiratet? Dann möchten Sie gern nach Hause? Das kann schon bald der Fall sein. Es liegt bei Ihnen." Und dann ließen sie die Katze aus dem Sack.

„Wer aus Ihrer Einheit war in der Partei, in SA oder SS? Wer hat Partisanen oder Zivilisten erschossen? Was wissen Sie mir mitzuteilen? Nichts??? Überlegen Sie gut. Sie wollen doch noch einmal nach Hause kommen. Sollte Ihnen etwas einfallen, ich bin drei Tage im Lager und zu jeder Zeit zu sprechen." Wieviel unwahre Beschuldigungen durch Hunger, Angst und Hoffnung auf baldige Heimkehr zustande kamen, ist nicht abzuschätzen.

Es folgte ein Gewaltmarsch von etwa 45 Kilometer nach Riga. Von der schier endlosen Kolonne erreichten nur knapp dreitausend dieses Ziel. Die Verreckten wurden niemals registriert und gelten heute noch als Vermißte.

Nach einiger Zeit verfärbte sich mein Arm und schwoll an. Ich zeigte ihn dem deutschen Lagerarzt. Er vermutete ein Geschwür, obwohl ich keine Schmerzen hatte. Dennoch schnitt er in die Schwellung, um den Prozeß zu beschleunigen. Salben standen ihm nicht zur Verfügung. Als der Arm am folgenden Tag so stark angeschwollen war, daß er nicht mehr durch den Rockärmel ging, schnitt der Arzt nochmals in die frische

Wunde, um den Knochen zu erreichen. Aber außer dem Schmerz zeigte sich keine Reaktion. Nach kurzer Zeit kam ein anderer Arzt mit weiteren Gefangenen in unser Lager. Er war schon bei Stalingrad in Gefangenschaft gekommen. Auf den ersten Blick erkannte er die Unterernährung (Dystrophie). Bei ausreichender Ernährung hätte sich alles von selbst geregelt. Aber es folgten Tage ohne einen Krümel Brot.

Mein Zustand verschlimmerte sich von Tag zu Tag. An Armen und Beinen platzte die Haut auf. Gelbliches Wasser floß heraus. Immer häufiger drehte sich alles um mich, und ich fiel bewußtlos um. Im Dezember 1945 wurden dann alle Gefangenen, die nicht in der Lage waren, für die UdSSR Reparationsarbeiten zu leisten, entlassen. Der deutsche Arzt durfte sie aussuchen, der russische Arzt gab seine Bestätigung. Als der Lagerarzt an meiner Pritsche vorbeikam, fragte der begleitende Sanitäter: „Doktor, was ist mit dem?" und zeigte auf mich. „Laß ihn liegen", sagte der Arzt. „Der krepiert in den nächsten zwei bis drei Tagen." Körperlich äußerst geschwächt, konnte ich nicht mehr rufen, schreien oder aus eigener Kraft den Lagerhof erreichen. Für mich war der Zug abgefahren.

Alle Zurückgebliebenen mußten weiter arbeiten. Ich wurde von zwei Mann gestützt zur Zählung und Arbeitseinteilung gebracht. Sobald man mich losließ, fiel ich bewußtlos hin. So kam es, daß man mich täglich in einen Stall schleppte. Dort standen drei Pferde. Außerdem lagen dort für die russische Lagerleitung Kartoffeln. Ich sollte den Stall sauberhalten. Jedes Pferd bekam von dem Wachtposten, der mich zum Stall begleitete, eine Dose voll Hafer. Auf allen vieren kriechend, mich an der Krippe hochziehend, versuchte ich, von dem mit Pferdespeichel durchnäßten Hafer so viel wie möglich mitzubekommen. Es war ein Wettfressen. Hinterher kroch ich zu den Kartoffeln. Solange ich bei Besinnung war, habe ich dann rohe Kartoffeln mit Dreck und Schale gegessen. Nach ca. sechs Wochen hatte sich mein Zustand so weit gebessert, daß ich nicht mehr in den Stall durfte, sondern mit zu den Arbeitskommandos hinaus mußte.

Die tägliche Verpflegung bestand aus einem Teelöffel Zucker, 500 Gramm Brot und zweimal 1 Liter Suppe. Die Suppe war heißes Wasser mit ein paar Kohlblättern. Einmal gab es weiße Bohnen. Nachdem die Suppe gekocht war, wurden die Bohnen herausgesiebt, damit sie gerecht verteilt werden konnten. Auf jeden kamen sieben Bohnen. Gegen den Durst stand in einer Regentonne stark gechlortes Wasser.

Zu Weihnachten 1945 bat die deutsche Lagerleitung den russischen Kommandanten um etwas Mehl. Man wollte es rösten und damit ein kaffeeähnliches Getränk vortäuschen. Die Bitte wurde abgelehnt. Als sich dann am Heiligabend mehrere Selbstmorde ereigneten, wurde der Vorschlag für die zwei folgenden Festtage genehmigt.

Bei einem Arbeitskommando stand eines Tages an einer Wand folgende Parole: „Stalin gib uns mehr zu essen, sonst können wir unseren Führer nicht vergessen."

Vor jedem Abmarsch ins Lager wurde von den Posten nachgezählt, ob alle Gefangenen anwesend waren. Einmal fehlte einer, der sich aus Angst vor Prügeln wegen einem gestohlenen Stück Brot auf der Baustelle in einem 5 Meter langen Rohr mit 80 Zentimeter Durchmesser verborgen hatte. Als er von den Wachtposten gefunden wurde, hat man ihn, ohne daß er zuerst zum Herauskommen aufgefordert wurde, in diesem Rohr erschossen. Er hatte nicht vor, zu fliehen. Dann jeder Geflohene wurde zu Tode gesteinigt oder mit Kolben erschlagen und einen Tag lang zur Abschreckung in den Lagerhof gelegt.

Ende 1948 wurde ein Transport zusammengestellt. Nach tagelanger Fahrt hielt der Zug auf freier Strecke irgendwo in der Ukraine. Nach einem längeren Fußmarsch über eine schneebedeckte endlose Ebene hieß es „hinsetzen".

Am Tag darauf wurden mit Panjewagen Bretter angefahren. Daraus konnten wir uns eine Baracke mit Pritschen bauen. Nach drei eisigen Winternächten war für die vierte Nacht unsere Unterkunft bezugsfertig. Aus Holzmangel hatte der Liegeplatz nur 50 Zentimeter Breite. Eine Unterlage, Stroh oder irgend etwas anderes, gab es nicht. Es gab keine Decke, kein Licht, keinen Ofen, noch nicht einmal Wasser. Von all den Dingen wurde auch in den vierzehn Monaten, die ich in diesem neuen Lager blieb, nichts nachgeliefert. Die dünne Bretterwand hatte bis zu 5 Zentimeter breite Ritzen, so daß wir in den

Das vormalige Konzentrationslager Sachsenhausen als russisches Kriegsgefangenenlager, 1949

Wintermonaten des nachts beim Schlafen bis zur Gürtellinie auf unseren Pritschen eingeschneit wurden.

In den Sommermonaten berieselte uns der Sandsturm. Statt einen Liter Suppe gab es nur noch einen halben Liter, denn das Wasser dafür mußte mit Pferd und Wagen von weit her geholt werden. In der Jahresmitte 1949 gab es einmal eine Waschgelegenheit: ein Bad.

Auf der nächsten Postkarte schrieb ich an meine Frau: „Wenn ich Weihnachten nicht zu Hause bin, dann lebe ich nicht mehr." Diese Karte ist auch daheim angekommen. Ich war fest entschlossen, bevor das Weihnachtsfest 1949 herankam, durch Flucht meiner Qual ein Ende zu bereiten. Im Oktober wurde uns dann für Dezember die Entlassung in Aussicht gestellt. Es gab neue Hoffnung. Aber Zweifel und Spannung verließen mich erst, als ich in Friedland am Heiligabend 1949 eintraf.

Siegfried Hintz

Von 1945 bis 1950 in russischer Gefangenschaft, im ehemaligen Konzentrationslager Sachsenhausen.

Ich wurde 1945 zusammen mit einer Volkssturmgruppe von 39 Jungen im Alter zwischen vierzehn und siebzehn Jahren von den Russen gefangengenommen. Ich selbst war sechzehn Jahre alt, als ich wegen des Verdachts der Zugehörigkeit zum Werwolf zum Tode verurteilt wurde. Zu zehn Jahren Zuchthaus begnadigt, war ich bis Februar 1950 im ehemaligen KZ Sachsenhausen inhaftiert. Von Januar 1946 bis April 1948 befand ich mich wegen Tuberkulose fast ununterbrochen im Revier.

Aus der Zeit meiner Gefangenschaft habe ich eine Reihe von Gegenständen mitgebracht, die für uns zum Teil lebenswichtig waren, deren Anfertigung uns zum Teil davor bewahrt hat, dem Stumpfsinn anheimzufallen.

Diese Stickerei und die Dinge auf den nächsten Seiten wurden in Sachsenhausen angefertigt.

Beliebt war Sticken. Es gab eine Börse für farbige Fäden. Ein buntes Taschentuch war ein Vermögen, wenn man die Fäden zog und diese portionsweise gegen Zucker oder Brot oder gegen andere Farbfäden tauschte. Ich kann leider nicht mehr genau sagen, wie lange ich an dem hier wiedergegebenen Bild gestichelt habe. Aber es war nicht mein einziges. Nur das einzige, das alle Filzungen überstanden hat.

Der *Brotbeutel* entstand im NKWD-Gefängnis Sondershausen aus einem Stück Matratzenstoff. Das Loch hat eine Ratte hineingefressen. Auf der Vorderseite stehen mein Name und meine Initialen und das Wappen meiner Heimatstadt in Thüringen.

Den *Zuckerbeutel* habe ich aus einem Stück Bettlaken selbst genäht. Er diente zum Aufbewahren der Zuckerration, die löffelweise ausgegeben wurde und gewöhnlich von den Häftlingen mit nasser Fingerspitze aus dem Beutel heraus verzehrt wurde.

Das selbstgeschnitzte *Holzmesser* diente mir bei den Mahlzeiten zum Schmieren der Brote.

Bleistiftstummel waren ein Vermögen. Wir machten Halter aus Holz, damit wir damit schreiben konnten. Bleistiftminen wurden in Millimetern gehandelt. Ich habe einen solchen Halter einem verstorbenen Mithäftling aus der Tasche genommen und damit in der Folgezeit auf einem winzigen Zettel die Sterbedaten meiner Kameraden festgehalten. Von den neununddreißig leben heute noch elf. Die Schrift mit den Namen der Toten ist ganz verblaßt.

Auch das *Haarnetz* ist selbstgehäkelt. Alle Häftlinge wurden kahlgeschoren. Wenn dann die Haare zu sprießen begannen, wurden die Borsten liebevoll gepflegt. Dazu gehörte ein Haarnetz, um die Haare angefeuchtet zu einer Frisur zu zwingen.

Der *Rollkragenpullover* wurde aus diversen Wollresten, aufgeribbelten Strümpfen oder ähnlichem selbst gestrickt. Zöpfchenmuster war sehr beliebt, da es die Paßform vereinfachte. Ein Häftlingspullover mußte möglichst hoch schließen und möglichst lang sein, um auch die Nieren zu wärmen. Ärmel waren überflüssig.

Hans-Georg Baumgärtel

1945 in amerikanischer Kriegsgefangenschaft. Nach der Entlassung von 1946 bis 1948 in russischer Gefangenschaft, unter anderem im ehemaligen Konzentrationslager Sachsenhausen sowie in Suchumi.

Ich kam am 17. April 1945 bei Leipzig in amerikanische Kriegsgefangenschaft. Nach der Vernichtung meiner Batterie, einer Eisenbahnflakbatterie, waren wir zur Verteidigung von Leipzig eingesetzt worden. Wir hatten zwar noch einige Gewehre, bekamen dazu aber belgische Munition. Die Amerikaner haben uns einfach überrollt.

Am Abend des 17. April war alles vorbei. Von Leipzig haben sie uns dann sehr schnell über ein Zwischenlager bei Kassel auf die Rheinwiesen nach Remagen gebracht. Dort waren schon Tausende von deutschen Kriegsgefangenen. Es regnete in Strömen. Da die letzten Tage sehr warm gewesen waren, hatte kaum einer einen Mantel an. Es gab nichts zu essen. Es soll auch Ruhr ausgebrochen sein, doch habe ich nichts davon bemerkt. Die meisten Offiziere kamen mit einem Sondertransport nach Attichy in Frankreich. Dort war ein größeres Camp mit verschiedenen kleineren Lagern, in denen Tausende von deutschen Kriegsgefangenen hausten. Wir wurden bis zum Tage der Kapitulation gut verpflegt.

Das Lagerleben war langweilig und eintönig. Sehr schnell organisierte sich eine Art Vorlesungsbetrieb. Wir hatten unter anderem Leute aus Leuna, vom Leunawerk, die haben über Chemie gesprochen. Da wir aber Hunger hatten, wurde auch über Landwirtschaft und vor allen Dingen über Kochrezepte geredet. Aus Zementpapier und Toilettenpapier haben wir Rezeptbücher gemacht. Es gab Rezepte für falsches Marzipan oder Anleitungen dafür, wie man Pferdefleisch entsüßt und genießbar macht. Alles, was interessant war, schlief jedoch langsam ein, weil die Leute zu hungrig waren und zu schwach, um stundenlang zu stehen und vorzulesen.

Im Februar 1946 wurde ich in die russische Besatzungszone zu meiner Mutter entlassen. Ich kam aber nicht bis nach Hause.

Zunächst wurden wir von Attichy nach Marburg gebracht. Dort wurden alle Offiziere noch ein-

mal durch ein Lager geschleppt. Es wurde uns geraten, wir sollten nicht in die russisch besetzte Zone gehen. Als Offiziere könnten wir in der amerikanischen Zone bleiben und unsere Familien nachkommen lassen. Wir wollten aber nach Hause und nicht bei den Amerikanern bleiben, die uns schlecht behandelt hatten.

Wir fuhren nach Eisenach – in die russisch besetzte Zone. Dort brachte man uns in ein Lager und registrierte uns, damit wir später in die einzelnen Wohnorte transportiert werden konnten. Name und Dienstgrad wurden registriert. Mein Dienstgrad war Oberleutnant. Die Beamtin schrieb Obergefreiter. Ich sagte: „Sie haben sich verhört – ich war Oberleutnant." Sie meinte: „Sind Sie doch ruhig, Sie kommen sonst gar nicht nach Hause. Alle Offiziere sind nicht nach Hause gekommen."

In diesem Lager wurden eines Tages die Offiziere zusammengerufen. Wir nahmen unser Gepäck. Ich hatte aus der amerikanischen Gefangenschaft einen Seesack, in dem meine Sachen waren. Wir fuhren zum Bahnhof.

In Erfurt war wieder ein kurzer Zwischenaufenthalt in einem Lager. Alle Offiziere kamen nach Sachsenhausen. Aus dem ehemaligen KZ Sachsenhausen war aber inzwischen auch ein russisches Lager geworden, in das politische Häftlinge hineinkamen. Wir waren in einem Sonderlager mit etwa fünftausend Offizieren.

Ich wurde krank – Gelbsucht. Ich kam in ein Lazarett im großen Lager. Auf meiner Stube waren unterschiedliche Leute zusammen. Jeder fragte den anderen, woher er kam, welches Schicksal er gehabt hatte. Unter anderem war da einer, der erzählte: „Ich bin in dem Lager gewesen, weil ich Kommunist war."

Ich fragte erstaunt: „Wie kommst du dann hierher?" Er antwortete: „Das ist ganz einfach. Nach der Befreiung kriegte ich eine Arbeitsstelle bei Siemens. Eines morgens fuhren wir mit dem Bus. Wir wurden angehalten. Alle mußten raus, rauf auf den Lastwagen, hier rein ins Lager. Damit die Zahl wieder stimmte. Wahrscheinlich waren hier inzwischen so viele gestorben." So ist es einem Juden gegangen, der auch im Lager gewesen war, und einem SS-Mann. Der SS-Mann sagte: „Ich weiß, warum ich hier bin, ich war hier Bewacher." Aber der Jude sagte: „Ich dachte, ich hätte alles überstanden. Ich kriegte eine Wohnung und einen Schrebergarten. Eines Tages stehe ich im Schrebergarten. Da kommt eine Gruppe mit Nazis vorbei aus Niederschönhausen. Die letzten, die Maroden, die hatten zum Teil Typhus oder Ruhr. Sie setzten sich in den Straßengraben, ein Posten schoß und winkte mir. Ich dachte, jetzt sollste die mit beiseite schaffen. Nix, ich kriegte einen Tritt, kam rein in die Kolonne – damit die Zahl wieder stimmte." Ich habe einen getroffen, der ist nur auf den Zug aufgesprungen, um nach Berlin zu kommen. Das war unser Kriegsgefangenenzug. Auf die Weise ist er ins Lager gekommen. Er war Kriegsversehrter und längst entlassen worden.

Im Juli 1946 kam eine Kommission, die uns auf unsere Arbeitsfähigkeit untersuchte. Wir waren körperlich verhältnismäßig gut beieinander. Es hieß: „Ihr kommt zum Arbeitseinsatz in die Oder-Neisse-Gebiete." Der Zug fuhr aber weiter. Wir fuhren durch die Ukraine. Wir sind zehn Tage gefahren, dann über Rostow, Tuapse bis Suchumi. Dort im Kaukasus wurden wir ausgeladen. Wir kamen in ein Lager, in dem schon Ungarn und Rumänen waren. In der Quarantäne sollte festgestellt werden, welche Krankheiten wir hatten. Die Krankheiten holten wir uns aber erst dort. Ich kriegte sehr schnell Ruhr und brachte sie während der ganzen Zeit nicht wieder los.

Nach vier Wochen kamen wir in ein Arbeitslager. Unsere Aufgabe war, einen wandernden Berg, der Schienen und Straßen ins Schwarze Meer schob, am Wandern zu hindern. Wir haben wochen- und monatelang daran gearbeitet. Wir mußten mit primitivsten Mitteln Sprenglöcher machen, Werkzeuge gab es ja nicht. Jeder hatte eine Brechstange und mußte am Tage ein oder zwei Löcher machen, je nach Bodenbeschaffenheit. In diese Löcher wurde Dynamit gefüllt. Es wurde eine Trasse herausgesprengt, auf der man dann eine Betonstraße machen konnte.

Wir waren in einem relativ kleinen Lager. Die Verpflegung war sehr schlecht. Wie sich später herausstellte, hatte der Lagerleiter, der Natschalnik, Essen unterschlagen. Auf Anregung deutscher Ärzte kam eine russische Kommission. Alle Lagerinsassen, die nicht arbeitsfähig waren, wurden in ein Lazarett bei Tiflis gebracht. Dort lagen wir und wurden wieder aufgepäppelt. Wer sein normales Gewicht nicht wieder bekam,

Hans-Georg Baumgärtel mit seiner Frau nach der Rückkehr

wurde entlassen. Ich hatte mein normales Gewicht und ärgerte mich. Auf dem Transport sind einige Gefangene vor Entkräftung gestorben. Manchmal war es schwer für mich – denn ich war durch eigene Dämlichkeit dahin gekommen. Ich hätte im Westen bleiben können. Ich hatte Verwandte dort. Ich stammte aus Wuppertal. Aber ich habe mir gesagt, das ist eine Art ausgleichende Gerechtigkeit. Während des Krieges bin ich nicht in Rußland gewesen. Ich habe bei der Flak nie große Strapazen über mich ergehen lassen müssen. Durch diese Einstellung habe ich vielleicht seelisch alles durchgestanden. Viele sind seelisch zugrunde gegangen, weil sie dieses Leben nicht ertragen haben. Von früh bis spät wurden sie gegängelt.

Nachdem wir gesundgeschrieben worden waren, kamen wir in ein Arbeitslager. Wir hatten die Aufgabe, in der Steppe (die Kura hatte ein Urstromtal hinterlassen) eine Stadt aus dem Boden zu stampfen. Sie sollte nach dem russischen Dichter Rustaweli benannt werden. Wir erreichten mit unserer Arbeit meistens die höchste Norm.

Wir Deutschen waren für die Russen Spezialisten. Sie trauten uns alles zu. Wenn gefragt wurde: Wer ist Glaser? dann waren wir eben Glaser. Genauso: wenn es hieß, wer ist Asphaltierer, Betonierer? Ich war der Reihe nach alles, Terrazzoschleifer und Betonierer.

Mit meiner Entlassung hatte ich Glück. Es war 1948. Ich war als Medizinstudent registriert. Das entsprach der Wahrheit, wenn ich auch fernimmatrikuliert war. Ein Ärztetransport, der in die russische Zone ging, war wohl nicht voll geworden. Sie suchten im Lager noch einige Leute. Da kam unter anderem auch ich dazu als Medizinstudent. Dann waren da noch ein Heilgehilfe, ein Masseur und ein Unterarzt. Wir wurden mit einem russischen Kapitän im Expreßzug Tiflis-Moskau nach Stalino gefahren und dem Ärztetransport, der schon vorausgefahren war, nachgereicht. Aber dort wurden wir alle nochmals verhört über die berufliche, soldatische und politische Vergangenheit. Bei meiner soldatischen Vergangenheit stellte man fest, daß ich in Rehbach bei Leipzig in amerikanische Kriegsgefangenschaft und nicht in russische gekommen war. Wir wurden in der Nacht plötzlich wach, als alle aufgerufen wurden. Wir waren nicht dabei. Unsere Enttäuschung war groß. Der Lager-Natschalnik, ein russischer Oberst, sagte: „Meine Herren, Sie haben sich Weihnachten schon zu Hause geglaubt. Für diesen Transport waren genaue Bestimmungen erlassen, die für Sie nicht zutrafen. Ich gebe Ihnen mein Ehrenwort, daß

Sie Weihnachten zu Hause sind." Wir lachten, worauf er sehr böse wurde und fragte, warum wir lachten. Wir erklärten ihm, daß wir schon so viele Ehrenworte gekriegt hätten und keinem mehr glaubten.

Er hat aber Wort gehalten. Am 16. Dezember 1948 kam ich in Gera an.

Das Einleben zu Hause war nicht schwierig. Alle waren darauf eingestellt, die heimkehrenden Kriegsgefangenen liebevoll zu empfangen. Schwer war es, mit den gesundheitlichen Problemen fertig zu werden. Wir waren ja durch Mangelernährung (Eiweißmangelernährung) Dystrophiker gewesen und hatten Ödeme und was noch so dazu kommt.

Aber das hat sich dann auch relativ schnell normalisiert. Ich habe den Versuch gemacht, in Jena das Studium fortzusetzen. Das wurde mir nicht genehmigt. Daraufhin bin ich nach Köln gegangen, habe mein dort während des Krieges begonnenes Jurastudium fortgesetzt, beendet und Arbeit gefunden.

Dieser russische Soldat fiel bei einem Panzerangriff.

Eine russische Familie in einer Notunterkunft. Die Fensterscheiben sind verklebt, damit sie beim Druck von detonierenden Geschossen nicht zerspringen.

Im Schnee, in den Sümpfen und den zerschossenen Wäldern wird der Tod der Soldaten beider Seiten anonym.

Die Aufnahmen entstanden in der Wolchow-Schlacht und bei den Kämpfen am Ladogasee 1942.

Reinhold Sigle

1945 von den Amerikanern an die Russen ausgeliefert. Von 1945 bis 1949 in russischer Kriegsgefangenschaft; in Tocşani Rostow, Nowoschachtins und Iswarino.

Ich wurde 1938 als Soldat zu einer Artillerieabteilung in München eingezogen. Von Kriegsbeginn 1939 an war ich an der Front in Polen, Frankreich, Jugoslawien und habe vom Anfang bis zum Ende am Rußlandfeldzug teilgenommen. Was nach der Kapitulation 1945 mit deutschen Frauen und Männern geschah, habe ich nie zuvor an einem Frontabschnitt erlebt. Es war alles verboten, sowohl zu plündern wie sich an Frauen zu vergehen.

Im April 1945 wurde ich zum letzten Mal in den kleinen Karpaten verwundet und kam mit einem Lazarettzug in den Bayerischen Wald. An einem Morgen, Anfang Mai 1945, hörte ich Panzer über die Hänge von Bayrisch Eisenstein anrollen. Ein Blick durchs Fenster bestätigte nur: feindliche Panzer.

Kurze Zeit darauf fuhren sie die Straße entlang. Ein neugieriger Verwundeter wurde auf den ersten Panzer gesetzt, um das Feuer abzuhalten. Ein amerikanischer Offizier der 7. amerikanischen Armee betrat das ehemalige Hotel „Botschafter", das uns als Lazarett diente, mit einem Arzt als Dolmetscher. Er forderte uns auf, Waffen und Munition abzuliefern und versprach, uns in ein Heimatlazarett zu transportieren. Wir glaubten ihm. Die meisten von uns gingen auf Krücken oder hatten Schulterverbände, und so wurden wir auf Lastwagen verladen. Die Bevölkerung begrüßte uns noch mit Zigaretten, aber Neger warfen unsere Krücken unter die Lastwagen. Die Schwestern wurden gejagt, und ab ging es in Richtung Cham, nach Osten. In Klatau war die Fahrt zu Ende.

Einen deutschsprachigen Amerikaner, der Chauffeur war, fragte ich, ob wir den Russen ausgeliefert würden. Als Antwort spuckte er nur vor mir aus. Auf einer Wiese wurden wir ausgesetzt. Amerikanische und russische Panzer standen sich gegenüber. Mit den Händen vergrub ich meine Orden und Ehrenzeichen. Es dauerte nicht lange, und wir wurden von den Russen gefilzt. Die Amis zogen ab. Ein russischer Offi-

zier erklärte uns, wir hätten ihnen nur zu folgen. Wir kämen nicht nach Sibirien, wir kämen alle nach Hause. Nach Sibirien kamen wir nicht, aber nach Hause kamen wir noch lange nicht. Innerhalb von fünf Minuten waren wir ausgeplündert. Ich mußte meine Hose, die ich im Lazarett erhalten hatte, den Russen abliefern. In der Unterhose humpelte ich weiter.

Wir hatten die Drainageschläuche noch in den Wunden, als für uns der qualvolle Marsch durch die Tschechoslowakei begann. Wir versuchten, uns Stecken zu besorgen, um besser gehen zu können, aber wir mußten sie alle wieder wegwerfen. Einmal kam ein deutscher Sanitätswagen. Wir glaubten, die Schwerbehinderten würden aufgeladen. Statt dessen fuhren sie von hinten in die Kolonne, und wen es erwischte, der blieb auf der Strecke liegen. Dann hielt plötzlich der Wagen, und Partisanen sprangen mit vorgehaltenen Maschinenpistolen aus der hinteren Tür. Man wußte nie, ob die Betrunkenen abdrückten. Unsere beiden Rotkreuzschwestern waren genauso übel dran wie wir, sie konnten nicht helfen. Fast bei jeder Rast wurden sie von den Partisanen belästigt, bis wir sie in Uniformteile steckten, damit sie nicht als Frauen erkannt wurden. Als es dunkel wurde, kamen die Russen. „Wo ist Deutschfrau?" Durch Abtasten fanden sie die beiden. Morgens brachten sie sie wieder.

Bald merkte ich, daß ich an der Spitze des Zuges leichter gehen konnte. Mit dem Standortältesten aus Cham und einem Arzt bildeten wir den Anfang. Es war ein Oberstleutnant. Ständig wurde ihm ins Gesicht geschlagen. Auf meinen Rat, die Achselstücke abzulegen – die Stiefel waren schon längst weg –, hörte er nicht. Am Straßenrand standen neugierige Zivilisten. Man stellte uns schmutziges Trinkwasser hin. Hunger hatten wir nicht mehr. Es gab auch nichts zu essen. Abends spät wurden wir in einen Pferdezwinger getrieben. Wir standen dort dicht gedrängt. Dann wurde der Zwinger zugeschlossen. Lange standen wir, die Beine schmerzten. Es wurde kalt. Einer fiel vor Müdigkeit um. Und so blieb uns nichts anderes, als uns zu setzen. Auf meine auf dem Boden liegenden Beine setzten sich zwei Kameraden. Etwa fünfzig Meter von uns entfernt befand sich eine Ziegelei. Dort war ein Frauentransport hingebracht worden. Das Weinen und Schreien der Frauen höre ich heute noch. Wir lagen wehrlos am Boden und konnten den gepeinigten und mißhandelten Frauen nicht helfen.

In der Frühe kamen neue Posten und trieben uns weiter. In einem kahlen Wald machten wir halt. Es kam uns ein Auto mit Flüchtlingen entgegen. Ein russischer Reiter sprengte herbei, sprang vom Sattel, gab mir das Pferd zum Halten und riß die hintere Wagentür auf. Ein älterer Mann kletterte raus und spannte einen Regenschirm auf. Der Russe riß ihm den Schirm aus der Hand und trat ihn in den Hintern. Das Auto wurde durchsucht, bis man ein junges Mädchen darin entdeckte. Sofort waren Russen da und zerrten das Mädchen in einen Bunker. Einer von uns wollte dazwischenspringen, aber ein gezielter Hieb mit dem Maschinengewehrkolben auf den Kopf war das Ende. Naß, hungrig und müde wurden wir weitergetrieben. In einer Ortschaft mußten wir auf einem Platz anhalten und uns setzen. Wieder wurden die Rotkreuzschwestern geholt, aber ohne sie wollten wir jetzt nicht mehr weiter. Der Arzt sprach mit einem uniformierten Polizisten, der uns antreiben wollte. Die eine Schwester sei seine Frau, und ohne sie gehe er nicht weiter. Nach einer Weile schleiften zwei Partisanen eine von den beiden Schwestern auf den Knien herbei. Sie hatte im Nachbarhaus Schüsse fallen gehört und war sicher, die andere Schwester sei nicht mehr am Leben. Auch sie wollte nicht mehr leben.

Weiter ging der Marsch ins Ungewisse. Einmal versuchte eine Frau uns Sauerkraut zu geben. Sie wurde von den Posten verjagt. Ich erinnere mich, wie eine weibliche Leiche mit Hakenkreuzen beschmiert im Schaufenster einer Metzgerei hing. Seelisch gebrochen, mürbe von den Märschen fiel ich zurück ans Ende der Kolonne. Ein Tscheche forderte mich auf, mich an den Straßenrand zu stellen. Aber ein Kamerad griff mir unter die Arme und rettete mich vor dem Ende.

Ich weiß es nicht mehr, aber plötzlich kam irgendwoher Brot, und man verteilte es. Es gab für jeden einen Mund voll. Irgendwelche Amerikaner, von denen wir gehofft hatten, daß sie uns helfen würden, waren nicht zu sehen.

Nach zehn Tagen qualvoller Märsche erreichten wir ein Lager, das mit Stacheldraht umzäunt war. Das bedeutete, von den Schikanen der Bevölkerung erlöst zu sein. Vor dem Lager – es war bei Prag, Proschetnitz an der Moldau – standen zwei Tische. Wir mußten antreten. Die letzte Habe wurde uns abgenommen; Uhren, Ringe und dergleichen waren schon längst weg. Die Posten trugen oft Armbanduhren vom Handgelenk bis zum Oberarm an beiden Armen. Das Lager umfaßte ca. 25000 Frauen und Männer. Wir wurden in engen Räumen zusammengesperrt. Wenn man einen anderen anstieß: Die Nerven versagten, so empfand man das wie einen Angriff, keiner kannte den anderen. Es gab ein Kilogramm Brot für zehn Mann, ein Kilogramm Kunsthonig für hundert Mann. Die Kartoffelsuppe war aus schwarzgefrorenen Kartoffeln.

Kamerad! Bitte schreibe gleich an meine Frau. Bin in ruß. Gefangschaft. Es geht mir gesundheitlich gut. Viele herzl. Grüße. Reinhold

Frau
Regina Sigle   b/Freudenstadt
Baiersbronn.   (Witba)
                    Möbelhaus.

Dieser Zettel wurde aus einem Transportzug geworfen und gefunden.

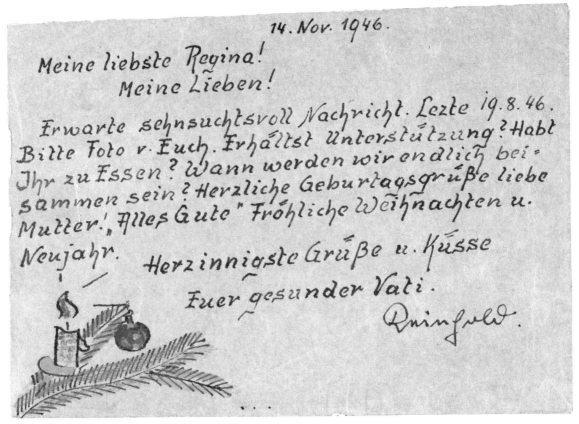

14. Nov. 1946.

Meine liebste Regina!
Meine Lieben!

Erwarte sehnsuchtsvoll Nachricht. Lezte 19.8.46.
Bitte Foto v. Euch. Erhältst Unterstützung? Habt
Ihr zu Essen? Wann werden wir endlich bei=
sammen sein? Herzliche Geburtagsgrüße liebe
Mutter! „Alles Gute" Fröhliche Weihnachten u.
Neujahr. Herzinnigste Grüße u. Küsse
Fuer gesunder Vati.
Reinfeld.

Rotkreuz-Karte aus der Gefangenschaft

Tagsüber mußten wir Stämme in den Wäldern holen, um Pritschen zu bauen. Dabei traf ich einmal eine Kolonne tschechischer Waldarbeiter. Sie riefen mich an und gaben mir ihr Brot; dabei hörte ich, wie sie auf die Russen schimpften. Nachts wurde ins Lager geschossen. In meiner Nähe starb einer an einem Lungensteckschuß. Niemand kannte ihn, wir waren uns alle fremd. Die Haare wurden uns abgeschnitten. Die Österreicher waren in besonderen Baracken.

Eines Tages wurden wir wie Schlachtvieh ausgemustert. Eine Ärztin, die in Tübingen studiert hatte, ließ uns nackt antreten. Sie befühlte uns den Hintern, danach wurden wir bestimmten Arbeitsgruppen zugeteilt. Auf den Arm schmierte man uns mit Tintenblei 1, 2, 3 oder 4. Die Schwachen blieben im Lager. Der erste Transport wurde zusammengestellt. Wir wurden auf einen Verladebahnhof geführt. Ein Russe schälte die Rinde vom Brot und warf es auf die Gleise. Er wollte sehen, wie sich die Landser darum balgten. Wir wurden in Waggons gebracht, die Waggons wurden verschlossen. Wir bekamen kaum Luft. Wohin ging es? Man machte den Nach-

barn, der neben einem lag, verantwortlich. Wenn einer türmte, wurde nämlich der Nachbar erschossen. Einer war eines Morgens tot, dafür mußte ein Zivilist auf irgendeinem Bahnhof abgefangen werden, nur damit die Zahl stimmte. Wir waren in Focşani. Die Hölle von Focşani aus dem Ersten Weltkrieg war ja schon bekannt. In Hundertschaften mußten wir in dieser Sandwüste lagern. Die Sonne brannte. Es gab kein Wasser. Zum ersten Mal tauchte das Komitee Freies Deutschland auf. Eine Konservenbüchse Wasser handelten sie für eine Zigarette. Das Schlimmste war die Latrine, ein großes Loch, das stank und voller Mücken war. Mancher fand darin den Tod, der vor Schwäche abgerutscht und darin ertrunken war. Ich hatte Ruhr und glaubte, daß ich ohne Medikamente eingehen würde. Tagelang lagen wir in der Hitze, der Wind blies uns den Sand ins Gesicht.

Da wurde ein neuer Transport geplant. Die Leute des Komitees waren gut gekleidet und gut genährt. Wir trugen eine alte Konservenbüchse um den Hals. Eine Kapelle spielte, als wir abtransportiert wurden: „Wem Gott will rechte

Gunst erweisen, den schickt er in die weite Welt." Höhnisch grinsend verabschiedeten uns in deutschen Uniformen die Leute des Komitees Freies Deutschland.

Wieder ging es in Viehwagen weiter nach dem Osten. Wir waren in Rostow. Der Marsch ging durch die Stadt, die Russen gafften uns an. Wir waren durch Hunger und Strapazen gezeichnet. In einem Betonklotz von Mauern hieß es „Halt!" Es war das Lager Nr. 1 in Rostow. Deutsche Offiziere mit Lammfellmützen nahmen uns in Empfang. Aber ein rotes Band zeigte an, daß sie bei der „anderen Feldpostnummer" waren. Wir wurden eingeteilt in Züge und Kommandos, die morgens abgerufen wurden zu Aufräumungsarbeiten. Weil es mir weh tat, wie die deutschen Kameraden in Verrat und Uneinigkeit lebten, schrieb ich einmal mit einem angebrannten Stück Holz an eine Fabrikmauer: „Denk an die Heimat." Die Russen studierten diese Worte, konnten aber keine Erklärung finden. Der harmlose Spruch sollte ja doch mehr bedeuten. Einmal sammelte ich unterwegs gefrorene Kartoffeln, die ein Fahrzeug verloren hatte.

Ich wurde einem anderen Zug zugeteilt, und zwar mußte ich in Deutschland beladene Waggons ausladen. Uhren, Bestecke, Porzellan, Wertsachen, alles in Wäschestücke und Leinentücher verpackt. Revolverdrehbänke wurden abgeladen. Sie wurden ins Freie gestellt und verrosteten dort. Dann mußte ich erbeutete Pkws sauber und wieder fahrtüchtig machen. Dabei hatte ich ein ungewöhnliches Erlebnis. Ich mußte mal ins Gelände. Ich suchte mir einen alten Schützengraben aus. Unweit davon rief mich eine Frau an, ich solle kommen. Ein Blick zum Posten, und ich verschwand in der Haustür. Sie bot mir zu Rauchen an, es gab Suppe zu essen. Und jetzt kam das Höchste. Die Frau nahm alte Kleider von einem Klavier und spielte mir als Kriegsgefangenem „Alte Kameraden".

Leichen von toten, nackten Landsern waren unter den Mauern im Keller des Lagers aufgeschichtet. Sie waren an Wassersucht gestorben. Panjewagen nahmen sie mit, wohin, wußten wir nicht.

Einem ehemaligen Major sagte ich einmal die Meinung. Vor Wochen hätten sie die Landser zum Tode verurteilt. Mein Bündel Holz, das ich von einer Baustelle nach Hause brachte, hätte er

Eine Postkarte aus der Zeit der „25-Worte-Bestimmung"

Rußland. Oktober 1947.

Mein liebes Frauchen!
Alles noch unverändert. Warte auf Julipost. Foto aufkleben.
„Fröhliche Weihnachten."
Hoffe 1948 „daheim". Wünsche Euch Allen Glück u. Gesundheit.
Grüße Alle!
Herzensküsse
Dein gesunder
Reinhold.

Antwort nur auf Rotkreuzkarte statthaft.

Die Zensurbestimmungen verlangten eine deutliche Schrift.

für sich verwendet in der Baracke. Darauf befahl er mir, am nächsten Tag mein Brot abzuliefern. Die spärlichen 300 Gramm von schwarzem nassen Brot waren ungenießbar. Weil ich es nicht tat, wurde ich zu einem neuen Transport eingeteilt. Wir wurden in das Rumänen-Lager abgeschoben. Fünfunddreißig Deutsche waren hier unter unzähligen Rumänen.

Hier begann ein neuer Leidensweg. Wir waren als Opfer der Rumänen im Kohlenpott angelangt. Mit den Zigeunern zusammen, die von den Russen bevorzugt wurden, bekamen wir schlechte Gummischaufeln. Wir sollten aber die gleiche Leistung erbringen. Eine Büchse Wasser gab es zum Waschen für die Deutschen in der Banja. Einmal hängte ich meine Feldbluse im Bad an einen Nagel. Aber bis ich mit einem Lappen mein Gesicht gesäubert hatte, war sie weg mitsamt den Erinnerungen und Fotos. Im Hemd stand ich im Hof. Mich packte die Wut. Ich ging zur russischen Wache und meldete es. Es wurden die Barackenältesten herausgepfiffen. Ich bekam meine Bluse nicht mehr. Nur als ich in das Bad zurückging, wurde ich von den Rumänen umringt und angespuckt. Am Morgen stand ich, im Dezember, im Hemd auf dem Hof. Die Russen

sahen das, aber der rumänische Brigadier erzählte den Russen, ich hätte meinen Rock auf dem Bazar verscheuert.

Im Monat gab es einen Tag frei, man brauchte nicht einzufahren, dafür mußte man in der Unterkunft frieren, weil kein Ofen im Raum war. Die Körperwärme von allen heizte den Raum. Ich sollte für die Rumänen Wasser holen in ihren Eßgeschirren. Das wollte ich nicht. Ich hüllte mich in meinen alten Mantel und schlief vor Hunger. Plötzlich erwachte ich vom Geschrei der Rumänen. Sie sahen kein Wasser. Sie zogen mich von der Pritsche und ich wurde mit Riemen geschlagen.

Wir kamen schließlich in ein deutsches Lager. Das war eine Erholung. 1200 deutsche Kriegsgefangene in einer Lagergröße von 150 auf 150 Meter. Es gab drei Kompanien, das heißt drei Schichten im Kohlenbergwerk. Der Schacht war immer in Betrieb: Von 8 Uhr morgens bis 16 Uhr, von 16 Uhr bis 24 Uhr, und von 24 Uhr bis morgens 8 Uhr. Er war etwa 170 Meter tief, und dort war die Kohlensohle. Die durchschnittliche Wärme war zwölf Grad. Das Kohlenflöz war 1,70 Meter hoch, so konnte man wenigstens stehen.

In diesem Lager waren am Anfang auch Mädchen und Frauen. Sie sahen nicht gut ernährt aus. Wie und wann sie nach Hause kamen, kann ich nicht sagen. Sie waren plötzlich fort.

Es ging auf Weihnachten zu. Aber es war alles verboten: keine Weihnachtsfeier, kein Weihnachtslied. Am Heiligen Abend hatten wir die erste Schicht. Unsere Suppe ohne Fett und 600 Gramm schwarzes nasses Brot lagen im Magen. Der Schlaf kam durch die Müdigkeit. Wir lagen auf der Holzpritsche. Der Mantel war die Decke, das Kissen war ein Beutel, in dem die gebrauchte Unterwäsche war. Ich hatte ihn mir aus einem alten Stück Uniformstoff genäht. Plötzlich erwachte ich. Im Dunkeln stand der Lagerkommandant, ein ehemaliger deutscher Gefreiter, in Kiew geboren, der perfekt Russisch sprach. Er war der Mann, der zum Scheine bei den Russen alles für uns zu erringen versuchte. „Kameraden", so fing er an, „es ist heute Heiliger Abend, es ist uns verboten, Weihnachtslieder zu singen."

In der Hand hatte er einen aus Draht geformten Tannenzweig mit einer brennenden Kerze. „Wir wissen, wie hart es ist, ohne unsere Angehörigen und Kinder dieses Fest zu feiern." Meine Gedanken waren zu Hause bei Frau und Familie. Mich warf es buchstäblich in die Höhe. Der seelische Schmerz war es, der Hunger kam dazu. Ich fror, der Magen lag wie ein Stein im Leib. Da dachte ich an einen Kerzenstummel, den ich in meiner Wäsche hatte. Das war etwas, was vielleicht helfen konnte. Ich kaute und schluckte. Frohe Weihnachten 1945.

Im Stollen und im Schacht waren russische Strafgefangene, die mit eingesetzt wurden. So ergab es sich einmal, daß ich mit einem russischen Batteriechef ins Gespräch kam. Es stellte sich heraus, daß er seine Batterie am Dnjepr eingegraben hatte. Ich zeichnete ihm in den Kohlenstaub am Boden die deutschen und die russischen Stellungen ein. Als ich die Ortschaft Berislaw nannte, wurde er ganz gesprächig. Er erzählte, daß er eine deutsche Batterie beobachtet hätte. Das erste Geschütz hätte er nicht beschossen, aber das zweite und das vierte. Ich habe mein Hemd hochgezogen und zeigte ihm meine Verwundung. Das sei sein Werk gewesen. Er nahm mich in die Arme vor Freude. „Los, wir rauchen", sagte er. Am nächsten Tag brach er sein Brot und teilte es mit mir. Sie hatten auch nicht viel. Eines Tages war er fort, ohne Abschied. Ich war dem

Aus dem letzten Brief aus Rußland vor der Heimkehr 1949

Nun meine lieben Beide hoffe ich, daß ich den letzten Brief nun gemalt habe u. es für alle Zeiten „nie mehr" brauche, denn ich gehöre zu Euch u. will nicht eher mehr scheiden als die größte aller Stunden kommt u. bis dorthin sollen uns herrl. segensreiche u. vor allem, viele glückliche Jahre beschieden sein. Bis zu meinem nächsten tel. Anruf u. unserer ersten Begrüßung (hoffentl. alleine) reiche mir Deine Hände mit einem recht herzl. Gruß u. innigstem Kuss

Euer gesunder Vati

10. Zug zugeteilt. Der Brigadier war ein Deutscher aus Pommern. Er stotterte, aber er sprach Russisch und verschaffte sich alle Vorteile auf Kosten seiner Kameraden, die er mit einem „Dawai" zur Arbeit antrieb. Noch waren die Sprenggase im Stollen, da trieb er uns schon auf. Ich hatte den Mut, zu sagen „sitzenbleiben", da kam er auf mich zu. Meine Beschimpfungen „Russenknecht", „Antreiber" trafen ihn aber nicht. Nur mußte ich mir gefallen lassen, daß ich mein Zusatzbrot nicht mehr bekam. Er meinte, ich solle es mir zuerst einmal verdienen. Immer an den schlechtesten Arbeitsplatz wurde ich von ihm gestellt. Eines Tages wurde ich von ihm in ein zusammengestürztes Revier befohlen. Es war unheimlich mit der kleinen Schachtlampe. Der kleinste Hauch hätte sie ausgelöscht. Ich leuchtete die Decke ab, es sah mulmig aus. Ein ungeschickter Griff und der große Schieferklotz hätte mich erdrückt. Plötzlich sah ich das Licht einer hellen elektrischen Lampe, es war der Steiger. Er schaltete mir das Förderband ein und sagte, ich solle auch Kohle aufs Band bringen. Es war nicht mal der Mühe wert, was ich als einzelner aufs Band brachte. Wenn ich einen Schieferklotz zerkleinern mußte, lief das Band leer. Bei dieser Arbeit rutschte ein Stempel, meine Lampe fiel zu Boden, und es war dunkel. Nun hörte ich, wie es knirschte im Schiefer. Ein Luftdruck und ein Rutschen, der Schieferklotz war abgerutscht und lag auf meinem Fuß. Ich konnte mich nicht mehr rühren. Mein einziger Gedanke war: Jetzt wirst du vom Schiefer erdrückt. Lange war ich festgeklemmt. Stunden vergingen. Plötzlich kam die Ablösung. Lampen. Ich rief, aber niemand hörte. Oben war die Schicht angetreten zum Lager. Einer fehlte, das war ich. Man merkte es und fand mich. Der Posten schlug mir ins Gesicht. Im Lager kam ich zum Verhör. Sabotage wurde mir vorgeworfen. Der deutsche Arzt half mir, er erklärte, der Fuß sei gebrochen, und ich müsse zuerst ins Revier. Nach Ausheilung wurde ich drei Tage in den Karzer gesperrt wegen Sabotage. Das Stiftengehen war zu gefährlich. Einmal brachten die Russen zwei junge Deutsche zurück. Zusammengeschlagen, blutüberströmt führten sie sie über den Hof und sperrten sie in ein Erdloch. Man nannte es Karzer; davor war ein Dachfenster mit einem Vorhängeschloß. Im Loch war eine Leiter, unten stand Wasser. Man

konnte also nur mit den Füßen im Wasser an der Leiter hängen und vielleicht mal nicken. Schlafen war nicht möglich.

Nun kam ich in den Strafzug. Das war eine Brigade, die im Wasserstollen Kohlen schaufeln mußte. Mit nassen Kleidern bei Kälte von über 20 Grad ging es zurück ins Lager. Es waren nur einige hundert Meter. Aber wenn es den Posten Spaß machte in ihren Lammfellmänteln, verlangten sie von uns „dawai, singen". Bei einem Grubenunglück wurden drei Mann von einem herabstürzenden Schieferklotz erdrückt. Sie wurden von russischen Ärzten seziert. Wie magere Stallhasen sahen sie aus. In Leinentücher gehüllt transportierte man sie auf Tragen aus zwei Stangen, die mit Kupferdrähten verbunden waren. Der Boden war hartgefroren. Man konnte sie nur wenig tief ins Erdreich eingraben. Ich holte etwas Gestrüpp und legte es dorthin, wo der Kopf lag. Als der dritte Mann ins Grab gelegt wurde, fiel es dem Posten ein, daß er für die Tücher, wenn er sie zurückbrächte, neue bekäme. Mich packte die Wut. Ich erklärte ihm, das seien Menschen, die bei der Arbeit umgekommen seien im sozialistischen Rußland. Er lachte. Die drei mußten ausgegraben und nackt beerdigt werden.

Oft kam es auch vor, daß im Bergwerk tödlich verunglückte Kriegsgefangene einfach auf eine Kipplore gelegt und auf einem Schieferberg ausgekippt wurden, danach kam weiter Schiefer drauf. Da sucht das Rote Kreuz heute noch vergebens. Auf dem deutschen Gefangenenfriedhof wurden Holzkreuze angebracht. Mit ihnen machte die Bevölkerung Feuer an. Grabsteine wurden entfernt. Nur Schiefersteine, mit Stacheldraht umwickelt und mit dem Namen, blieben eine Weile.

Die Russen verstanden es, die Menschen mit Arbeit auszubeuten. Obwohl immer die Rede davon war, daß kein Mensch durch den Menschen ausgebeutet wurde. Man feuerte die Brigadiere an, sie sollten aus uns mehr Leistung und höhere Norm herausholen. Es gab Geld, pro Tonne Kohle vier Rubel. Norm waren vier Tonnen pro Tag. Es gab vier Kilogramm Brot für eine Tagesleistung. Bis zu zwanzig Tonnen pro Tag wurden von einem Mann gefördert mit Hilfe der Technik. Am Monatsende wurden wir ausbezahlt. Das Lagergeld mit 324 Rubel wurde abgezogen, der Rest ausgehändigt. Es wurde eine

Kantine eingerichtet. Man hatte Kühe kaufen dürfen und sie geschlachtet. Eine Fleischbrühe kostete einen Rubel. Es gab zu kaufen für die, die gut angeschrieben waren. Brigadiere wurden Freigänger. Fußballspiele fanden statt vor dem Lager mit den Russen und Rumänen. Man fertigte einen drei Meter hohen Sowjetstern im Lager an, der nachts brannte. Transparente mit der Aufschrift: „Jede Tonne Kohle mehr ist ein Baustein für den kommenden Frieden, es lebe die herrliche Rote Armee, die uns befreit hat." Politische Offiziere der NKWD hielten Unterricht.

Es gab Antifaschisten unter uns. Man wurde vorsichtig in der Unterhaltung. Einmal wurde ich gefragt, was ich vom Sozialismus in Rußland halte. Ich antwortete: „Ich bin Kriegsgefangener." Er gab mir das Wort als russischer Offizier, daß mir keine Nachteile entstehen. Meine Antwort: In den ostzonalen Zeitungen steht, die deutschen Frauen hätten ihre Männer 1948 zu Hause. Das sei das Wort des in der Ostzone verantwortlichen Marschalls Sokolowsky. Jetzt sei Frühjahr 1949, und wir seien alle noch da." Wütend brach er den Unterricht ab.

Im Lager waren viele Handwerker tätig, unter anderem auch ein Konditor, aber nur für die Russen. Ein Kollege machte sehr schöne Dinge, aber er wurde nach Hause entlassen. Und so fragte man nach einem neuen Konditor. Ich meldete mich. Da ich aus der amerikanischen Zone war, durfte ich nicht Konditor sein. Man suchte und fand einen Antifaschisten aus einem anderen Lager. Aber auch der kam bald nach Hause. Und so befahl man mir, ich sollte es machen. Ich lehnte ab. Der Zeitpunkt war gekommen, daß ich in ein anderes Lager mußte.

Mit Lastwagen wurden etwa 100 Mann abtransportiert. Wir verließen Nowoschachtinsk und kamen nach Iswarino, das war bei Kaminsk. Es war ein einfaches Lager, aber es gab auch einen Schacht. Man lief 25 Meter unter dem Erdreich. Mit Seilwinden wurde die Kohle an Kipploren befördert. Auch Grubenpferde gab es unten. Leistung war nicht mehr gefragt. Mit einem Kameraden aus Schlesien wurde ich auf die Strecke gestellt. Es war einer von denen, denen man noch trauen konnte. Wir stellten uns beide krank und taten nur das Notwendigste, da kam der russische Steiger am Ende, um zu kontrollieren. Er fluchte. Wir kamen am Abend ins Lager zurück und wurden vom Arzt vernommen, weil wir angaben, krank zu sein. Der deutsche Arzt war brutal, aber die russische Ärztin ordnete Übertagearbeit an. Ich lernte einen Offizier der Luftwaffe kennen. Er bekam ein Angebot von den Russen, Minen vom Flugzeug aufs Meer zu verlegen. Das sollte er russische Kadetten lehren auf der Krim. Als Gegenleistung durften er und seine Familie sofort auf der Krim in ein eigenes Haus einziehen. Ich schlug ihm vor, abzulehnen, und er tat es.

Eines Tages mußte ich wieder auf die Baustelle, aber an einen Steinbrecher. Die Leistung war mager, kleine, kleine Steine nahm ich zur Hand. Plötzlich kamen Lastwagen mit ordentlich gekleideten Menschen. Als sie näherkamen, sah ich, daß sie aus meinem alten Lager Nowoschachtinsk waren. Sie wurden verladen nach Hause. Das war wieder einmal eine harte Niederlage für uns.

Im Lager herrschte miese Stimmung. Die Russen versuchten, mit Musik und Theatervorführungen uns aufzumuntern, aber es half nichts. Bei einer Behandlung der russischen Ärztin fragte ich einmal, was das für ein Lager sei. Ich sei am Ende meiner seelischen Kraft, ich hätte nichts verbrochen in Rußland, nur meine Pflicht getan, wie jeder russische Soldat auch. Meinen Angehörigen hätte ich durch Heimkehrer sagen lassen, wenn ich nicht bald nach Hause käme, würde ich lieber sterben, als noch länger leiden. Ein Leutnant von den Russen kam dazu. Ich fragte: „Wann kommen wir nach Hause?" Wenn er es nicht wüßte, dann sollte er Moskau anrufen, da sei die Zentrale für alles in Rußland. Darauf antwortete mir die russische Ärztin: „Bald, vielleicht in vierzehn Tagen." Und man merkte es im Lager, es wurde von der russischen Lagerleitung keine große Strenge mehr verlangt. Die Posten waren großzügig und freundlich. Die Haare durfte man sich wachsen lassen. Von einer Baustelle, wo von Deutschland Fertighäuser gebracht wurden, schlich ich einmal in ein Maisfeld und steckte mir ein paar Kolben unter die Jacke. Der Posten zog die Maschinenpistole und nahm mir die Kolben wieder ab. Meine Kameraden meinten, ich hätte mir die Heimkehr verdorben. Kameraden- und Privatdiebstahl werde in der UdSSR nicht bestraft, aber das sei Diebstahl am Volk. Die Sache ist im Sande verlaufen. Nachts vor dem Tor angekommen, hieß es: „Halt, alle Kleider ablegen!" In kleinen Trupps wurden wir ins Bad geführt. Es gab einen neuen blauen Arbeitsanzug, Holzschuhe und eine Watteweste. Wir mußten in die Baracke, um die Utensilien zu holen, die unser Eigentum waren, und antreten. Was hatten die Russen mit uns vor? Man rätselte: Geht es weiter nach Osten, vielleicht nach Sibirien? Deshalb also neue Klamotten! Als der Morgen anbrach, ging es Marschrichtung Bahnhof. Dort standen Güterwagen mit Stalinbildern und Girlanden geschmückt. Ein russischer Major sprach zu uns. Wir fahren nach Hause. Wir sollten mit der Unterschrift Stalin für die gute, humane Behandlung danken. Es sei schade für uns junge Menschen, aber wenn wir wieder die Waffen in die Hand nehmen, mit den Amerikanern zusammen, so würden sie uns weit nach dem Westen jagen und dort ins Meer werfen, dann gäbe es keine Heimkehr mehr. Er wischte sich die Tränen ab.

Es ging nach Westen. Neun Tage später waren wir in Frankfurt a. d. Oder. Am 27. September 1949 – am Geburtstag meines Vaters – stand ich an seinem Bett und sagte: „Guten Morgen, Vater."

Kapitulation: Fahnenniederlegung in der ostpreußischen Garnisonsstadt Allenstein

Hermann Schmidt

Von 1945 bis 1949 in russischer Kriegsgefangen-
schaft, u. a. bei Brjansk. Arbeit im Uranerzberg-
bau in Joachimsthal/Tschechoslowakei.

Kurz vor der Einschiffung in Libau wurden wir
von russischer Artillerie beschossen. Wir gingen
auf die Schiffe und fuhren nach Danzig.
Die Stimmung war sehr unterschiedlich. Es gab
bei uns sogenannte Durchhaltesoldaten, die mit
aller Gewalt den Krieg gewinnen wollten. Aber
die Masse – dazu gehörte ich – war davon überzeugt, daß es nicht mehr lange dauern konnte.
Wir kamen schließlich nach Danzig, wurden in
Züge verladen und in südwestlicher Richtung
nach Konitz gebracht. Wir konnten nicht mehr
weiterfahren, da die russische Front nähergerückt war. Es war ein Durchbruch, der bis zur
Ostsee ging. Wir marschierten in einem großen
wandernden Kessel den gleichen Weg wieder
zurück. In diesem Kessel, der einen Durchmesser von schätzungsweise dreißig Kilometer hatte,
standen sehr viele ostpreußische und westpreußi-
sche Flüchtlingstrecks.
Es gab zwei Fronten: eine Angriffsfront und eine
Abwehrfront, in der Mitte die Trecks. Wir zogen
bis in die Danziger Bucht. Da wurde der Kessel
getrennt. Wir blieben bei dem Danziger Teil.
Viele Zivilisten wurden dann noch auf Schiffe
verladen. Die hatten also noch die Möglichkeit,
auf die Halbinsel Hela zu kommen.
Bei der Gefangennahme war ich mit etwa dreißig
Leuten zusammen, die einige Tage vorher von
einem Heldenklau zusammengetrommelt worden waren. Heldenklau, das war die Gestalt eines
Obersten mit einem Ritterkreuz. Der hat eine
Art Alarmeinheit zusammengetrommelt, zu der
ich dann eben auch gehörte. Wir waren auf einem
Werksgelände hinter Danzig.
In großem Halbkreis hatten wir uns eingegraben
und warteten. Was wir nicht wußten war, daß
der Russe an dem Tage schon rechts und links
von uns durchgebrochen war und die Front hinter uns bereits aufgerollt hatte. Wir wollten verteidigen, aber dann überraschte er uns rück-
wärts. Wir bemerkten das zunächst nicht, erst als
wir Geschrei hinter uns hörten. Ein russischer
Leutnant kam auf mich zugelaufen, seine Maschinenpistole im Anschlag. Ich sprang auf und

Der Kriegsgefangene Hellmuth Richter, von 1945 bis
1946 in russischer Gefangenschaft, zeichnete im Lazarett auf Zigarettenpapier seine Mithäftlinge. Unten
eine Untersuchung durch die russische Lagerärztin.

wollte zurückweichen, bin aber mit dem Stiefel in einem Feldbahngleis hängengeblieben, auf den Rücken gefallen und liegengeblieben. Der Russe stand über mir mit seiner Maschinenpistole. Ich hatte meine Pistole in der Hand, geladen und entsichert. Ich hätte nur abzudrücken brauchen. Er auch. Wir haben uns nur angesehen, nicht geschossen. Er war gleichaltrig mit mir. Das war an meinem einundzwanzigsten Geburtstag. Er trat mit dem Stiefel gegen meine Hand, die Pistole flog in hohem Bogen weg. Es löste sich ein Schuß. Mit dem Stiefel trat er gegen mein Gesicht. Ich habe dabei einen Schneidezahn verloren. Dann war ich Gefangener.

Meine Kameraden, die noch am Leben waren, wurden zusammengetrommelt. Wir haben dann die ersten zwei, drei Tage in einem Bahnwärterhäuschen im Keller verbracht.

Ich kam dann runter nach Deutsch-Eylau in ein großes Gefangenenlager. Das war ein Sammellager, wo die Kapitulationstruppen später eintrafen. In diesem Lager wurden alle Soldaten aller Wehrmachtsverbände versammelt. Es waren etwa fünfzigtausend Mann.

Wir wurden in Hundertschaften eingeteilt, in fünf Unterabschnitte zu je zehntausend Mann. Wir bekamen Brot, in das Kartoffeln und Sägespäne eingebacken waren. Ich erinnere mich an einen eigenartigen Befehl des russischen Lagerkommandanten. Er befahl, daß sämtliche Soldaten in dem Lager ihre Orden und Ehrenzeichen sowie ihre Dienstgradzeichen anzulegen hatten. Warum, weiß ich nicht.

Ich kann mir nur vorstellen, daß man da vielleicht schon vorsortiert hat. Meine Kameraden und ich haben den Befehl nicht befolgt. Es war ein makabrer Anblick, wie die Leute da mit ihrem Klempnerladen und ihrem Lametta in dem Lager rumliefen und sich auch noch mit ihren Heldentaten brüsteten.

Dann kamen wir mit einem Transport nach Rußland, in ein Waldlager. Dort war ich von September bis Dezember 1945. Die erste Zeit war erträglich, weil wir da die Verpflegung noch durch Beeren und Pilze aufbessern konnten. Es wurde schlagartig anders, als der Winter einbrach, und wir nur noch auf die Verpflegung angewiesen waren, die mit dem Lastkraftwagen herangeschafft werden konnte. Das Lager war in der Nähe von Brjansk.

Wir lebten in Finnenzelten. Das sind runde Holzbaracken, die nach oben spitz zulaufen. Sie sind nicht besonders isoliert. Im Winter war es kein Vergnügen, darin zu schlafen. Es wurden Pritschen hineingebaut. Wir waren etwa dreißig Mann in einem Finnenzelt. In der Mitte stand eine zu einem Ofen umgebaute Benzintonne. Der Heilige Abend 1945 war ein absoluter Tiefpunkt meiner Gefangenschaft. Wir waren müde und hungrig. Es war das eingetroffen, was wir

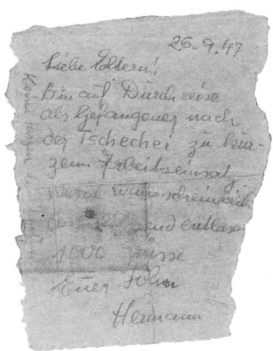

Diese Nachricht auf einem Fetzen Packpapier erreichte ihr Ziel.

schon befürchtet hatten: Der Verpflegungslastwagen war unterwegs steckengeblieben. Wir lagen deprimiert auf unseren Pritschen. Einer von unseren Leuten fing an „Stille Nacht, heilige Nacht" zu singen. Im ersten Moment war alles ganz ruhig. Es rührte sich keiner. Und dann flogen Holzscheite, Kochgeschirr und Stiefel in seine Richtung. Er hörte sofort auf. Es war ein ziemliches Geschrei hinterher, bis sich dann alles wieder beruhigt hatte. Man muß sich die Situation vorstellen. Wir lagen auf den Pritschen. Wir hatten Kienspäne angezündet, das sind harzige Holzstückchen, und die flackerten an den Wänden. Ich glaube, ich war sicherlich nicht der einzige, der an dem Abend heimlich in seine Decke hineingeweint hat.

Am nächsten Tag kam ich dann glücklicherweise ins Hauptlager zurück, weil ich einen Malariaanfall bekam. Ich kam in eine Baracke, die mit Halbtoten und Schwerkranken belegt war. Platzmangel gab es nicht. Jeden Morgen wurden zwei, drei Plätze frei. Die Leute, die nachts gestorben waren, wurden rausgeschafft. In den ersten Tagen hat sich ein Kamerad neben mir sehr rührend um mich bemüht, der hatte beide Arme gebrochen und half mir, so gut es ging, hat mir

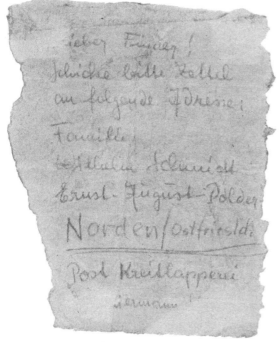

Die Vorderseite war für den Finder, die Rückseite für die Eltern bestimmt.

ein bißchen Tee eingeflößt, hat dafür gesorgt, daß ich meine Verpflegung bekam. Der ist mit mir zur Toilette gegangen, soweit es ihm möglich war.

Das schlimmste Verbrechen, das man sich in der Gefangenschaft vorstellen konnte, ist Kameradendiebstahl. Ich habe das an einem Abend erlebt. Ich lag auf einer der oberen Pritschen. Von unserem Barackenältesten wurde ein Diebstahl gemeldet. Jemand hatte versucht, einem anderen das Brot zu stehlen. Der Dieb, der dabei ertappt worden war, wurde vor versammelter Mannschaft zur Rechenschaft gezogen. Man muß sich das vorstellen: die Emotionen, die sich aufgestaut hatten, die Spannung, die zwischen den Landsern herrschte, all das machte sich Luft. Sie

haben losgebrüllt. Einige haben sich auf den Mann gestürzt und ihn geschlagen. Das kann man sich nicht vorstellen. Wochenlang lief der noch schwerverletzt herum.

Man hat versucht, uns politisch umzuerziehen. Es gab Leute bei uns, die sicherlich aus innerster Überzeugung Antifaschisten waren. Ein sehr großer Teil jedoch, die sogenannten Kascha-Antifaschisten, die für die Russen arbeiteten, waren eher Spione und Spitzel als politisch überzeugte Leute. Wir haben sie gemieden. Wenn ich wir sage, dann meine ich damit die Masse der Gefangenen in unserem Lager.

Im Sommer 1947 wurde aus unserem Lager eine ganze Reihe von Leuten herausgeholt, die körperlich noch einigermaßen in guter Verfassung waren. Dazu gehörte auch ich. Die wildesten Gerüchte gingen um. Einmal hieß es, es geht irgendwohin zur Arbeit, ein andermal, es geht nach Hause. Wir wußten nicht, was stimmte. Aus unserem Lager wurden ungefähr dreihundert Mann zusammengestellt. Wir kamen zum Bahnhof. Da waren bereits viele Leute aus den umliegenden Lagern. Das war, wie sich dann herausstellte, ein Propagandatransport. Die Russen hatten bis dahin nur Kranke und Alte entlassen. Wir waren die ersten, die als Gesunde zurückkehren sollten.

Uns kam es zwar unwahrscheinlich vor, aber alle Tatsachen sprachen dafür, daß wir nach Hause fuhren. Unser Transport wurde weder bewacht, noch war unsere Bewegungsfreiheit eingeschränkt. Wir bekamen sogar neue Kleidung und ausreichende Verpflegung. Wir sind frei durch Rußland gefahren, durch Polen, in Richtung Westen. Für uns gab es ja nichts anderes, als eben nach Hause zu kommen.

In Frankfurt an der Oder nahm uns eine Kompanie schwerbewaffneter Rotarmisten in Empfang. Sie haben unseren Zug umstellt und uns in die Waggons gejagt. Dann wurden diese rundherum zugenagelt und mit Stacheldraht versehen. Die Posten stellten sich vor jeden Waggon. Wir fuhren dann in Richtung Südwesten weiter. Wir hatten das Gefühl, daß wir immer weiter nach Deutschland reinfuhren, ohne zu wissen, wo es eigentlich wirklich hinging. Dann sickerten die ersten Parolen durch. Wir wußten, daß wir in Richtung Sachsen fuhren und vermuteten, daß wir da zum Arbeitseinsatz kamen. Ich habe einen

Dresden 29.9.47

Hierdurch teile ich Ihnen mit
daß ich Ihren Sohn am 26.9. auf
der Fahrt nach der Tschechei getroffen
habe. Ziel seines Transportes wahrscheinlich Joachimstal.

Das stimmt nicht

Anbei 1 Zettel Ihres Sohnes.

Das Begleitschreiben des Finders, der anonym bleiben wollte. – Hermann Schmidt nach der Heimkehr

Zementsack, der mir als Schlafunterlage diente, zerrissen und kleine Zettel beschriftet. Eine dieser Nachrichten ist bei meinen Eltern angekommen.

Ich habe in dem Zug ein Gefühl der grenzenlosen Verlassenheit gehabt. Wir glaubten doch alle – als wir aus Rußland kamen –, daß wir entlassen würden. Jetzt war diese Hoffnung wie eine Seifenblase zerplatzt. Wir waren weiter Gefangene und standen vor einem ungewissen Schicksal. Die Verzweiflung war bei uns entsprechend groß. Im ersten Waggon hinter der Lokomotive kamen die Gefangenen auf die Idee, Fußbodenbretter zu lösen. Einer nach dem anderen hat sich aus dem fahrenden Zug durchrutschen lassen. Das war bei Bad Schandau im Elbsandsteingebirge. Neun Mann sind gut herausgekommen. Dem zehnten wurde ein Bein abgefahren. Wir wurden in Joachimsthal in der Tschechoslowakei ausgeladen. Ich habe in einem Uranbergwerk unter Tage gearbeitet. Die Arbeit war schwer und ungewohnt. Die meisten waren das erstemal in einem Bergwerk. Wir sind mit offenem Grubenlicht eingefahren. Wir hatten keine Schutzbekleidung, keine Helme.

Unsere Tätigkeit bestand darin, Strecken voranzutreiben, um an die Uranerzadern zu kommen. Uranpechblende wurde für den Russen gefördert. Die Schachtanlage stand unter russischer Oberhoheit. Wir hatten einen russischen Instruktor und tschechische Wachmannschaften in unserem Lager. Die Steiger im Schacht waren zum Teil Tschechen, zum Teil Russen. Die tschechische Staatspolizei SNB hat uns auch im Lager bewacht.

Die Verpflegung war im Jahr 1947 sehr schlecht, wurde 1948 besser.

Bis 1945 waren die Gruben von den Deutschen ausgebeutet worden. Bei der Kapitulation wurden alle Schachtpläne und alle technischen Anlagen zerstört und vernichtet. Unter den Gefangenen waren Leute, die halfen, diese Gruben wieder betriebsbereit zu machen.

Die Entlassung wurde uns von Stalin für 1948 versprochen. Es hieß damals: „Bis zum 31. Dezember 1948 gibt es keine Kriegsgefangenen mehr. Bis dahin werdet ihr alle entlassen.“ Dann kam der 1. Januar 1949, und wir waren immer noch da. Von diesem Tag an resignierten wir. Es gab damals viele Verzweiflungstaten. Ich kann mich an einen Kameraden erinnern, der vor Ort die Löcher besetzen und zünden mußte. Anstatt wegzulaufen, rannte er zurück in die Sprengung. Er ist umgekommen. Fluchtversuche waren an der Tagesordnung. Sie scheiterten meistens.

Im September 1949 gab es Möglichkeiten, aus dem Lager freizukommen. Die eine war, sich in der gleichen Grube, wo wir bisher gearbeitet hatten, als sogenannte freie Arbeiter zu verpflichten. Die andere Möglichkeit war, sich bei der SAG Wismuth in der Ostzone für zwei Jahre zu verpflichten.

Ich habe einen Zweijahresvertrag unterschrieben und kam nach Johanngeorgenstadt im Erzgebirge. Von da aus ging ich in den Westen.

In Westberlin kam ich mit einigen meiner Kame-

138

raden ohne einen Pfennig Geld an. Wir wurden registriert und kamen in ein Lager. Man kümmerte sich eine Woche lang nicht um uns. Wir wußten nicht, was wir anfangen sollten, auf welche Weise wir in den Westen zu unseren Angehörigen kommen sollten. Die Luftbrücke war damals kurz vorher abgebrochen worden. Ein Freund von mir schrieb seinem Bruder, er solle ihm Geld schicken. Mit dem sind wir dann rüber in den Westen geflogen. Wir kamen schließlich in Friedland an, bekamen vierzig Mark und wurden eingekleidet. Wir glaubten, in einer anderen Welt zu sein. Wir wurden von allen betreut, vom Roten Kreuz und den verschiedensten Organisationen. Wir konnten uns Dinge kaufen, an die wir vorher nie gedacht hatten.

Wie es weitergehen sollte, hatte ich mir noch nicht genau überlegt. Wir mußten erst einmal mit dem Gedanken fertig werden, daß wir frei herumlaufen konnten. Ich habe noch sehr lange das Gefühl gehabt, irgendwo muß ein Posten sein. Ich habe mich nach der Gefangenschaft oft umgedreht und nach meinem Bewacher gesehen. Ich war dann immer erstaunt darüber, daß ich frei war, daß mich keiner verfolgte.

Während der Gefangenschaft haben wir immer gewünscht, uns einmal richtig sattessen zu können, und zwar Brot zu nehmen, reinzubeißen und zu essen, bis wir nicht mehr konnten. Dieser Wunsch wurde uns in Friedland erfüllt. Ich war erstaunt darüber, daß das überhaupt möglich war. In Rußland haben wir nur davon geträumt und Rezepte ausgetauscht. Wir haben in Gedanken die tollsten Sachen gekocht und uns versprochen, gegenseitig zu besuchen. Das waren Dinge, über die man eben dachte und redete, während wir in der Freiheit dann doch ganz anders reagierten.

Der Arbeitsvertrag mit der AG Wismut trägt eine russische Unterschrift.

4. Die Aushändigung von zusätzlichen Lebensmittelkarten von 1—4 an die Untertagearbeiter und technisches Personal, aufgeführt unter Gruppe 1 und 2, erfolgt auf Grund der ausgeführten Tätigkeit und Übererfüllung des Monatssolls.

Die zusätzlichen Lebensmittelkarten enthalten folgende Lebensmittel:

	Gruppe I	Gruppe II
Mehl (Nährmittel)	3,0 kg	1,5 kg
Fleisch	0,5 kg	0,25 kg
Fett	0,25 kg	0,15 kg
Zucker	0,3 kg	0,15 kg
Zigaretten	150 Stck.	100 Stck.
Schnaps	1,0 Ltr.	0,5 Ltr.
Seife	100 g	50 g

Der Arbeitnehmer _Hermann Schmidt_ verpflichtet sich:

    I. In der S.A.G. „WISMUT" nicht weniger als 2 Jahre durchzuarbeiten.
    (Nach Ablauf dieser Frist des Vertrages steht dem Arbeiter das Recht zu, seine Kündigung einzureichen.)
    II. Die Betriebsdisziplin und Ordnung zu beachten!

        Diesen Arbeitsvertrag unterzeichnet:

    1. Vertreter der S.A.G. „WISMUT":
    2. Der Arbeitnehmer:

Heinz Dost

Von 1945 bis 1947 zunächst in tschechischer, dann in russischer Kriegsgefangenschaft in Brünn, Focşani und Stalingrad.

Als Funkmeister der 1. Panzerkorps-Nachrichtenabteilung 457 geriet ich am 8. Mai 1945 in tschechische Gefangenschaft. Ort der Gefangennahme: Melnik bei Prag. Mit mir geriet mein Mechaniker in Gefangenschaft. Wir wurden von tschechischen Partisanen, die sich in der Nacht mit weggeworfenen deutschen Waffen wiederbewaffnet hatten, gefangengenommen und nach kurzer Durchsuchung zur Erschießung an die Wand gestellt. Auf Befehl des Partisanenführers wurden die Gewehre durchgeladen. Man befahl uns, den Kopf etwas zu senken. Dann wurde von der Vollstreckung abgesehen. Es näherten sich auf der Straße Leute, deren Sprache wir nicht verstanden. Wir konnten aber so viel verstehen, daß es sich um ehemalige russische Kriegsgefangene handelte. Diese russischen Kriegsgefangenen hatten sich ebenfalls mit deutschen Waffen bewaffnet und wurden von den Tschechen aufgefordert, uns zu dem naheliegenden Gut zu bringen, das etwa 100 bis 150 Meter entfernt lag. Inzwischen waren auch weitere deutsche Kriegsgefangene erschienen, Offiziere, Wehrmachtsbeamte, Zivilbedienstete der deutschen Wehrmacht mit ihren Frauen und Kindern. Dazu kam die tschechische Bevölkerung. Der Kommandoführer der tschechischen Partisanen hetzte jetzt die Bevölkerung auf uns mit dem Ausruf: „Hier kommen die, die eure Frauen und Mädchen vergewaltigt haben."
Daraufhin schlugen die Tschechen mit Knüppeln und Steinen auf dieses Häuflein Kriegsgefangener ein. Viele wurden verletzt. Als wir das Gehöft erreicht hatten, wurden wir nach Geschlechtern getrennt. Wir Männer mußten den Oberkörper freimachen. Es wurde kontrolliert, ob wir die SS-Tätowierung auf dem Oberarm hatten. Einige meiner Mitgefangenen hatten diese Tätowierung und wurden kurzerhand unter einem ehemaligen Pferdeschleppdach von den Tschechen erschossen.
Die Empörung war groß. Ein deutscher Leutnant erhob Protest und berief sich auf die Statuten der Genfer Konvention. Er wurde von den

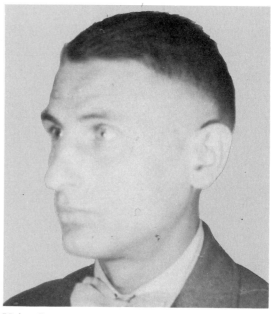

Heinz Dost 1948

Tschechen ausgelacht. Ihm wurde befohlen, sich an die Spitze des inzwischen aufgestellten Gefangenenzuges zu stellen.
Am 9. Mai 1945 kämpften noch Teile der SS. Man hörte in der Ferne Gewehrfeuer und Granatwerfereinschläge.
Mit den Erschießungen hatte man inzwischen aufgehört, aber den Leuten, die der SS angehörten, befohlen, sich zu dem Leutnant an der Spitze des Gefangenenzuges zu stellen.
Gegen Mittag wurde der Zug Gefangener in Richtung Prag in Marsch gesetzt. Ich war mit meinem Mechaniker im letzten Drittel des Zuges. Immer mehr ehemalige russische Kriegsgefangene, die sich mit deutschen Waffen bewaffnet hatten, gingen neben uns her.
Als wir die Moldau erreicht hatten, wurden die SS-Leute und der Leutnant auf eine Fähre geführt. Sie wurde von russischen Kriegsgefangenen bedient. Als die Fähre etwa die Flußmitte erreicht hatte, setzte ein furchtbares MG-Feuer ein. Die Leute wurden beschossen. In Panik geratene Verwundete sprangen in die Moldau und ertranken. Die Fähre wurde dann wieder an unser Ufer gezogen. Der nächste Schub sollte auf die Fähre gehen. Frauen und Kinder, auch Soldaten, schrien und weigerten sich. Es waren Tote und Verwundete darauf. Erst als der Partisanenführer erklärte, daß weitere Erschießungen nicht stattfinden würden, überwanden sich die Men-

schen. Die Kinder schrien und klammerten sich an ihre Mütter und Väter.

Wir erreichten das andere Ufer und setzten unseren Marsch in Richtung Prag fort.

Gegen Abend wurden wir auf einer großen Wiese versammelt. Wir hofften, daß wir die Nacht hier verbringen würden. Wahllos wurden Menschen von tschechischen Zivilisten herausgeholt. Man befahl ihnen, sich hinzulegen. Sie wurden mit Maschinenpistolen, Gewehren und Pistolen erschossen.

Die Panik unter uns läßt sich kaum schildern. Mir wurden von Zivilisten die Stiefel ausgezogen. Ich hatte eine Lederkombination an, die riß man mir vom Körper, so daß ich nur in Unterbekleidung und barfuß dastand. Inzwischen waren große Lkws mit der Aufschrift NS-Volkswohlfahrt vorgefahren. Man trieb uns in diese Wagen. Es waren Lkws, die weder Fenster noch sonstige Belüftungsschlitze hatten. Dann wurden die Türen von außen verriegelt.

Die Wagen setzten sich in Bewegung. Dadurch kam etwas Luft in das Wageninnere.

In der Nacht hielten die Fahrzeuge kurz. Es wurden die Türen geöffnet. Ein Offizier, der neben mir gesessen hatte, hatte sich die Pulsadern aufgeschnitten und war verblutet. In dieser blutigen Masse hatte ich mich mit meinem ganzen Körper bewegt. Andere waren erstickt. Als dann das Fahrzeug sich wieder in Bewegung setzte und seinen Endstandort erreicht hatte – so gegen Morgen –, sahen wir, was sich drinnen alles abgespielt hatte. Einige Frauen waren tot, Kinder totgetrampelt. Man warf die Leichen einfach aus dem Wagen.

Der verbleibende Rest der Männer wurde nun endgültig von Frauen und Kindern getrennt. Wir wurden in ein Auffanglager gebracht. In diesem Lager standen auch einige Baracken, die besonders stark durch tschechische Lagerbedienstete bewacht wurden. In diesen Baracken befanden sich Angehörige der SS. Es gab weder zu essen noch zu trinken.

Gegen Mittag hörte man plötzlich eine furchtbare Detonation. Die schwerbewachte SS-Baracke war in die Luft geflogen. Es gab hier auch viele Verwundete unter der tschechischen Miliz. Die SS-Leute waren alle tot.

Danach wurden wir wieder in Marsch gesetzt, in Fünferreihen, Richtung Prag. In der Innenstadt von Prag sahen wir dann aus den Fenstern schwere MG's herausragen. Als wir den Wenzelsplatz erreicht hatten, setzte Gewehr- und Maschinengewehrfeuer. Wir liefen, so gut wir konnten. Wir stolperten über Gefallene. Die Geschosse schlugen links und rechts ein.

In einer Ziegelei außerhalb Prags wurden wir gesammelt. Dort sahen wir zum erstenmal russische Soldaten auf Panzern. Hier lernten wir auch die tschechische Bevölkerung von einer anderen Seite kennen. Frauen eilten mit Kannen Wasser herbei und gaben den deutschen Kriegsgefangenen zu trinken. Die russischen Soldaten riefen uns zu: „Woina kaputt!" (Der Krieg ist aus). „Skorra damoi." (Bald nach Hause).

Aber es gab auch Tschechen, die ihre Wut nochmals an den Deutschen ausließen, doch sie taten es nicht ungestraft. So ist mir noch in Erinnerung, daß ein Tscheche einer Frau, die einem deutschen Soldaten Wasser zu trinken gab, den Eimer aus der Hand schlug. Ein danebenstehender russischer Soldat zog seine MP hoch und erschoß den Tschechen vor unseren Augen.

Wir wurden dann in Marsch gesetzt – in Richtung Brünn. Wir sind von Melnik über Prag nach Brünn zu Fuß gegangen, 600 Kilometer! Nachts kampierten wir im Freien, ohne Essen und Trinken. Aus Gräben, die teilweise nicht gerade sauberes Wasser enthielten, tranken wir. Wir aßen Brennesseln oder was uns von der tschechischen Bevölkerung zugeworfen wurde.

Am Tage säumten ehemalige KZ-Häftlinge die Straßen und blickten jedem Gefangenen ins Gesicht. Sie suchten nach einstigen Peinigern.

Auf der Hälfte des Marsches wurden wir landsmannschaftlich eingeteilt, das heißt Gau Schleswig-Holstein, die Österreicher, die Rheinländer, die Schlesier usw.

Als wir die Hälfte unseres Marsches zurückgelegt hatten, wurden wir von Russen verpflegt. Der Flügelmann bekam einen Laib Brot und ein Paket Käse der Marke „Badejunge" (das war eine bekannte Käsemarke während bzw. vor dem Kriege).

Diese Ration erhielten wir täglich, bis wir Brünn erreicht hatten. In Brünn wurden uns die Haare kurzgeschoren. Wir waren ungefähr zehn Tage unterwegs. Braungebrannt von der Sonne, sahen wir aus wie Heilige: die weiße Glatze und das braune Gesicht. Russische Ärzte untersuchten uns und brachten mit Kopierstift am linken Unterarm einen, zwei oder drei Striche an.

Mein Mechaniker und ich bekamen zwei Striche. Da ich noch einen Tintenstift bei mir hatte, brachte ich mir selbst einen dritten Strich bei. Die Folge war, daß ich meinen Mechaniker kurz danach verlor. Er wurde vor mir in Richtung Rußland in Marsch gesetzt.

Ich wurde zwei Tage später durch Brünn geführt mit vielen anderen Kriegsgefangenen. Wir wurden auf einem Verladebahnhof von den Russen in Viehwaggons gejagt. 60 Mann = 1 Waggon. Es ging in Richtung Rußland. Wir kamen durch Ungarn, Rumänien bis Focşani. Dort wurden wir ausgeladen, da hier die europäische Spur endete, und wir auf russische Breitspur umgeladen werden mußten.

Wie wir hier durch ehemalige deutsche Soldaten behandelt wurden, die schon länger in Gefangenschaft waren und dem Russen sozusagen dienten, möchte ich gar nicht erwähnen.

Das Endziel war Stalingrad. Wir kamen in das Lager 7362/III; es diente als Arbeitslager für die Fabrik „Roter Oktober". Hier kamen wir in Quarantäne (eine Woche), das heißt, man nahm uns das ab, was wir noch an Habseligkeiten besessen hatten.

Ich wurde zufällig durch den russischen Lagerkommandanten als „Kommandir rotte" (Kompanieführer) von 150 deutschen Soldaten (Offiziere, Unteroffiziere und Mannschaftsdienstgrade) eingeteilt.

Wir bezogen eine Erdbaracke, das heißt, über die Erde war sie mit Holzbrettern abgedeckt. In dieser Baracke waren sogenannte Zwei-Kopfzimmer, die bezogen die Kp-Führer. Die Mannschaften lagen auf Holzpritschen, sechs Mann auf einer Pritsche. Man konnte sich nicht umdrehen, wann man wollte, nur auf Befehl. Es gab weder Stroh noch Decken.

„Simlanka" nannte der Russe diese Behausung, in der etwa 300 Soldaten lebten.

Bald ging es dann zu der etwa 1000 Meter entfernten Fabrik „Barrikade"/„Roter Oktober". Diese beiden Fabriken, die an der Wolga lagen, wurden unser Arbeitsgebiet. Wir begannen mit primitiven Werkzeugen wie Brechstangen, Pikkeln und Schaufeln mit den Aufräumungsarbeiten. Als Kp-Führer hatte ich freie Bewegungsmöglichkeiten innerhalb der beiden Fabriken.

Die Kp, die ich in drei Züge einteilte, war an verschiedenen Orten eingesetzt. Die Züge wurden von Zugführern geleitet. Ich versuchte, mir schnell etwas Russisch anzueignen und lernte aus Zeitungsfetzen der „Prawda" die kyrillischen Buchstaben. Bekannt ist, daß die deutschen Kriegsgefangenen nach russischen Normen arbeiten mußten. Diese Norm zu erfüllen, fiel uns sehr schwer, doch von der Erfüllung der Norm hing unsere Brotration am Abend ab. Gearbeitet wurde zehn Stunden; jede Stunde war eine Pause von fünf Minuten. Gegen Mittag gab es eine dünne Hirsebreisuppe. Das Brot wurde erst abends in der Baracke aufgeteilt. Einmal im Monat wurden alle Gefangenen in die Sauna geführt – zur Entlausung! Der Erfolg war, daß die Hälfte der Kleider, die man noch so besaß, vertauscht oder durch Kameraden gestohlen wurde.

Im Herbst 1945 hatte ich meine drei Züge in Spezialistenbrigaden aufgeteilt. Ich hatte eine Elektriker-, eine Schlosser-, eine Stukkateurbrigade und einen Zug Handlanger. Dazu kam noch eine Brigade Maurer. Der „Natschalnik" der Zentral-Elektro-Montage „Stalingrad" war Ingenieur, ein ehemaliger Offizier der russischen Armee. Er besaß noch ein Motorrad der Marke BMW. Dieser „Natschalnik" half mir, die Norm meiner Kompanie über das Soll hinaus zu erfüllen. Wenn ich mit der Brigade bei ihm erschien, fragte er mich: „Wieviel Norm willst du heute haben?" Ich sagte ihm: „300 Prozent!" – „Na gut", sagte er, „ich schreibe 350 Prozent". Diese Norm hätten wir nie erfüllen können. Er war ein guter Mensch und wußte wohl um unsere Leiden im Lager. Genauso ging es mir mit der Schlosserbrigade, die ja ebenfalls aus gelernten Schlossern zusammengesetzt war und bei den Russen hohes Ansehen genoß.

Ich arbeitete freiwillig in dieser Brigade als Batteriewart. Doch ich mußte mich auch wieder um meine anderen Leute kümmern, die es immer sehr schwer hatten, bei Aufräumungsarbeiten ihre Norm zu erfüllen. Es war im Frühjahr 1946, wir hatten tags zuvor unsere Norm mühsam erfüllt, aber der russische Meister gab ein „Sprawka", eine Bescheinigung, nur über 80 Prozent. Die Folge war, daß die halbe Kp nur die halbe Brotration bekam. Ich teilte dies dem russischen Arbeitskapitän im Lager mit, und der machte mir Mut, einen Streik durchzuführen.

Als am nächsten Morgen – es war sechs Uhr, der russische Maurermeister zu mir kam und mich fragte, warum meine Leute nicht arbeiteten, sagte ich ihm, daß ich die Arbeit so lange verweigern würde, bis ich für den gestrigen Tag eine Mindestnorm von 101 Prozent bescheinigt bekäme.

Die Baustelle war mit bewaffneten russischen Soldaten abgesichert. Diese Soldaten waren recht jung. Hin und wieder hatte ich ihnen Tabak, auch mal eine „Prawda" zum Zigarettendrehen zugesteckt. Es kam zwischen dem russischen Maurermeister und mir zu einem erregten Wortwechsel – ja sogar zu Tätlichkeiten. Meine Mitgefangenen hatten große Angst, daß die Sache nicht so enden würde, wie ich gehofft hatte. Als der russische Meister sah, daß er mit seinen Überredungskünsten bei mir nicht ankam, verließ er die Baustelle und holte den zuständigen Ingenieur, auch „Prarap" genannt. Auch er redete auf mich ein und versuchte, mich vom Streik abzuhalten. Meine Leute wurden immer unruhiger und beschimpften mich, so daß ich fast grob werden mußte, um sie bei der Stange zu halten.

Dann aber kam der Verpflegungswagen mit der dünnen Hirsesuppe vom Lager. Die Stimmung bei den Landsern wurde wieder besser. Bald darauf erschien ein Russe. Er drohte, daß er den Streik gewaltsam unterbrechen wolle. Er befahl den russischen Sicherheitsposten, auf mich zu schießen bzw. mich zu schlagen. Die russischen Posten weigerten sich jedoch, diesen Befehl auszuführen. Sie erklärten ihm, daß sie nur für die Bewachung der Kriegsgefangenen da seien, über den Arbeitseinsatz aber nichts zu entscheiden hätten, da dies allein dem deutschen Kp-Führer zustünde.

Der „Trust-Natschalnik" des 25. Trustes „Stalingrad" trat wieder auf mich zu und prophezeite, daß mir fünfundzwanzig Jahre Sibirien sicher seien. Er beschimpfte mich als Faschist und gebrauchte auch russische Schimpfworte, die ich ihm noch derber erwiderte. Der Russe war so entsetzt, daß er darüber verschwand und nie mehr gesehen ward.

Bald darauf erschien der Ingenieur und forderte mich zum letzten Mal auf, die Arbeit wieder aufzunehmen. Ich erwiderte, daß ich das tun würde, wenn ich für den vorhergehenden Tag eine volle Norm von 101 Prozent bescheinigt bekäme. Er solle mir die Bescheinigung sofort

geben. Dies schlug er mir ab und vertröstete mich auf den Abend.

Daraufhin setzten wir den Streik fort. Der Meister kam wieder dazu und redete mit dem Ingenieur. Dann sagte der Meister zu mir: „Komm her!" Er bescheinigte mir für den vorhergehenden Tag die Erfüllung von 101 Prozent Norm, auf abgewaschenem Zementpapier.

Der Meister erklärte mir noch, ich würde mich wundern, wenn ich heute abend meine Normenbescheinigung erhalten würde, die würde nur bei 30 oder 40 Prozent liegen. Meine Kp-Angehörigen sprangen vor Freude über das erreichte Ziel in die Luft. Das spornte natürlich ihren Arbeitseifer an. Am Abend maß ich mit dem Meister die erfüllte Norm aus, das heißt die Betonstücke oder den Granit, der aus den Fundamenten der ausgebombten Werkhallen gestemmt werden mußte. Die Norm setzte sich aus Zeit und Leistung zusammen. Jetzt kam es darauf an, den Russen zu überlisten. Ich erzählte ihm, daß wir in der verbliebenen Zeit über 100 Prozent erarbeitet hatten. Das begriff er nicht, denn er ging von der vollen Arbeitszeit aus. So gab es natürlich neuen Streit, aber zuletzt bescheinigte er mir aus Verzweiflung oder weil er fürchtete, daß ich am nächsten Tag wieder solch ein Theater machen würde, mit einer Normleistung von 102 Prozent die volle Stundenzahl. Nach Vorlage dieser Normenbescheinigung im Lager beim Arbeitskapitän bekamen wir die Brotration, die am Vortage gekürzt worden war, nachgereicht und die volle Ration für den bestreikten Tag.

Dies alles wäre nicht möglich gewesen, wenn der russische Lagerkapitän Terentjeff, der selbst kurze Zeit in deutscher Kriegsgefangenschaft gewesen war, nicht so viel Verständnis für uns Gefangene aufgebracht hätte.

Im Lager gab es an Sonntagen, an denen nicht gearbeitet wurde, und das Wetter gut war, Konzerte, Theateraufführungen und Fußballspiele, sogenannte Länderspiele: Deutsche gegen Rumänen, Ungarn, Italiener und Österreicher. Im Juni 1947 mußte ich zum Lagerkapitän kommen. Der teilte mir mit, daß ich meine Kp abgeben müsse und als Kommandierender des Erholungsheimes weiter tätig sein würde. Ich wußte gar nicht, was das heißen sollte. Meine neue Bezeichnung hieß: „Kommandirer komnata odecha" (Kommandierender des Zimmers der Erholung).

Ich erfuhr, daß mir die äußere Ruine des Lagers für die Errichtung des Erholungsheimes zur Verfügung stände. Aber im Lager gab es weder Zement, Holz oder Steine noch sonst irgend etwas, was zum Wiederaufbau einer Ruine hätte verwendet werden können.

Ich besprach das mit meinen alten Zugführern, und die schmuggelten das entsprechende Material in den nächsten Wochen ins Lager. Als Belohnung gab es einen Sonderschlag „Kascha", die mir der Lagerkapitän dafür bewilligt hatte.

Im Sommer 1947 war es dann soweit: Wir zogen in einen großen Saal ein. Die Erholungsgefangenen bekamen neue Reichsarbeitsdienströcke, weiße Seemannshosen, italienische Krätzchen (Kopfbedeckung), neue Schuhe und eine weiße Halsbinde, wie sie bei der ehemaligen deutschen Wehrmacht getragen wurde. Das Zimmer wurde jeweils mit einem Prozent der besten Arbeiter belegt, die sich vier Wochen ohne Arbeitseinsatz hier aufhalten durften, „Kranke" durften jedoch nicht hinein.

Über den Wirtschaftsoffizier erreichte ich, daß die Bewohner des Erholungsheimes Sonderrationen bekamen, eine Sonderverpflegung, von der wir sonst nur träumen konnten: Gebackene Fischbuletten, Weißbrot, Kaffee und auch Zukker, alles Rationen, wie wir sie in den eineinhalb Jahren unserer Gefangenschaft nicht zu Gesicht bekommen hatten.

Zucker – einen Löffel pro Woche – z. B. bekamen nur Offiziere, die inzwischen aus den Mannschaftskompanien herausgezogen worden waren und eigene Arbeitsbrigaden stellten.

Dieser Raum wurde mit Ölgemälden geschmückt, die im Lager gemalt worden waren. Weiße Bettlaken dienten als Gardinen. Dazu wurden extra gedrechselte Holzrosetten angefertigt! Jeder Mann hatte ein Einzelbett mit Matratze und sauberer Bettwäsche. An der Frontwand prangte ein übergroßes Stalinbild (allerdings ein Druck, da es uns verboten war, Stalin zu malen).

Ich gehörte weder dem Komitee „Freies Deutschland" noch der „Antifa" an. „Solange noch jeden Morgen zwei bis drei tote Landser am Lagertor liegen, kommt das für mich nicht in Frage!" war meine Antwort, wenn man mich darauf ansprach.

Die Knochengerüste waren vorher seziert worden. Dann schloß man die Körper mit Kupferdraht. Seziert wurden die Leichen durch eine russische Ärztin älteren Jahrgangs, die auch die vierteljährlichen Untersuchungen durchführte. Man mußte dabei nackt an ihr vorbeigehen, und sie kniff einen in das Hinterteil. Auf einen Zettel schrieb sie die jeweilige Kategorie: Die Arbeitsfähigkeit 1, 2, 3, OK oder Dystrophie. Dystrophiker waren wandelnde Leichname, OK-Leute waren die, die noch ein wenig Fleisch unter der Haut hatten. Nr. 3 waren Leute, die innerhalb des Lagers beschäftigt wurden.

Für uns alle überraschend wurde das Lager aufgelöst. Ich kam in das Lager „Traktorenwerk Stalingrad".

Hier hatte mich Kapitän Terentjeff als Zugführer empfohlen. Ich lehnte jedoch eine Zugführertätigkeit ab und ging als Automatendreher ins Traktorenwerk, um an der „Wiedergutmachung" aktiv mitzuarbeiten.

Wir Kriegsgefangenen arbeiteten nur in der Nachtschicht. Inzwischen war es Herbst geworden, die Fabrikhallen waren zugig und kalt. Im Lager kam neue Unruhe auf. Die Russen in Zusammenarbeit mit der deutschen Antifa sprachen wahllos Verurteilungen von Mitgefangenen zu fünfundzwanzig Jahren Zwangsarbeit in Sibirien wegen angeblicher Eigentumsdelikte, begangen am russischen Staat (kleinere Diebstähle von Materialien) aus.

Das gab mir den Rest. Ich trat in einen – stillen – Hungerstreik. Alle Nahrungsmittel, die ich bekam, verschenkte ich an meine Kameraden. Ich bekam Wasser in den Beinen, sie schwollen an. In diese Schwellungen stach ich mit Kupferdraht, der voll Grünspan war. Die Folge war eine schwere Entzündung. Für mich gab es nur noch ein Ziel: Entweder nach Hause oder hinter den Stacheldraht, das heißt sterben und irgendwo verscharrt werden. Mitte November war ich körperlich so herunter, daß ich Dystrophie hatte und ins Kriegsgefangenenlazarett in Stalingrad eingeliefert wurde.

Hier hatte man meine Selbstverstümmelung erkannt. Die deutschen Ärzte wurden auch von russischen Kollegen überwacht. Man versuchte, mich schnell wieder loszuwerden.

Ich bekam Weißbrot, Reis- und Hirsebrei mit Sonnenblumenöl. Darauf bekam ich Durchfall, so daß ich nicht an Gewicht zunahm.

Anfang Dezember kam eine russische Ärzte-kommission ins Lazarett. Alle Dystrophiker, die noch einigermaßen laufen konnten, wurden zu einem Transport zusammengestellt. Dem Ge-spräch der Russen entnahm ich, daß man mich noch zurückstellen wollte, da ich für einen Transport zu schwach sei. Von nun an begann ich, wieder Nahrung zu mir zu nehmen, und erholte mich.

Am 15. Dezember 1947 wurden wir Landser aus den Baracken, in die man uns inzwischen schon wieder verlegt hatte, herausgeholt, auf Lkws ver-laden und zu einem Bahnhof gebracht. Die Fahrt dauerte fast die ganze Nacht. Dort wurden wir ausgeladen und in Viehwaggons gebracht, Wag-gons mit tadellosen Pritschen und Stroh, pro Waggon maximal sechzehn Mann. Ich war so schwach, daß ich hineingehoben werden mußte. Als ich am nächsten Tag zum Essenholen einge-teilt wurde, sah mich zufällig der frühere Wirt-schaftsoffizier des Lagers 7362/III, aus dem ich damals ins Traktorenwerk Stalingrad verlegt worden war. Keiner von uns Gefangenen wußte, wohin uns dieser Zug bringen würde. („Du kommst jetzt nach Hause.") Gleichzeitig nahm er eine weiße Armbinde aus seiner Tasche und zog sie mir über den Arm. Darauf stand: „Komman-dir djelesni daruga" (Kommandierender des Ei-senbahntransportes). Schon hatte ich wieder ei-nen Posten, dem ich aber keineswegs gewachsen war. Ich war zu schwach auf den Beinen und sagte ihm das auch. Ich konnte keine Nahrung bei mir behalten oder aus eigener Kraft einen Waggon besteigen. Er erkannte zwar meinen Zustand, wollte es aber nicht wahrhaben und beharrte auf seiner Anordnung, für diesen Eisen-bahntransport die Verantwortung zu überneh-men.

Ich schleppte mich in meinen Waggon. Dem nächsten russischen Posten, der dort vorbeikam, gab ich die Armbinde und bat ihn, diese dem russischen Offizier zurückzugeben.

Kurz darauf erschien der Wirtschaftsoffizier bei mir, holte mich mit Hilfe der russischen Posten aus dem Waggon heraus und brachte mich in seinen Waggon, der ebenfalls nur mit Stroh aus-gefüllt war. Im Schein einer Petroleumfunzel sah ich, daß ein noch höherer russischer Offizier an einem Tisch saß und eine Flasche Wodka vor sich hatte. Diesem Offizier erzählte der Wirtschafts-

Dieses Foto trug Heinz Dost während der Zeit seiner Kriegsgefangenschaft bei sich. Es zeigt seine Mutter. Die Heil- und Pflegeanstalt Hadamar hatte ihm 1941 mitgeteilt, daß seine Mutter in der Anstalt verstorben sei. 1963 erfuhr Heinz Dost die Wahrheit. Der Gene-ralstaatsanwalt in Frankfurt schrieb: „Aufgrund der hiesigen Erkenntnisse besteht kein Zweifel, daß Ihre Frau Mutter ein Opfer der in den Jahren ab 1939 durchgeführten Tötungsaktion gegen Heilanstaltsin-sassen geworden ist. Die Todesbenachrichtigung vom 18. 6. 1941 ist von einem der damaligen Beamten der Tötungsanstalt mit falschem Namen unterzeichnet."

offizier, daß ich früher einmal mit ihm in einem Lager gewesen sei. Ich sei so krank, daß es besser wäre, wenn ich hier in seinem Waggon bleiben könnte. Ich bekam während der Zeit, die wir auf der Bahn waren, nur luftgetrocknetes Schwarz-brot zu essen. Das brachte mir meine Gedärme wieder in Ordnung. In Frankfurt a. d. Oder gab mir der Wirtschaftsoffizier meinen russischen Entlassungsausweis, ging mit mir durch die ei-gens für russische Offiziere eingerichtete Sperre und sagte: „Idi damoi, Geinz" – Geh nach Hau-se, Heinz.

Georg Bach

Von 1945 bis 1948 in tschechoslowakischer Kriegsgefangenschaft, in Valdice und Joachimsthal. 1948 Flucht.

Meine Division gehörte zur Schörner-Armee. Als die Russen nach Oberschlesien hereinstießen, wurden wir per Bahn aus Ungarn dorthin beordert. Weil kein Benzin mehr da war, mußte ein Teil unserer Panzer gesprengt werden. Es war im Frühjahr 1945. Der Vormarsch der Russen konnte gestoppt werden. Eines Nachts kam ein siebzehnjähriges Mädchen in unsere Stellung. Sie war von fünf Russen vergewaltigt worden. Bei einem russischen Panzerangriff vernichtete dieses Mädchen im Nahkampf drei Panzer. Sie zog mit unserer Division zurück.

An der Neiße bei Görlitz wurde eine Riegelstellung ausgebaut. Sie sollte verhindern, daß die Russen weiter vorstoßen konnten. Sie stand unter dem Kommando eines Obersten. Meine Division lag bei Pardbitz in der Tschechoslowakei. Die Russen griffen bei Görlitz an, der dortige Kommandant kapitulierte, und die Russen konnten ungehindert nach Sachsen und noch weiter vorstoßen. Gefahr bestand dadurch für Millionen von Flüchtlingen, denn die Tschechoslowakei wurde doch auch von vielen deutschen Frauen und Kindern als eine Art Luftschutzkeller benutzt.

Meine Division wurde sofort in Marsch gesetzt, damit sie den Vormarsch der Russen stoppte. Bei der Schlacht am Zobten konnten wir die Russen etwa 40 Kilometer zurückschlagen. Wir machten 7000 Gefangene. Als die Gefangenen zurücktransportiert wurden, kamen die deutschen Frauen mit Beilen und Schlagwerkzeugen heraus und wollten die Russen erschlagen. In einer Ortschaft gab es nicht eine Frau zwischen sieben und siebzig Jahren, die nicht vergewaltigt worden war. Wir mußten die Russen vor den empörten Frauen schützen.

Wir kamen wieder in die Tschechoslowakei in die Nähe von Pardbitz. Wir hatten keine zusammenhängende Front, sondern bildeten Igelstellungen. Das war in der Nähe einer Luftwaffen-Nachrichtentruppe von neunzehn Mann, älteren Soldaten, die dort jahrelang einen gemütlichen Dienst gemacht hatten. Es war vergessen wor-

den, sie rechtzeitig zurückzuschicken, dadurch kamen sie in den Frontbereich. Eines Tages wurden wir um Hilfe gerufen, denn dieser Nachrichtentrupp wurde von etwa 300 Russen und Partisanen angegriffen. Das war im April 1945. Ich erhielt den Befehl, diese Kameraden zu entsetzen, und bekam hierzu einen verstärkten Zug, vierzig Soldaten und drei Unteroffiziere, dazu einen Funker, denn wir mußten ja etwa 30 Kilometer in bereits von Russen besetztes Gebiet vorstoßen. Dazu erhielten wir noch drei gepanzerte Transportwagen.

Wir drangen in die Ortschaft ein und machten dreißig Gefangene; die anderen Russen waren tot oder verwundet. Wo aber waren die neunzehn Deutschen? Ich erfuhr, daß diese 19 Soldaten nicht hatten kämpfen wollen. Sie hatten sich ergeben. Die Russen zogen sie nackt aus, banden ihnen die Hände auf den Rücken und schlugen ihnen die Schädel ein. Dann hatte man sie in eine Mistgrube geworfen und zugedeckt.

Jeder wußte, daß der Krieg verloren war. Aber da gab es noch etwas anderes: die ungeheuren Massen von Flüchtlingen. Besonders tragisch wurde es in der Tschechoslowakei. Lebend wurden die kleinen Kinder zu Hunderten in die Elbe geworfen oder erschlagen, junge Mädchen und Frauen wurden dutzendemal vergewaltigt oder ermordet. Schörners letzter Befehl lautete deshalb: Kämpft, solange ihr stehen könnt. Mit jeder Minute, die wir länger halten, retten wir Hunderte von deutschen Frauen und Kindern.

Ich war zum Schluß Führer einer Kampftruppe mit zum Teil ganz jungen Soldaten, und die waren bereit zu kämpfen. Durch eine Handgranate wurde ich verwundet. Ich war allein liegengeblieben, nur von Gefallenen umgeben. Ich konnte nicht mehr gehen.

Ein Wurstigkeitsgefühl kam über mich, denn mir war klar, daß die nächsten Tage mein Ende bringen würden. Lastwagen kamen, auf welche die Toten aufgeladen wurden. Als sie zu mir kamen, sahen sie, daß ich noch lebte. Mir wurde alles abgenommen. Ich wurde in ein Auto verladen und ins Gefängnis transportiert. Wie ich später feststellen konnte, war es das Stadtgefängnis in Valdice bei Jicin/Tschechoslowakei. Dort mußte ich mich ausziehen. Ich wurde nach SS-Zeichen untersucht, dann erhielt ich meine ersten Prügel. Zwei tschechische Wachmänner zogen ihre Gummiknüppel und schlugen mich bewußtlos. Anschließend kam ich in eine Gefängniszelle im Keller. Wir hatten eine Einmannzelle mit Betonboden. Decken gab es nicht. Im Laufe der nächsten Tage wurde der Raum mit noch weiteren sechs Mann belegt. Wir konnten nur aneinandergelehnt schlafen. Zu Essen gab es täglich einmal eine Tasse Wasser mit einem Löffel Graupen und 80 Gramm Kartoffelbrot.

In diesem Gefängnis waren auch Frauen: Krankenschwestern und Wehrmachtshelferinnen. Hauptsächlich nachts kamen die betrunkenen Russen und Tschechen und holten sich diese Frauen. Jede Nacht hörten wir ihr Schreien und Weinen. Auch wir waren nicht sicher. Nachts kamen sie, die Russen und Tschechen, betrunken in die Zellen und tobten sich bei uns aus. Wenn sie kamen, mußte jeder von uns aufstehen. Da ich nicht stehen konnte, erhielt ich Prügel. Ich mußte mit anderen zum Verhör, wobei ich mit dem Gesicht zur Wand stand. Wer sich umschaute, bekam den Gummiknüppel zu spüren. Ich brach zusammen, meine Verwundungen begannen zu eitern. Es nützte nichts: Auch wenn man mich prügelte, konnte ich nicht laufen. Ich sehe heute noch das Verbrechergesicht des Mannes vor mir, der auf mich einschlug, weil ich nicht mehr aufstehen konnte. Vor dem Richter wurde ich gefragt, wieviele Tschechen ich umgebracht habe. Ich antwortete: „Sie sehen an meinem Paß, daß ich fünf Jahre Soldat war, gegen Tschechen waren wir nicht im Krieg." Schon erhielt ich wieder Schläge.

Er wollte wieder wissen, wieviele Tschechen ich umgebracht habe. Nochmals antwortete ich, daß wir gegen Tschechen nicht im Krieg gewesen seien. Unter Schlägen wurden wir wieder in die Unterkunft gebracht. Täglich mußten wir im Gefängnishof im Kreis gehen. Wenigstens fünf Tschechen mit Maschinenpistolen bewachten uns dabei. Ich bin schon das erstemal zusammengebrochen. Nach mehreren Gummiknüppelschlägen sahen die Bewacher, daß ich einfach nicht gehen konnte.

Bald merkte ich, daß ich sehr krank wurde. Es war vielleicht August 1945, ich bekam die Hungerrose. Kopfhaut und Gesicht entzündeten sich. Ich kam in einen Raum, in dem bereits etwa 60 an Hungerrose erkrankte Soldaten lagen. Es stank furchtbar. Das einmal am Tage verteilte Essen wurde von tschechischen Bewachern nur vor die Türe gestellt. Wer noch laufen konnte, holte sich die Tassen, auch für die anderen Kameraden, die nicht mehr aufstehen konnten. Neben mir lag ein Kamerad, bei dem es dem Ende zuging. Ich brachte ihm ein paarmal sein Essen. Eines Morgens lag er tot neben mir. Ich meldete dies aber nicht sofort, sondern wartete bis nach dem Mittagessen; so konnte ich eine Tasse Suppe zusätzlich essen.

Nachmittags kamen die Tschechen mit einer Holzkiste und stopften den Toten hinein. Jeden Tag wiederholte sich dieser Vorgang ein paarmal. Ich verlor das Bewußtsein, ich weiß nicht wie lange. Nach vier oder sechs Tagen erwachte ich aus der Bewußtlosigkeit.

Das entzündete Gesicht wurde ganz schwarz, die Kopfhaut war von den vielen Schlägen aufgesprungen und ebenfalls von der Krankheit entzündet. Seit Monaten war man nicht gewaschen, Körperpflege war nicht möglich. Es war offensichtlich: Hier sollte keiner mehr herauskommen.

Nach ein paar Tagen kamen Zivilisten an mein Lager und sprachen miteinander, wahrscheinlich darüber, daß hier einer lag, der nicht krepieren wollte. Am Tage darauf wurde ich von einem tschechischen Soldaten auf einen Lastwagen gebracht und nach Jicin gefahren. Dort war ein russisches Gefangenenlager in einer Baracke innerhalb einer Kaserne. Mein Aussehen glich dem eines Pestkranken. Ich durfte nicht in das Lager, sondern mußte in einer Ecke auf dem Gang liegen. Die deutschen Gefangenen hatten Angst vor Ansteckung. In diesem Lager war ein deutscher Arzt, der die Kranken betreute. Er besuchte mich, untersuchte mich und stellte fest, daß ich sofort operiert werden mußte, wenn ich meinen Fuß behalten wollte. Die deutschen Kriegsgefangenen wurden von ihm darüber aufgeklärt, daß mein Aussehen die Folge der unmenschlichen Behandlung durch die Tschechen war. Ich kam daraufhin in den Krankenraum, und der Arzt sorgte dafür, daß ich besseres Essen bekam.

Als ich nach einigen Tagen etwas gekräftigt war, wurde ich zum erstenmal ohne Narkose operiert. Soviel ich weiß, waren mein Fuß und mein Körper festgebunden und vier Mann hielten mich außerdem noch. Dreimal mußte der Arzt diese Prozedur wiederholen. Daß ich dabei fürchterlich gebrüllt habe, daran kann ich mich heute noch erinnern.

Im Sommer 1946 wagte ich mich das erstemal hinaus auf Treppe. Ich war nur noch Haut und Knochen und konnte nur ein paar Schritte gehen, wenn ich mich an einer Mauer oder sonstwo festhalten konnte. Da sah mich eines Tages ein russischer Kommissar. Er fragte mich in Deutsch – die russischen Kommissare sprachen alle deutsch –, warum ich nur Haut habe und nicht Fleisch. Ich antwortete ihm, soviel Hunger, darum nur Haut. Er fragte mich, wo ich sei, und ich erklärte ihm, hier in diesem Haus. Anderntags kam er in unser Lager. Es waren nur die Kranken da. Er schrie: „Wo ist Kamerad, wo hat soviel Hunger?" Er sah mich liegen, und ich bekam von ihm ein richtiges Mittagessen mit Fleisch und Bohnen. Das brachte er mir eine Woche lang. Später habe ich ihn nicht mehr gesehen.

1947 war ich soweit, daß ich ohne Hilfe einige Schritte gehen konnte. Ich wurde zu leichter Arbeit eingeteilt und mußte in der Kaserne Kleider sortieren. Da in dieser Kaserne einstmals Deutsche gewesen waren, gab es dort deutsche Uniformen und Unterwäsche. Lederschuhe, Ledersohlen und Oberleder waren in Massen vorhanden. Ich wurde dort allein eingesperrt. Meine anderen Kameraden mußten beim Russen arbeiten: Kohlen abladen, Unterkünfte saubermachen. Als ich dieses Lager sah, brachte ich meine Läuse auf schnelle Art weg. Ich kleidete mich ganz neu mit Unterwäsche ein, und meine zerrissene, blutverschmierte Uniform tauschte ich ein gegen eine gebrauchte, aber saubere. Auch meine Kameraden habe ich mit neuer Unterwäsche versorgt. Da die Tschechen ebenfalls sehr schlecht gekleidet waren, bekamen sie meine Position rasch mit. Eines Tages rief in der Mittagszeit ein Tscheche: „Deutscher gib mir Leder raus, du bekommst heute abend dafür Essen." Ich reichte ihm durch das vergitterte Fenster Lederhäute, neue Schuhe, Pullover und neue Unterwäsche. Abends holte ich für uns einen Eimer Essen. Unsere Gefangenenkost wanderte ins Klo. Dieses Leben dauerte etwa drei Wochen. Eines Abends kamen mehrere Russen. Wir mußten packen. Ob wir nach Hause kämen, fragten wir. Die Russen meinten, es gäbe schöne Arbeit für uns. Wir fuhren eine ganze Nacht. Morgens mußten wir ungefähr zwei Stunden bergsteigen.

Wir kamen in ein Bergwerk. Wie sich herausstellte, war es das Uranbergwerk Joachimsthal. Gesundheitlich war ich nun so weit, daß ich mich mit Fluchtplänen befaßte. Auf dem Weg zum Bergwerk – wir waren etwa fünfzig Gefangene – gab es hierzu keine Möglichkeit, denn bei zehn Russen Bewachung, die ihre Maschinenpistolen vor uns durchgeladen hatten, bestand keine Chance. Zudem wußten wir auch gar nicht genau, wo wir uns befanden, erst im Laufe der nächsten Wochen konnten wir dies feststellen. Die Russen duldeten keine Freundschaften unter den Gefangenen. Sobald sie dies merkten, wurde man in anderen Baracken untergebracht. Die Arbeitszeit war hier wöchentlich 77 Stunden, acht Stunden in drei Schichten unter Tage und täglich drei Stunden über Tage, auch an Sonn- und Feiertagen. Ich wurde eingeteilt, in 1000 Meter Tiefe das Gestein, das sich durch Sprengung gelöst hatte, in Loren einzuladen. Vierzehn Loren mußten von zwei Mann täglich geladen werden.

Bei den Sprengungen wirbelte jedesmal eine große Staubwolke auf. Außerdem war die Hitze fast unerträglich. Als Aufseher hatten wir russische Kommissare. Da ich von meiner Krankheit noch schwer angeschlagen war, wußte ich, daß ich bei dieser Arbeit zugrunde gehen würde. Am zweiten Tag beobachtete mich ein Kommissar und sah, daß ich diese Arbeit noch nicht verrichten konnte. Er fragte mich, wie alt ich sei. Ich antwortete: „Fünfundvierzig Jahre." Darauf erklärte er: „Kamerad, ich habe andere Arbeit für dich. Das hier sollen Jüngere machen." Ich wurde darauf Bergwerkszimmerer und kam als Helfer zu einem kriegsgefangenen Zimmerer. Wenn alles abgesprengte Material abgeräumt war, mußten die Gänge gut abgestützt werden durch starke Bohlen. Da in drei Schichten gearbeitet wurde, war nicht so leicht zu kontrollieren, was in jeder Schicht getan wurde. Drei Stunden mußte man täglich über Tage arbeiten, da mußten die Gleise für die Loren gelegt und die Bohlen hinuntergefahren werden. Die Aufsicht bei diesen Arbeiten hatten Russen. Das Bergwerk war dreifach mit Stacheldraht eingezäunt in jeweils 50 Meter Entfernung. Auf drei Hochsitzen waren Russen mit Maschinengewehren postiert. Nachts war das Bergwerk hell beleuchtet. Also ein Ausbruch war fast unmöglich.

Ich prägte mir die Umgebung ein und suchte nach Schwachstellen in der Bewachung. Niemand ahnte etwas von meinen Plänen. Ich prägte mir täglich immer wieder die Landschaft ein. Manchmal fragte ich, welche deutschen Ortschaften hier wohl am nächsten lagen, und so machte ich mir im Geist eine Landkarte zurecht.

Als Bergwerkszimmerer, der ich nun war, mußte ich täglich in die Schlosserei gehen und die benötigten Haken und Klammern bestellen. Einmal sah ich ein Messer, und schon war es in meiner Tasche verschwunden. Natürlich konnte ich es nicht in meine Schlafbaracke mitnehmen. Immer wieder wurden die Schlafräume auf den Kopf gestellt, oder jeder mußte sich entkleiden, und die Russen suchten nach Papier und Bleistift. Es hatte immer unangenehme Folgen, wenn irgend etwas gefunden wurde. Ich versteckte deshalb alles, was ich ergattern konnte, draußen unter einem Stein. Auch ein Stemmeisen und eine Zwickzange ließ ich verschwinden.

Es wurde Frühling 1948. Ich rüstete mich für den Ausbruch. Werkzeug hatte ich, dazu ein paar Brotkanten. Es war Juni, ich war zur Nachtschicht eingeteilt. Noch zwei Kameraden wollten mit ausbrechen. Ich zwickte den ersten Stacheldraht durch, vorsichtig krochen wir zum zweiten Stacheldraht. Auch das gelang. Jetzt kam der letzte Draht und das war der schwierigste, denn hier wurden wir von starken Scheinwerfern angestrahlt. Ich war gerade dabei, den letzten Draht abzuzwicken, da krachte es. Man hatte uns bemerkt. Ich rannte in eine Vertiefung und blieb da liegen, bis sie aufhörten zu schießen. Nach etwa zwei Stunden kroch ich ganz vorsichtig ungefähr zwei Kilometer weiter. Meine Kameraden sah ich nicht mehr. Rufen konnten wir ja nicht. Übrigens hatten wir vorher schon verabredet, daß im Notfall jeder selbständig handeln sollte. Nach vielleicht drei Stunden ging ich äußerst vorsichtig in westlicher Richtung. Ich vermutete, daß wahrscheinlich in nördlicher Richtung nach uns gesucht wurde, denn hier war die Grenze am nächsten. Wir hatten einmal drei geflohene Deutsche zu sehen bekommen, die man erwischt hatte. Es waren nur noch drei blutige Bündel, und dann ging es ab nach Sibirien. Das wollte ich nicht erleben.

Ich orientierte mich nur nach den Sternen. Nach zwei Tagen änderte ich die Richtung und ging nach Norden. Am Tage habe ich geschlafen. Ich suchte mir im Morgengrauen ein dichtes Gebüsch, deckte mich mit Laub zu und lag dann im Halbschlaf. Ich weiß nicht, wie lange ich unterwegs war, jedenfalls mußte ich mir etwas Eßbares suchen. Ich grub Löwenzahnwurzeln aus und aß sie zu meinem letzten Brotrest. Die nächste Nacht ging ich gegen Mitternacht vorsichtig in ein Dorf. Ich wußte, daß fast jedes Haus einen Kaninchenstall hatte. Vorsichtig tastete ich mich an einen Stall heran. Mit meinem Stemmeisen öffnete ich den Draht und hatte einen Hasen in der Hand. Außerhalb der Ortschaft tötete ich ihn dann schnell.

Nun hoffte ich, die nächste Nacht an oder über die Grenze zu kommen. Es war wieder klar. Gegen Mitternacht kam ich an eine breite Waldschneise. Meiner Berechnung nach könnte dies die tschechisch-deutsche Grenze sein. Vorsichtshalber beschmierte ich mein Gesicht mit Erde. Endlich war ich auf der anderen Seite. In nächster Nähe sah ich einen Grenzstein, auf dem ein „D" eingemeißelt war. Jetzt hatte ich die Gewißheit, auf deutschem Boden zu sein, wenn es auch Deutschland-Ost war. Ich lehnte mich an einen Baum und heulte.

In Deutschland wollte ich auf Wegen gehen, denn querfeldein bei Nacht durch den Wald ist es sehr schwierig. Es wurde heller. Ich orientierte mich an der Sonne und ging in nördlicher Richtung. Nach ungefähr zwei Stunden, morgens fünf Uhr, sah ich Häuser. Ich dachte, es sei ein Bauerndorf. Kaum war ich an ein paar Häusern vorbei, sah ich einen freien Platz, auf dem einige Kompanien Russen angetreten waren. Es war Wildenthal im Erzgebirge. Ich ging zurück in den nächsten Wald. Etwa 10 Kilometer in westlicher Richtung. Es ging alles gut. Ich war frei. Es war Zeit, mich zu säubern. Etwa acht Tage hatte ich mich weder gewaschen noch rasiert. Vom Wald aus sah ich einen jungen Burschen Kartoffeln hacken. Ich ging zu ihm hin und erzählte ihm, wer ich war, und daß ich mich gerne sauber machen wollte. Auch zu essen hätte ich gerne etwas gehabt. Er solle mir sagen, zu welchem Bauern ich gehen könnte. Ich ging zu dem von ihm genannten Bauern. Es waren nur zwei Frauen und ein Mädchen da. Nachdem ich alles erzählt hatte, erhielt ich Seife und Rasierzeug. Ich

bekam auch Essen, ein belegtes Brot. Zum Schlafen mußte ich in den Stall. Die Frauen hatten
Angst und baten mich, es niemand zu sagen, daß
ich hier gewesen war, denn sie müßten es eigentlich melden. Ich schlief einige Stunden, und gegen Abend machte ich mich wieder auf den Weg.
Gegen Mitternacht legte ich mich wieder im
Wald schlafen. Am Morgen kam ich an die Elbe.
Gegen Mittag riskierte ich den Übergang, und es
klappte. Sofort ging ich wieder von der Hauptstraße weg und nahm Nebenstraßen. Ich sah eine
Gruppe junger Mädchen. Sie gaben mir auch zu
essen. Viel hatten sie zwar selber nicht, aber ich
war dankbar für alles.

Vorsichtig schlich ich durch einen Wald. Es ging
schon auf den Abend zu. Da sah ich drei Mädchen. Ich bat sie um Auskunft und erzählte
ihnen, daß ich aus München sei. Eines der Mädchen meinte, ich solle mit ihm kommen, denn
von seinem Haus aus könne man die Zonengrenze sehen. Vom Fenster aus sah ich in einer Entfernung von etwa 500 Metern, wie russische
Doppelposten patrouillierten. Bei den Eltern des
Mädchens bekam ich zu essen. Als es Nacht war,
machte ich mich auf den Weg. Es war mir klar,
daß es kein Problem war, hier nach Bayern zu
kommen. Ich ging lautlos, bis ich die russische
Patrouille hörte. Vorsichtig näherte ich mich; das
Gesicht hatte ich mir wieder mit Erde einge-
schmiert. Es regnete.

Ich wartete, bis sie zweimal vorbeigegangen waren, damit ich wußte, in welchem Zeitabstand sie
wiederkamen. Dann kroch ich lautlos über die
Zonengrenze. Da ich mich wegen des Regens an
den Sternen nicht orientieren konnte, suchte ich
den Weg, der zur nächsten Ortschaft in Bayern
führte. Ich fand einen Schuppen, der offen und
mit Stroh angefüllt war, legte mich hinein und
schlief.

Es dauerte nicht lange, da wurde ich wachgerüt-
telt. Vor mir standen zwei Polizisten. Sie wollten
meine Papiere und Ausweise sehen. Ich erzählte
ihnen mein Schicksal und daß ich nach Hause
wollte. Die Polizisten glaubten mir und ließen
mich liegen. Sie meinten, ich solle am nächsten
Morgen in das Haus, zum Besitzer dieses Schup-
pens gehen. Es waren Bauern. Und nach vielen
Jahren saß ich wieder an einem Frühstückstisch.

Josef Kessler

*Ab 1945 in russischer Kriegsgefangenschaft, im
September 1945 Übergabe an Polen. Lager Sossnowitz und Jaworzno. 1950 Entlassung.*

Ich wurde von einer russischen Patrouille nach
einem gescheiterten Ausbruchsversuch der
9. Armee aus Berlin bei Baruth gefangengenommen. Nach der Verpflegung bei einer russischen
Granatwerferabteilung kam ich mit anderen in
ein Gehöft, das als Sammelplatz diente. Ein russischer Offizier hatte während des Marsches meine Aktentasche gesehen. Er kam mir nach und
nahm sie mir ab. Den Inhalt hatte er mir gelassen,
eine Dose Fleisch und ein halbes Brot. Als ich
mir überlegte, wie ich das weitertransportieren
sollte, kam er wieder und brachte mir eine alte,
mit Sicherheitsnadeln und Schnur zusammenge-
haltene Aktentasche.

Wir sind dann in Etappen nach Neuhammer
marschiert. Am dritten Tag wurden zwei Offiziere, ein Arzt und ich vom russischen Ortskom-
mandanten zum Essen eingeladen. Eine Ordon-
nanz brachte uns eine Kanne Wasser, Handtuch
und Seife, damit wir uns waschen konnten. Gedeckt war für sechs Personen, den russischen
Major und einen KGB-Offizier, der nur zuhör-
te, und uns vier. Der Major fing an, er verstehe
nicht, wieso wir den Krieg begonnen und alle
Völker überfallen hätten – die Polen, Österreicher, Jugoslawen, Tschechen. Sie hätten sich
davon überzeugt, welch hohen Lebensstandard
wir hätten. In allen Wohnungen gebe es Wasser-
leitungen, Teppiche, Musikinstrumente und
Licht. In dieser Situation waren wir sehr zurück-
haltend mit unseren Äußerungen. Nach etwa
eineinhalb Stunden sagte ich: „Soweit ich mich
erinnern kann, sind in Finnland die Russen ein-
gefallen. Wie können Sie das erklären?" Der
Major antwortete: „Ja, die Finnen haben eine
große Befestigungslinie gebaut, die Manner-
heim-Linie, etwa fünfzig Kilometer von Leningrad entfernt. Das war eine ständige Bedrohung
für Leningrad. Das hat man nicht auf sich beruhen lassen können. Um dieser Gefahr zu begegnen, ist man in Finnland einmarschiert. Die Gefahr ging nicht allein von den Finnen aus. Im
Hintergrund waren die Westmächte gewesen,
die beim Aufbau und bei der Finanzierung gehol-

fen haben." Das Gespräch wurde nach kurzer Zeit beendet.

Natürlich waren wir vorsichtig, denn wir wußten ja nicht, was auf uns zukam. Aber ich hatte kein schlechtes Gewissen, sonst hätte ich mich ja auch nicht erkühnt, bei der Einladung der Russen Gegenfragen zu stellen. Ich hatte mir nichts vorzuwerfen, während des Krieges nicht und vorher auch nicht.

Nach etwa zwei Stunden wurden wir entlassen. Wir zogen mit den anderen Kriegsgefangenen zehn Tage weiter. Ursprünglich sollten wir nach Sagan. Sagan war mit Gefangenen überlegt. Wir wurden zum ehemaligen Truppenübungsplatz Neuhammer bei Sagan weitergeleitet. Dort standen noch einige Steinbaracken. Eine große Zahl Holzbaracken, die früher der Wlassow-Armee als Unterkünfte gedient hatten, waren völlig zerstört.

Unsere Gruppe war inzwischen auf etwa dreitausendvierhundert Mann angewachsen. Wir wurden in die Steinbaracken hineingepfercht. Nun begann die Aufbauarbeit unter russischem Kommando. Die Bauarbeiten machten Deutsche. Es wurde ein Kriegsgefangenenlager errichtet, eine Lagerstraße von etwa zwei Kilometern. Links und rechts wurden Baracken aufgestellt. Innerhalb des Gesamtlagers stand ein Offizierslager mit eintausendeinhundert Offizieren. Die Verpflegung war den Zeitverhältnissen entsprechend schlecht. Es gab schlechtes Brot, das in Formen gebacken war, die mit Mineralöl ausgeschmiert worden waren. Weiter gab es Fischmehlsuppe. Auf den Säcken stand zu lesen: „Für menschliche Ernährung nicht geeignet."

Erstaunlicherweise gab es für das Offizierslager pro Mann alle zehn Tage bis zu einhundertzehn Gramm Tabak, gelegentlich auch Salat. Mit dem Tabak hat die Mehrzahl der Offiziere dann mit den Landsern Tauschhandel gemacht. Diese gingen auf Arbeitskommandos hinaus und brachten Kartoffeln mit. Die Behandlung durch die Russen war im großen und ganzen den Genfer Bedingungen entsprechend. Wir waren militärisch organisiert, aufgeteilt in Regimenter, Bataillone, Kompanien. Die Zählappelle morgens und abends wurden durch deutsche Offiziere abgenommen, die ihrerseits dann an die Russen melden mußten.

Es war im September, als die Übergabe an die Polen erfolgte. Die Russen hatten vorher alles, was nicht niet- und nagelfest war, abmontiert. Sie haben sogar die elektrischen Leitungen aus den Baracken herausgerissen und mitgenommen. Die Polen standen vor dem Nichts, als sie das Lager übernahmen. Es hat Tage gedauert, bis wir wieder Licht hatten.

Wir waren im Lager Neuhammer vierunddreißigtausend Mann, aber es wurde auch das Lager Sagan übergeben. Insgesamt wurden fünfzigtausend Mann von den Russen an die Polen abgegeben.

Wir wurden in Zügen abtransportiert. Ich war in einem Waggon mit fünfundfünfzig Mann und einem weiteren Offizier. Es gab ein halbes Brot bei der Abfahrt. Unterwegs gab es einmal eine Kartoffelsuppe. Ansonsten gab es weder etwas zu Essen noch zu Trinken. Wir waren wegen der zerstörten Strecken und Brücken vierundhalb Tage unterwegs. In Sossnowitz arbeiteten wir in der Grube Renard. In dieser Grube hatte auch der spätere polnische Parteisekretär Gierek gearbeitet.

Ich bin mit einem Transport von achthundert SS-Leuten nach Sossnowitz gekommen. Diesem Transport waren sechsunddreißig oder siebenunddreißig Wehrmachtsoffiziere, also keine SS-Leute, als Betreuungspersonal zugeteilt worden. Man hatte uns versichert, daß wir nicht zu Arbeiten herangezogen würden. Nach der Genfer Konvention brauchten wir kriegsgefangenen Offiziere nicht zu arbeiten. Als wir aber in Sossnowitz ankamen, war bekannt, daß das ein SS-Transport war. Man hat auch die Offiziere als SS-Leute behandelt und unter Tage schicken wollen. Dagegen haben wir uns zur Wehr gesetzt. Ich habe mitgewirkt an einer Protestschrift, die wir dann dem polnischen Lagerkommandanten überreicht haben. Sie waren im Moment irritiert. Sie haben sie nach Kattowitz an die übergeordnete Stelle weitergegeben. Wir kamen schließlich nicht zum Einsatz unter Tage. Später erst kam der Befehl von Kattowitz, daß auch Offiziere arbeiten müßten. Man hat uns den Kopf geschoren. Dann wurden die Offiziere von einem polnischen Lagerarzt untersucht, ob sie für unter Tage tauglich waren oder nicht. Ich war nur für über Tage tauglich geschrieben. So war ich in der Lagerverwaltung tätig. Ich habe, wenn die Schicht aus der Grube kam, die Bekleidung übernommen. Defekte Schuhe und Kleider habe ich in die Werkstätten gebracht und am nächsten Tag wieder ausgeteilt.

Schon Ende 1945 waren im Lager die ersten Todesfälle wegen Fleckfieber zu verzeichnen. Vierhundert Volksdeutsche, Männer und Frauen, waren schon vor uns im Lager. Es brach eine Epidemie aus. Wir kamen bis April 1946 in Quarantäne. In dieser Zeit starben über zweihundertzwanzig Leute, Kriegsgefangene und Volksdeutsche. Die Toten wurden in eine Holzkiste geladen, auf den Friedhof gebracht und verscharrt. Täglich starben bis zu fünf Leute. Es folgte Kommission auf Kommission, die Untersuchungen anstellten und Maßnahmen anordneten, wie man der Seuche Herr werden könnte.

Allmählich wurde auch die Verpflegung besser. Der Arbeitstag unter Tage dauerte neun Stunden. Nach dem Essen mußten die Landser noch einmal zwei Stunden über Tage arbeiten. Sie luden Holz, Zement und Ziegelsteine aus. Dieses Material wurde in den Gruben benötigt. Die Leute wurden zum Teil geschlagen und rücksichtslos zur Arbeit angetrieben. Nach und nach besserte sich das.

Die Offiziere wurden 1948 aus dem Arbeitseinsatz herausgezogen und nach Jaworzno verlegt, dem Zentralarbeitslager. Innerhalb dieses Lagers war ein sogenanntes Offizierslager.

Dieses Lager war während der deutschen Besetzung in der Hauptsache für Juden bestimmt, die aus Deutschland zum Arbeiten nach Polen transportiert worden waren. Die IG-Farben und andere Firmen unterhielten dort Betriebe, in denen die Leute arbeiten mußten.

Ich hatte etwa eineinhalb Jahre vorher einen Fragebogen ausgefüllt und angegeben, daß ich SPD-Mitglied gewesen sei. Das stimmte nicht. Ich versuchte, auf diese Weise früher nach Hause zu kommen. Aber aufgrund dieses Fragebogens kam ich dann nach Warschau. Wir waren ungefähr fünfzig Leute. Wir sollten angeblich entlassen werden. Aber in Warschau war von Entlassung keine Rede. Wir wurden in einem besseren Lager, im sogenannten Getto-Lager – das am Getto lag – untergebracht. Die Verpflegung war gut. Nach einigen Tagen erschien ein Mann, ein Zivilist in polnischer Begleitung, der angab, er sei der erste deutsche Journalist in Polen. Er habe

gehört, daß hier auch Gefangene seien. Er wolle sich das mal ansehen. Er habe uns auch Literatur mitgebracht, damit wir wußten, was in der Heimat los sei und wir uns vorbereiten könnten auf die Heimkehr. Es stellte sich heraus, daß er ein ehemaliger Redakteur bei der „Roten Fahne" in Berlin war, der im Auftrag der SED die politische Schulung der Gefangenen aufbauen sollte. Es wurden Kurse abgehalten und Funktionäre ausgebildet, die dann in die Gruben geschickt wurden, um dort die Landser politisch entsprechend zu beeinflussen.

Es wurde unter anderem auch eine Kriegsgefangenenzeitung mit dem Titel „Die Brücke" ins Leben gerufen. Man suchte jemanden, der Schreibmaschinenkenntnisse hatte. Ich meldete mich.

Ich war nun bei der „Brücke" tätig, schrieb auch einige Artikel und hatte einen Brief nach Deutschland an einen Bekannten geschickt. Ich erzählte ihm von den Schulungen. Der Brief fiel dem Journalisten in die Hände. Ich wurde aus der „Brücke" zusammen mit dem Chefredakteur entfernt. Es wurde uns vorgeworfen, daß wir die Linie nicht eingehalten hätten. Ich wurde dann nach Jaworzno zurücktransportiert. Im Oktober 1948 wurde ein Generalappell abgehalten, und dabei wurde ich in den Bunker gesperrt. Mit vier Kameraden kam ich in das Gefängnis nach Krakau. Wir kamen dann von Jaworzno aus in ein ehemaliges Reichsarbeitsdienstlager. Dort wurde von den Gefangenen ein kultureller Betrieb aufgebaut. In der Hauptsache wurden Stücke von Curt Goetz aufgeführt, ebenso Musik. Ich hatte die Erlaubnis bekommen, den ostdeutschen Sender auf der polnischen Wache abzuhören und die Nachrichten dem Lager zu übermitteln.

Die Kostüme für die Theateraufführungen bestanden aus den Kleidern früher im Lager verstorbener Volksdeutscher.

Ich wurde bis zum letzten Transport – am 25. April 1950 – zurückgehalten. Wir fuhren von Sikawa/Lodz über Frankfurt a. d. Oder, Wolfen, Eisenach. Am 13. Mai 1950 traf ich zu Hause ein. Nach dem Kriegsgefangenen-Entschädigungs-Gesetz bekam ich 1957 für fünf Jahre Gefangenschaft 1740 Mark.

1945: Die Soldaten der deutschen Wehrmacht sind in Gefangenschaft, gefallen, versprengt oder befinden sich auf dem Rückzug aus den ehemals besetzten Gebieten. Im Westen und im Osten dringen die Truppen der Alliierten auf dem Boden des zusammenbrechenden „Großdeutschen Reichs" vor. Das letzte Aufgebot wird bewaffnet: alte Männer, Jugendliche und Kinder. Auch von ihnen geraten noch viele in Gefangenschaft.

Karl Zacharias

Von 1945 bis 1949 in russischer Kriegsgefangenschaft, im Lager Ragnit und in Sibirien.

Ich bin als Sechzehnjähriger gemustert worden, und habe auch mit sechzehn Jahren meine Offiziersprüfung gemacht. Ich hatte damit rechnen müssen, 1945 als Kadett bei der Marine eingezogen zu werden. Für März 45 erhielt ich eine Einberufung nach Glücksburg zu einem Offiziersvorkurs. Dieses Dokument hat mich davor bewahrt, daß ich später zur Waffen-SS mußte.
Bis Januar 1945 war ich offiziell Schüler auf dem Gymnasium. Und dann, als die Russen nach Königsberg kamen, wo ich mit meinen Eltern und drei Geschwistern lebte, und als die Kämpfe immer näherrückten, wurde der Schulbetrieb eingestellt. Dann hieß es: Nun schaut mal, daß ihr möglichst bald ins Reich kommt.
Wir waren Ende 1944, bei dem Luftangriff auf Königsberg ausgebombt worden und lebten vierzig Kilometer von Königsberg entfernt. Das war in Stablag bei Preußisch-Eylau.
Als der Unterricht aufhörte, lief ich sofort zum Hauptbahnhof und sah nach, wann Züge ins Reich gingen. Es war ein großes Gedränge dort, und der letzte Zug war gerade abgefahren. Es fuhr überhaupt kein Zug mehr. Da habe ich das erstemal richtig Angst bekommen. Auf einmal ging mir auf: Jetzt bist du in einer Situation, aus der es keinen Ausweg mehr gibt. Ich bin nach Stablag gefahren und habe gesagt: „Sofort Koffer packen." Mein Vater antwortete: „Bleib doch noch ein paar Tage hier, vielleicht wird der Russe noch zurückgeschlagen." Das war ja immer die unterschwellige Hoffnung, die überall mitschwang. Mein Vater wurde dann abkommandiert an die Front.
Wir wollten mit einem Ersatzteilwagen von der 5. Panzerdivision mit, deren Offizier mein Vater gebeten hatte, ob er uns nicht mitnehmen könnte. Die hatten einen Durchbruchbefehl ins Reich. Es war an und für sich verboten, Zivilisten mitzunehmen. Wir sind bis Königsberg mitgefahren. Und da blieben wir dann hängen.
Wir kamen nach Ponarth. Ich sagte zu meiner Mutter: „Ich fahre mal in die Stadt, um Brot zu organisieren." Ich hatte mir ein Fahrrad ausgeliehen, denn herkömmliche Verkehrsmittel konn-

ten ja nicht mehr fahren. Unterwegs hat mich Feldgendarmerie aufgegriffen. Da waren schon russische Flieger über uns. Ich bin dauernd in Deckung gegangen. Ich habe damit gar nicht gerechnet gehabt. Dummerweise habe ich außer meinen anderen Papieren nur den Wehrpaß bei mir gehabt. Da brüllte mich der Mann an: „Was, Sie sind schon siebzehn und noch nicht an der Front! Sie melden sich sofort am Nordbahnhof bei der 1. Infanteriedivision, und wehe, wenn wir Sie noch mal erwischen, dann werden Sie erschossen. Merken Sie sich das gefälligst!"
Dann habe ich mich beim Volkssturm gemeldet, im Amtsgericht, da sah ich so die alten Männer stehen. Ich habe mir gedacht, mit solch alten Leuten zusammen, das ist ja furchtbar.
Dann bin ich zur Kreisleitung. Und der Kreisleiter hat mich rausgeschmissen: „Bist du noch nicht draußen und holst dir eine Knarre!"
Und wie ich in der Nähe vom Waisenhaus durch eine Straße fahre, sehe ich auf einmal vorm Eingang einer Villa einen stehen, den ich kannte. Oben war er halb HJ, unten Militär. Der sagte zu mir: „Weißt du noch nicht, wir machen doch hier eine neue Kampfgruppe auf, wir vom Jahrgang 28, wir HJ-Führer. Wir werden hier eine Einheit bilden und sind sozusagen der Stoßtrupp."
Die waren alle sechzehn Jahre alt.
Im Heereszeugamt hab' ich mich selbst eingekleidet. Und dann bin ich zu der Kampfgruppe marschiert. Wir nannten uns Kampfgruppe Bahl – das war der Name von einem ehemaligen Oberbannführer. Wir waren eine Gruppe, die zwischen Volkssturm und Militär stand und wurden immer dort eingesetzt, wo etwas gebraucht wurde.
Stellungswechsel geschahen vorwiegend nachts, weil tagsüber alles unter Beschuß lag. Wir waren zwischendurch auch an Geschützen ausgebildet worden, Panzerabwehrgeschützen: Beim ersten Einsatz sind wir auf einen Lkw verladen und irgendwo nachts rausgefahren worden. Da hat es geheißen: „Zwei Mann hier raus, da hinten, in der Richtung, kommt ihr in ein Wäldchen, da steht ein Geschütz, und da löst ihr dann die Besatzung ab." Inzwischen kamen von überall her Leuchtspurgeschosse geflogen. Wir waren im direkten Beschuß drin.
Es wurden viele vom Komitee Freies Deutsch-

land, die also schon russische Gefangene waren, an der Front gegen uns eingesetzt. Die haben dann an der Front in deutscher Sprache gegen uns argumentiert und tatsächlich auch gegen uns gekämpft. Wir haben Leute gefunden, die im Gegenangriff erschossen worden waren, die trugen alle diese schwarz-rot-goldene Armbinde. Das waren Deutsche, die übergelaufen oder als Kriegsgefangene für das Nationalkomitee angeworben worden waren. Die wurden als Propagandisten – meistens mit Lautsprechern – an der Front eingesetzt. Da hieß es: „Kameraden, seid doch nicht blöd, kommt rüber, ihr werdet hier bestens verpflegt, für euch ist euer Leben, eure Sicherheit garantiert."

Es kamen auch immer an der Front Berichte durch wie: In dem und dem Abschnitt ist der Feldwebel X abgesprungen, wenn er irgendwo gefunden wird, er hat die und die Auszeichnung, entweder gefangennehmen oder sofort erschießen. Es wurden ja auch Deutsche in unseren Linien abgesetzt als Spione für die Russen.

Bevor der letzte Großangriff der Russen losbrach, war alles mobilisiert worden, was einsatzfähig war.

Und wir, die wir unter den ganz jungen zum ältesten Jahrgang gehörten (ich war auch HJ-Führer), wurden dann zur Ausbildung der zum Teil erst Zwölfjährigen abkommandiert. Die Zwölfjährigen mit auszubilden, wollten wir ablehnen. Da war eine Szene – eine Mutter kam mit ihrem Kind im Alter von zwölf Jahren. Sie bestand darauf, daß ihr Junge eine Waffe bekäme und ihre Heimat verteidigen solle. Als dann der Beschuß losging, fingen die Kinder an zu weinen und nach ihren Müttern zu schreien. Da sind die Landser verrückt geworden.

Man war innerlich schon so auf Kämpfen und Krieg eingestellt und vorher vorbereitet, vor allem auf Sieg, man hat gar keine Angst mehr empfunden. Man wurde irgendwo hingestellt und kämpfte einfach. Man war an Waffen ausgebildet, man konnte sich wehren. Man war nur darauf bedacht, möglichst nicht verwundet zu werden und nicht zu fallen.

Die älteren Landser dachten anders. Die waren darauf bedacht, möglichst wegzukommen.

Am 7. April 45 – letzter Angriff der Russen –, da waren wir am Hammerteich eingesetzt. Wir waren gemischt – Wehrmacht und unsere Kampf-

gruppe und dann noch diese Kinder. Auf der anderen Seite vom Teich war der Russe. Und der begann den Angriff – mit Maschinengewehren und kleineren Kalibern von Granatwerfern. Man schoß erst mal auf gut Glück zurück – man wehrte sich erst mal – auf einmal kam alles zurückgeflutet – da hieß es: „Haut ab, der Russe ist eingebrochen." Ich sagte zu meinem Freund: „Mensch, da muß man doch was unternehmen! Seid ihr verrückt? Haut doch nicht ab, schmeißt doch den Russen wieder zurück." Und da hab' ich mir mit meinem Freund eine Panzerfaust geschnappt – und wir haben ins Pumpenhäuschen eine Panzerfaust reingesetzt, fürchterliche Detonation, das Haus stürzte zusammen – aber es kam kein Russe heraus, wie wir zuerst vermutet hatten. Ich schaue auf die Straße, und da sehe ich auf einmal zwei Russen laufen – hinter der Straße waren Häuser mit Zivilisten. Wir wußten von den Vergewaltigungen und Greueltaten der Russen. Und ich dachte: „Mensch, da sind die zwei Russen, und da sind die Zivilisten." Ich habe meine MP genommen und geschossen. Einen habe ich getroffen, der andere konnte noch in Deckung gehen. Der Graben war schon leer. Wir beide hatten allein versucht zu kämpfen.

Als wir den Vorstoß nach Metgethen gemacht haben, kann man sich nicht vorstellen, was da an Leichen herumgelegen hat, vor allem an Frauenleichen. Wir fanden in einem Waggon in Metgethen lauter Leichen – alles Zivilisten.

Später hatte man dann Russen gefangengenommen, die an Greueltaten beteiligt gewesen sein sollen in Serappen. Die sollten erschossen werden. Man wollte uns als Erschießungskommando abkommandieren. Da haben wir gestreikt. Man hat dann, glaube ich, SS dafür genommen. In Tannenwalde zum Beispiel hieß es, daß in der dortigen Schule Frauen von Russen vergewaltigt würden. Da wurde ein Stoßtrupp angesetzt, um diese Frauen zu befreien.

Als wir später in die Gefangenschaft gingen, da war das Schlimmste, wenn man die Frauen aus den Kellern hat schreien hören.

Die Greueltaten, die wir gesehen haben, das kann man nicht schildern. Das übersteigt einfach das menschliche Fassungsvermögen, wie später, als wir Bilder aus den KZs sahen.

Am 9. April 45 hat Königsberg kapituliert. Am 10. April in der Frühe um sechs Uhr hieß es, wir

würden abgeholt. Und da wollte ich mich erschießen. Als in der Frühe die Tür aufgemacht
wurde, schaute ein Mongole herein. Da bin ich
so überrascht gewesen – und das hat meine Le-
bensgeister geweckt.

Wir sind dann marschiert. Wie die Hasen wurden wir zusammengetrieben. Viele sind erschlagen worden. Wir marschierten einen Tag. In der
Hektik und Aufregung hatte ich nichts zu essen
mitgenommen. Immer gedacht, hoffentlich passiert dir nichts. Man hat sich immer der Masse
angeschlossen. Es gab Übergriffe. Die Fronttruppen, die uns gegenüberstanden, die waren
noch ganz anständig zu uns Soldaten. Schlimmer
wurde es dann mit den Soldaten der Etappe. Bei
uns waren viele ältere Männer vom Volkssturm
dabei, die waren zum Teil auch körperlich nicht
mehr ganz in Ordnung. Man war vor Hunger
schwach. Wenn einer nicht schnell hochkam,
dann ging der Russe hin und hat ihm eins mit dem
Gewehrkolben über den Schädel gezogen. Oder
er hat bei uns in die Gruppe hineingeschossen.
Einmal sind wir in der Gruppe marschiert – es hat
geheißen, keiner darf raus. Wir hatten Durst. Da
war eine Wasserpfütze. Einer sprang raus und
wollte schnell aus der Pfütze trinken. Ein Russe
kam und hat ihm mit dem Gewehrkolben über
den Kopf geschlagen. Der Gefangene blieb in der
Pfütze liegen.

Anfangs wurden wir immer so um Königsberg
herumgehetzt. Dann wurden wir in die Nähe
von Tilsit gebracht – nach Ragnit. In dem Lager
brach Ruhr aus – da sind ziemlich viele Leute
gestorben. Ein Tiefpunkt für mich war, als mir
eine Glatze geschnitten wurde. Wir waren auf
einem Feld, da hatten wir auch nachts geschlafen.
Früh wachten wir auf, da war alles mit Rauhreif
überzogen. Auf Gut Neudeck, erstes befestigtes
Lager, bekamen wir nach drei Tagen Marsch das
erste Essen. Vor allen Dingen, es war immer eng.
Der Jüngste im Lager Ragnit war vierzehn Jahre.
Und da war einer, der hieß Siegfried, fünfzehn
Jahre alt. Wir hatten beschlossen, stiften zu gehen. Man wurde immer in Trab gehalten. Das
Schlimmste waren die Zählungen. Alle Augen-
blicke wurde gezählt, besonders am Abend. Und
dann stand man stundenlang, man durfte nicht
sitzen. Da waren sogenannte Kapos, das waren
Deutsche, die haben sich die Methoden der Russen zu eigen gemacht und rumgeprügelt.

Wir – Siegfried und ich – nahmen unsere Brotbeutel und wollten uns zuerst im Heuhaften vor
dem Lager verstecken. Über einen Brettersteg,
der über den Zaun gelegt war, wurde das Heu auf
einen Stapel außerhalb des Lagers getragen. Dann
nahmen wir ein Bündel, trugen es vors Lager,
schmissen uns ins Heu. Zufällig sahen wir den
Russen, der genau vor dem Heuhaufen stand.
Den hatten wir vorher gar nicht bemerkt. Der riß
seine Knarre runter, lud durch – und wir rasten
wie der Blitz zurück. Am nächsten Tag in der
Früh war eine wüste Schießerei. Die Russen
haben dauernd geschossen. Es waren vier Leute
erschossen worden, die dasselbe gemacht hatten,
was auch wir vorhatten. Die haben sie dann im
Lager als abschreckendes Beispiel hingelegt.

Von Ragnit sind wir dann nach Sibirien gekommen. Das war Mitte Mai. Ende Mai sind wir in
Sibirien eingetroffen, in der Gegend vom Ural.
Da hat es noch geschneit. Die Winteruniformen
hatten sie uns abgenommen.

Sie haben uns auf dem Transport dorthin fast
verhungern lassen. Die ganze Verpflegung haben
sie verschoben. Sie wurde vorneweggetragen und
von Zivilisten abgeholt. Vierzehn Tage hatten
wir fast nichts zu essen. Am Tag gab es einen
Becher mit Flüssigkeit. Wir hatten Durst. Wir
wurden mit der Zeit apathisch. Als wir dort oben
ankamen, bin ich aus dem Waggon gesprungen
und einfach zusammengefallen. Selbst der russische Kommandant hat gesagt, daß er so verhun-
gerte Gestalten noch nicht gesehen hat. „Die
können ja gar nicht arbeiten", meinte er.

Das Lager war auf einem Berg. Wir mußten sehr
weit und ziemlich hoch steigen.

Als wir mal vor Molotow gehalten haben – etwas
außerhalb der Stadt –, da sind welche ausgebrochen. Und die haben die Russen erschlagen. Die
sind Spießruten gelaufen, immer bei uns am
Waggon vorbei. Wir haben sie schreien hören.
Wir wußten aber nicht, was los war. Wir hörten
nur immer so dumpfe Schläge. Am nächsten Tag
wurde bei uns die Waggontüre aufgerissen, da
hieß es: „Vier Mann raus!" Sage ich zu meinem
Freund Erich: „Mensch, komm schnell raus,
vielleicht gibt es Verpflegung." Und da mußten
wir die Toten wegtragen. Die haben wir in Molotow in einen Geräteschuppen geschmissen. Das
sind Leute, die heute als vermißt gelten.

In einem Elektrizitätswerk habe ich mal gearbeitet. Dort holte ich mir eine Gasvergiftung. Damals gab es immer noch die Zwölf-Stunden-Schicht. Die längste Zeit habe ich in einer riesigen Kupferfabrik gearbeitet. Das war ein sehr primitiver Betrieb. Da waren fast keine Männer dort, Frauen haben alles gemacht, als wir hinkamen.

Wir haben dort auch deutsche Frauen gesehen, aber nur im Vorbeigehen. Nicht weit von uns war ein Frauenlager. Wir sind manchmal unterwegs zusammengetroffen in der Kolonne. Das waren zivilinternierte Frauen. Ich glaube, denen ging es schlechter als uns. Die waren rechtlos, die hatten ja keinen Kriegsgefangenenstatus. Man durfte nicht mit ihnen sprechen. Das waren nur Wortfetzen, oder ein Stück Papier, was da rüberkam. Die meisten waren aus Ostpreußen.

Die Russen haben einen großen Teil der Zivilisten aus Westrußland, dem ehemals von Deutschen besetzten Gebiet, nach Sibirien transportiert.

Ich habe mich freiwillig in die Kupferfabrik gemeldet. Im Lager war ich der Jüngste. Man hat immer Hunger gehabt. In diesem Kommando hat man in der Fabrik noch immer eine Suppe extra bekommen.

Da waren Bäder mit Blei und Kupfervitriol – mit elektrischem Strom. Wir haben mit Säure gearbeitet und mit Petroleum. Mit der Zeit hat sich bei uns auf den Köpfen Kupfer abgesetzt. Wir haben ganz grüne Glatzen bekommen, grüne Zähne. Kupfer setzte sich im Zahnfleisch an.

1947 hatten die Russen im Dezember die erste Währungsreform. Monate vorher waren die Magazine entweder geschlossen oder total leer. Die Russen haben Kohldampf geschoben. Die haben immer gesagt: „Ihr im Lager, ihr kriegt ja noch euer Brot, wir wissen gar nicht mehr, wo wir es hernehmen sollen."

Aber was wir täglich bekommen haben, auch wenn es nichts mehr zu essen gab, das war Milch. Einen halben Liter Milch, den haben wir prompt bekommen, als Gegengift.

Das war eine Zeit, da sind sie auch bei uns im Kommando vor Entkräftung umgefallen. Wir waren erst 60 Leute, dann blieben noch neun übrig. Ich kam von dort in ein anderes Lager. Ich kam im Januar 1949 nach Hause.

Mir hängt das heute noch alles nach. Die Jugend war abgeschnitten worden. Ich bin mit einundzwanzig Jahren nach Hause gekommen. Ich kam wieder nach Deutschland und war das erstemal in meinem Leben ein absolut freier Mensch. Vorher war ich es nicht. Man war ja im Dritten Reich – durch HJ – immer eingespannt. Frei war man nie. Obwohl man es nicht als Unfreiheit empfunden hat. Es gehörte zum Leben dazu.

Durch die Gefangenschaft, die auf einmal weg war, war man doppelt frei. Man war frei von einem politischen Ballast – frei als Mensch. Ich wog fast zwei Zentner, als ich heimkam. Ich hatte Wasser. Ich wurde sofort krankgeschrieben, wurde sogar auf Rente gesetzt. Ich bekam 17 Mark Arbeitslosenunterstützung pro Woche. Ich wurde offiziell als Schüler beim Arbeitsamt geführt.

Meinen Eltern ging es dreckig – meine Mutter ging putzen für zwei Mark am Tag –, und ich hatte Hunger. Ich konnte das nicht mehr mit ansehen. Ich mußte eine Arbeit bekommen. In Regensburg gab es ja mehr Arbeitslose als Arbeit. Ende 49 habe ich dann als Hilfsarbeiter gearbeitet.

Ich wollte wieder zur Schule gehen. Ich hatte nur Kriegsabitur und wollte das reguläre Abitur machen. Dann habe ich gesehen, was da verlangt wurde, wollte aber den Eltern nicht noch jahrelang auf der Tasche liegen.

Mein Wunsch war, nach München zu kommen. Es bot mehr Möglichkeiten. Dort war Zuzugssperre.

Ich habe dann in München auf dem Bau gearbeitet – und auch auf dem Bau geschlafen. Während dieser Zeit fing ich mit meinem Musikstudium an.

Die „Heimat", für die Gefangenen in den fernen Lagern Inbegriff ihrer Sehnsucht, ist zerstört. Frauen bestimmen das Bild der Aufräumungsarbeiten in den bombardierten Städten und Dörfern.

Lydia Probst

1945 Deportation nach Rußland. Lager Jemanschelinka und Kopesk. Entlassung 1949.

Mein Heimatort ist Sampohl, Kreis Schlochau in Pommern – unmittelbar an der polnischen Grenze –, an der Bahn-Nebenstrecke Schlochau-Rummelsburg. Bis Januar 1945 besuchte ich die „Höheren Lehranstalten" in Pr. Friedland.
Ich war siebzehn Jahre alt. Kurz nach den Weihnachtsferien 1944/45 stießen die Russen in Richtung Schneidemühl und Tucheler Heide vor. Am 20. Januar 1945 wurde die Schule geschlossen. Wir brauchten für die Fahrt vom Bahnhof Linde über Konitz und Schlochau (etwa 60 Kilometer) 24 Stunden. Unsere Eltern waren in großer Sorge, weil sie telefonisch nicht mehr durchgekommen waren. Zu Hause stand der Fluchtwagen bereit, beladen mit dem Futter für die Pferde, mit Kleidung, Proviant und einigen Federbetten. Es wäre höchste Zeit gewesen, die Flucht anzutreten, aber mein Vater durfte als Mitglied des Volkssturms die Heimat nicht verlassen. Erst als sich die politische Führung abgesetzt hatte, der Ortsbauernführer mit seiner Familie Selbstmord beging und wir ununterbrochen von Tiefftliegern beschossen wurden, entschlossen sich die Männer (viel zu spät), die Heimat zu verlassen. Wir waren von hohem Schnee und unseren eigenen Panzersperren stark behindert, hatten aber immer noch die Hoffnung, an der Ostsee entlang bei Stettin über die Oder zu kommen. Wegen der Tiefflieger konnten wir nur nachts fahren. So kämpften wir uns bis nach Stolp durch. Inzwischen fluteten schon Flüchtlingstrecks von Westen nach Osten zurück, da die Russen bis zur Ostsee vorgestoßen waren, und ganz Pommern ein großer Kessel war, aus dem es nur noch die völlig aussichtslose Flucht mit einem Schiff über die Ostsee gab. Wir fuhren daher auf der Flucht vor den Russen nach Osten in Richtung Lauenburg. Am Abend des 8. März sahen wir Stolp brennen.
Wir lagen auf einem Gutshof und standen vor der Frage, ob wir die aussichtslose Flucht fortsetzen sollten. Trotz meiner großen Angst vor den Russen bat ich meinen Vater, nicht weiterzufahren, da ich es für sinnlos hielt. Mein Vater entschloß sich zur Weiterfahrt wohl auch, um die Treckge-

Lydia Probst im Jahre 1947 in Rußland

fährten aus unserem Dorf nicht zu verlieren. Wir kamen nur bis zur Durchgangsstraße nach Lauenburg. Dann ging es nicht mehr weiter, da die Straßen von Flüchtlingswagen verstopft waren. Nach der eisigen Nacht auf der Straße wurden wir am Morgen des 9. März 1945 von einer Gruppe überholt, die wir zunächst für Ostarbeiter hielten, bis wir ihre Sowjetsterne und Maschinenpistolen sahen. Sie lachten und riefen, wir sollten nach Hause fahren, der Krieg sei für uns zu Ende.
Ich überlegte noch, ob ich in den nahen Wald rennen sollte, da kamen schon die nächsten Rotarmisten, die nun weniger freundlich waren, dafür aber meinem Vater die Pferde vom Wagen spannten und ihm die Uhr abnahmen. Wir versuchten, mit Hilfe unserer Nachbarn unseren Wagen wieder an den Ausgangspunkt zurückzubringen. Mein Vater spannte die noch vorhandenen Pferde immer wieder vor einen anderen Wagen, um so alle verbliebenen sieben Wagen auf den Gutshof zurückzubringen. Ich half meinem Vater beim Umspannen der Pferde und atmete schon auf, weil die Russen gar nicht so schlimm waren, als ein Russe eine alte gebrechliche Frau

aus unserem Treck auf die Straße schleuderte und ihr mit den Stiefeln ins Gesicht trat. Von da an versuchte ich, mich zu verstecken.

Wir quälten uns tagelang auf verschlammten Feldwegen um Stolp herum, um unsere Straße in Richtung Süden und Heimat wieder zu erreichen. Wir hatten es fast geschafft. Am 14. März erreichten wir ein kleines Dorf südlich von Stolp. Die älteren Leute und die Kinder lagen in einer Dachkammer des Lehrerhauses, die dreiundzwanzigjährige Tochter unseres Nachbarn, seine sechsundzwanzigjährige Schwiegertochter und ich suchten uns jeden Abend ein anderes Versteck in einer Scheune. Es scheint uns jemand verraten zu haben, vielleicht um die Russen von sich selbst abzulenken. Wir hatten kaum Platz für das Nachtlager gefunden, da stürmte ein großer Haufen Rotarmisten mit Taschenlampen in die Scheune. Es gab kein Entkommen für uns. Wir kamen gar nicht mit, so schnell zerrten sie uns davon. Als ich vor Angst und Aufregung stolperte, packten sie mich an den Zöpfen und schleiften mich am Boden in die nahegelegene Schule. Ich wurde in ein Klassenzimmer gestoßen, in dem schon andere Russen waren. Sie fingen sofort an, mir die Kleider vom Leib zu reißen. Ich wehrte mich, schlug um mich und biß. Nach ein paar Fußtritten ins Gesicht und in den Unterleib war mein Widerstand gebrochen. Ich wurde nackt auf einen Tisch gebunden und so oft und heftig vergewaltigt, daß ich zeitweise die Besinnung verlor. Ich bettelte, sie sollten mich erschießen. Sie lachten nur. Sie waren betrunken. Ich mußte mich übergeben und bekam einen Eimer Wasser ins Gesicht geschüttet. Dann urinierte mir einer der Russen in den Mund.

Nach einer endlosen Zeit – mir kam es vor wie mein ganzes Leben – hatten sie genug. Sie warfen mich in eine Besenkammer, wo ich liegen blieb, unfähig zu denken. Am anderen Morgen schmissen sie mir meine zerfetzten Kleider herein und einen Mantel, der mir nicht gehörte. Ich zog mich an und wurde rausgebracht zu einem langen Zug gefangener Frauen, Mädchen, Männer und Jungen.

Der Marsch in die Gefangenschaft begann. Mechanisch setzte ich einen Fuß vor den anderen. Ich hatte keine Angst mehr, nur noch den Wunsch zu sterben. Nachdem die Lähmung der Gedanken nachgelassen hatte und die Schmerzen wieder spürbar wurden, hatte ich nur noch einen Gedanken: Sterben. Es gab keine Möglichkeit. Man war nie allein bei Tag und Nacht. An diesem Tage, dem 15. März, ging der Marsch nach Alt-Kolziglow, wo wir in der Kirche die Nacht verbrachten. Zum Essen gab es eine Brühe und ein paar Pellkartoffeln. Ich konnte mir nicht vorstellen, daß ich noch einmal im Leben essen könnte, zu groß war mein Ekel.

Am nächsten Morgen, dem 16. März, ging der Marsch weiter in Richtung Bütow. Wir waren von etwa fünfundzwanzig schwerbewaffneten Posten umgeben. An diesem Tage fiel kurz nach dem Abmarsch ein Schuß, und die Menschen, die um mich herum waren, sagten, wer nicht weiter könne, würde erschossen. Das war eine Möglichkeit für mich. An diesem Tage stand plötzlich, als wir in ein leerstehendes Gutshaus bei Ostrowite im nördlichen Kreis Konitz eingewiesen wurden, ein Mädchen vor mir, das ich kannte. Sie hieß Marianne und war fünfzehn Jahre alt. Wir blieben nun zusammen und marschierten nebeneinander. Ich hatte ihr nichts erzählt. Sie wußte nicht, was ich vorhatte. So glaubte sie auch, daß ich nicht mehr weiterkönne, als ich gegen Mittag immer mehr zurückblieb und zum Schluß am Ende des Zuges von 1200 Menschen war. Sie wollte mir helfen und stützte mich, so gut sie konnte. Der Posten mahnte zum Weitergehen und schob auch mit dem Gewehr nach. Er hatte ein Fahrrad bei sich. Ich wartete nun nicht mehr länger und kauerte mich an den Straßenrand. Marianne stand bei mir. Plötzlich schrie sie auf: „Steh auf, der erschießt dich." Ich rührte mich nicht und wartete auf den Schuß.

Da wurde ich hochgezogen und auf den Gepäckträger gehoben. Der Russe schob das Rad neben dem Zug her und alle Mitgefangenen sahen, was keiner erwartet hatte: Er hatte mich nicht erschossen.

Als eine Polin mit Pferd und Panjewagen daherkam, nahm man ihr beides ab. Ich wurde auf den Wagen gelegt, den ein alter Posten fuhr und der dem Gefangenenzug folgte. Es kamen bald Fußkranke dazu, die erst einmal Prügel bekamen, ehe sie aufsteigen durften. An diesem Abend hatten wir vierzig Kilometer Fußmarsch hinter uns. Die Menschen waren schon sehr geschwächt, weil sie kein Brot bekamen. Von der fetten Brühe hatten sehr viele Durchfall bekommen. Die meisten brachten das Leiden bis zu ihrem Tod nicht mehr los.

Wir kamen schließlich nach Konitz. Hier lagen wir etwa drei Tage außerhalb der Stadt in einem Jugendheim. Es gab das erste Brot, und wir konnten uns im vorbeifließenden Bach waschen. Alle wurden aufgerufen. Ich blieb übrig, da ich noch nicht registriert war. Ich wurde zum Verhör gebracht, wo ein russischer Offizier mir erklärte, ich käme für zwei Jahre in die Ukraine zum Wiederaufbau. Am anderen Morgen marschierten wir zum Gefängnis in Konitz. Wir mußten uns im Beisein der Bewacher nackt ausziehen und unsere Sachen zu Entlausung abgeben. Viele bekamen ihre Kleider nicht zurück und wurden von Mitgefangenen notdürftig versorgt. Dann ging es in eine Einzelzelle, die mit zwanzig Menschen belegt wurde, so daß wir nur abwechselnd sitzen konnten. Als WC diente uns ein alter Eimer, der ständig überzulaufen drohte wegen der vielen Durchfallkranken. In der Nacht von Karfreitag auf Karsamstag wurden wir im Konitzer Bahnhof in verplombte Viehwagen verladen. Wir waren drei Tage unterwegs ohne eine Möglichkeit, uns zu setzen oder unsere Notdurft zu verrichten.

Am Ostermontag wurden wir in ein ehemaliges KZ in Soldau eingeliefert. Hier fand wiederum eine Entlausung statt. Wir verloren unsere letzten persönlichen Gegenstände wie Kämme, Schmuck, und ich wurde mein einziges Buch und ein paar Fotografien los. Am 1. April 1945 wurden wir zum zweitenmal in Waggons verladen zum Transport nach Sibirien. Im Waggon hatten wir eine geistesgestörte Siebzehnjährige, die nach Aussage ihrer älteren Schwester nach zigfacher brutaler Vergewaltigung den Verstand verloren hatte und nur noch Laute wie ein Tier von sich gab. Wir hatten keinen Ofen im Waggon und waren morgens manchmal am Fußboden festgefroren. Im Zuge wurde ein Waggon mitgeführt, in dem die Leichen der Verstorbenen aufgestapelt wurden.

Nach fast vierwöchigem Transport bei minimaler Verpflegung konnten wir uns nur noch mühsam auf den Beinen halten. Als wir die Waggons verließen und in ein Erdbarackenlager etwas außerhalb von Jemanschelinka taumelten, mußten wir feststellen, daß hier schon die Ostpreußen waren, die die Russen früher erwischt hatten. Sie empfingen uns sehr unfreundlich, weil unser Anblick ihre Hoffnung, bald wieder nach Hause zu fahren, erheblich enttäuschte. Die Erdbaracken hielten dem Frühjahrsregen nicht stand, und wir versuchten, nachts eine Stelle zu finden, auf die es nicht tropfte. Nachdem uns die Decke buchstäblich auf den Kopf fiel, wurden wir in ein Barackenlager in der Stadtmitte von Jemanschelinka verlegt. Hier gab es kein Wasser im Lager. Das Wasser mußte in Tonnen mit dem Panjewagen in die Lagerküche transportiert werden. Wir konnten uns nur einmal monatlich in der städtischen Banja waschen. So dauerte es nicht lange, bis Ruhr und Typhus sich immer mehr ausbreiteten und immer mehr Gefangene ins Lazarett kamen. Für die meisten gab es keine Rückkehr. Auch meine Marschgefährtin Marianne kam bald ins Lazarett und starb nach wenigen Wochen, ebenso die geisteskranke Siebzehnjährige.

28. Mai 1945. Ich habe Nachtdienst im Lazarett. Ich habe etwa dreißig Ruhr- und Typhuskranke zu betreuen, das heißt, den zu Skeletten abgemagerten Kranken den Mund zu befeuchten. Es gibt keine Wäsche und keine Medikamente. Die Kranken liegen in ihren Exkrementen. Gibt man ihnen etwas Wasser, so verläßt es schon nach kurzer Zeit wieder den Körper. Sechs Menschen sterben in dieser Nacht. Sie werden von eigens dazu bestellten Männern ausgezogen und nackt auf einen Karren geworfen, so daß Arme und Beine gespenstisch in die Luft ragen.

Das große Sterben beginnt. Je heißer der südsibirische Sommer wird, um so mehr wird gestorben. Viele haben Wasser, das von den Beinen nach oben steigt und ihnen den sicheren Tod bringt. Man kann sich fast ausrechnen, wann man selbst an der Reihe ist. Im Juni wird plötzlich eine kleine Gruppe, zu der auch ich gehöre, auf eine Kolchose verlegt. Es gibt nichts zu essen, und wir buddeln nachts die Kartoffeln, die wir am Tag gepflanzt haben, wieder aus und essen sie roh. Wir arbeiten den ganzen Sommer auf dieser Kolchose. Bei der Kartoffelernte werden wir am 18. Oktober 1945 vom Winter überrascht. Wir stehen wie eine Viehherde zusammengedrängt in unserer leichten Kleidung im Schneesturm. Die Aufseher greifen sich immer wieder eine heraus und schlagen sie heftig, um uns zum Weiterarbeiten zu bewegen. Wir bewegen uns nicht. Und so transportiert man uns auf Lastwagen ins Hauptlager nach Rosa zurück. Man findet nur noch wenige Bekannte, die man im Frühsommer im Lager Jemanschelinka zurückgelassen hat, und die inzwischen nach Rosa verlegt worden sind. Die meisten sind gestorben. Einige wenige, die Jahrgang 30 oder jünger sind, hat man im Juli wieder nach Hause geschickt. Für die meisten dieser Allerjüngsten kam der Transport zu spät.

Bei 40 Grad minus arbeiten wir im Freien auf dem Bau. Wir alle haben Erfrierungen. Wir sind plötzlich freie Arbeiter, die für Geld auf dem Bau arbeiten sollten. Arbeiten tun wir – von 6 Uhr morgens bis 21 Uhr abends. Geld sehen wir in sechs Wochen so viel, daß wir für eine Woche das Brot kaufen können, das uns auf unsere Brotkarte zusteht. Die übrigen fünf Wochen haben wir nichts. Auch Suppe, die wir auf Essenskarten in unserer Stallova bekommen könnten, können wir aus Geldmangel nicht kaufen. Wir „verrubeln" unsere letzten Sachen, die noch halbwegs ansehnlich sind, um ein Stück Brot zu bekommen.

In dieser Zeit haben wir die erste Begegnung mit deutschen Kriegsgefangenen: Wir schuften in unseren Erdlöchern. Jeder hat pro Tag zwei Kubikmeter als Norm auszuheben.

Wir schaffen das natürlich nicht und hocken bei einbrechender Dunkelheit noch in den Löchern, als wir plötzlich deutsche Stimmen hören und eine Gruppe deutscher Kriegsgefangener über unsere Köpfe hinwegzieht. Die Soldaten waren schockiert darüber, daß junge deutsche Mädchen in Sibirien waren und schwere Arbeit verrichten mußten. Wir hatten bisher geglaubt, die einzigen Verschleppten zu sein. Bei dem kurzen Gespräch stellte sich heraus, daß sie in unmittelbarer Nachbarschaft unseres Lagers – nur durch einen dichten hohen Holzzaun getrennt – ihr Lager hatten. Irgendwie wirkte es tröstlich auf uns, sie in unserer Nähe zu wissen.

Unsere Situation verschlechterte sich zusehends. Ich wog noch 32 Kilogramm.

Plötzlich im Januar 1946 bekamen wir Befehl, nicht mehr zur Arbeit auszurücken und unsere Sachen zu packen. Der häufig betrunkene russische Kompanieführer, der manchmal wütend durch die Baracke geht und Fußtritte austeilt, schraubt uns die einzige Glühbirne heraus, bei der 180 Menschen ihre Habseligkeiten packen sollen, und bringt sie der deutschen Kompanie-

führerin. Gegen Morgen marschieren wir zum Bahnhof. Wird es nach Hause gehen?

Die Hoffnung ist schnell zerstört. Schon nach 20 Kilometern Fahrt heißt es aussteigen. Wir sind in Kopesk und kommen in das Lager 1079. Wir sollen im größten Kohlenbergwerk der Umgebung, dem Schacht 6/4, arbeiten. Zuerst gibt man uns zehn Tage lang zu essen, weil man uns in unserem Zustand keine ordentliche Arbeit mehr zutraut. Wir werden entlaust und bekommen Glatzen geschnitten. Die älteren Frauen weinen. Mich erschüttert das nicht mehr. Der Alltag im Schacht beginnt: Eisenträger und Baumstämme schleppen. Dreitonner-Waggons schieben, schippen, was kommt: Steine, Kohlen. Wir stehen im Wasser und werden von oben vom Grundwasser durchnäßt.

Es geschieht ein Wunder. Wir gewöhnen uns an die Arbeit, bekommen Geld, erhalten als erstes ein Nessel-Männerhemd und einen überdimensionalen Schlüpfer aus Arbeitskleidungsstoff, aus dem ich mir einen Rock schneidere. Dieser Schlüpfer heißt bald im ganzen Lager Stalinhose. Der Begriff wird bald offiziell verboten. Vor allem die Ostpreußen unter den Gefangenen sind es, die Humor ins Lagerleben bringen.

Wir nähen uns aus zugeteilten Stoffen neue Kleidung. Von der Bluse über den Mantel bis zur langen Hose, wird alles in Handarbeit hergestellt. Auch Pullover mit den schönsten Mustern, hergestellt aus unzähligen Fäden einer Art Putzwolle, kommen zustande. Wir haben gelernt, zu improvisieren und werden von den Russenfrauen im Schacht beneidet und bewundert wegen der schönen Sachen.

Auch im Schacht sind wir bald angesehen. Es ist interessant, wie jeder Russe seine eigenen Nimkis, mit denen er zusammenarbeitet, verteidigt. Nur die übrigen Deutschen sind schlecht. Im Schacht arbeite ich mit einer Russin zusammen, die mich bald ins Herz geschlossen hat. Sie teilt ihr Stück Brot mit mir und gibt sich große Mühe, mit mir zu reden. Dadurch lerne ich sehr schnell Russisch und muß oft in unserer Arbeitsgruppe dolmetschen. Die Russin nimmt mich auch in Schutz, wenn sich einer der Russen einmal einen Übergriff erlauben will. Hier höre ich auch, wie außerordentlich wichtig es bei den Russen ist, ob ein Mädchen noch unschuldig ist. Es ist für mich eine Erklärung, warum die Russen ganz besessen davon waren, die Unschuld junger Mädchen zu zerstören. Dann hatten viele die Konzentrationslager gesehen, andere davon gehört und einen Aufruf des russischen Schriftstellers Ehrenburg gelesen, in dem sie aufgefordert worden waren, den Stolz der deutschen Frau zu brechen.

Im Schacht sterben nur noch einzelne. Sie verunglücken im Bergwerk. Im Sommer 1947 konnte ich mich zum erstenmal fotografieren lassen. Ich schickte das Bild an meine Eltern, die ich inzwischen durch Verwandte in Süddeutschland wiedergefunden hatte.

Knapp zwanzig Jahre war ich damals. Ich hatte nur noch eins im Sinn: durchhalten und wieder nach Hause kommen. Mein gesundheitlicher Zustand verschlechterte sich. Ich konnte nur noch wenig essen und wog etwa 45 Kilogramm. Zweimal werde ich für kurze Zeit aus dem Schacht genommen und in der Lagerküche bzw. im Männerumkleideraum im Schacht eingesetzt. Der Lagerarzt vermutet Tbc. Ich bin auch dieser sogenannten leichten Arbeit nicht mehr gewachsen und werde wieder in den Schacht geschickt, da man sich unnütze Esser nicht leisten kann.

Zweimal sollte ich mit einem Tansport älterer Frauen und junger Frauen mit Babys, von denen es in unserem Lager vierzehn gab, nach Hause geschickt werden. Aber jedesmal gab es noch jemanden, der dem Lagerarzt wichtiger erschien oder dem er geneigter war, und der an meiner Stelle fahren durfte. Nach Hause mußte ich, oder alles bisher Ertragene war umsonst.

Im Dezember 1949 war es endlich soweit. Wir wurden nach und nach aus dem Schacht gezogen. Am 5. Dezember 1949 fuhr ein Zug mit 42 Waggons in unseren Schacht, wo sonst die Kohlen verladen wurden. Wir waren in Waggons eingeteilt und daher schnell verteilt. Unser Lagerarzt kam in unseren Waggon und gab jedem die Hand. Wir hatten Öfen und eine Öffnung im Waggon für die körperlichen Bedürfnisse. Noch immer fuhr die Angst mit, die Russen könnten sich noch anders besinnen. Doch am 15. Dezember 1949 passierten wir bei Brest-Litowsk die russisch-polnische Grenze und waren am 18. Dezember 1949 in Frankfurt a. d. Oder. Am 22. Dezember war ich zu Hause, nachdem mir an der Grenze zur DDR bei Hof von einem russischen Offizier mein Entlassungsschein ausgehändigt worden war.

Nun war alles gut, und ich war geborgen. In dem kleinen Ort, wo meine Familie lebt, bin ich die einzige weibliche Heimkehrerin. Ich werde gefeiert und soll erzählen. Ich habe nichts zu erzählen und wage mich ohne meine Mutter oder meine Brüder überhaupt nicht aus dem Haus, aus Angst, von jemandem angesprochen zu werden. Ich werde von der katholischen Jugendgruppe und dem Pfarrer eingeladen. Aber auch hier kann ich nur die gestellten Fragen beantworten. Am allerwenigsten kann ich über das sprechen, was ich ganz persönlich als Siebzehnjährige erlitten habe, und worüber ich bis zum heutigen Tage noch mit niemandem gesprochen habe.

Dann ist da noch das Schuldgefühl wegen der unvorstellbaren Verbrechen in deutschen Konzentrationslagern. Erst 1975, bei dem Gedanken zur dreißigjährigen Wiederkehr des Kriegsendes, wurde mir schlagartig klar, daß alle Opfer, die von ostdeutschen Zivilisten – stellvertretend für alle Deutschen – gebracht werden mußten, von den Wohlstandsbürgern einfach ignoriert und nicht für erwähnenswert gehalten wurden. Ich schrieb an viele Zeitungen. Zwei druckten meine Briefe. Ansonsten ist das alles „kalter Kaffee", wie man mir öfter versichert. Wenn ein Mensch durch bestialische Vergewaltigungen seine psychische und physische Gesundheit verliert, wenn er aus der Ausbildung herausgerissen wurde und bei hundertprozentiger, später bei fünfzigprozentiger Arbeitsunfähigkeit nicht mehr den beruflichen Anschluß findet, den er nach seiner Vorbildung und seinen geistigen Fähigkeiten verdient hätte, bleibt da meistens nur Verbitterung und Resignation. Ich kämpfe immer wieder dagegen an.

Ich suchte mir vor sieben Jahren einen Job in der Hausfrauenschicht von 16 bis 20 Uhr. Damit will ich es meinen beiden Söhnen – zwanzig und elf Jahre – ermöglichen, den Beruf zu ergreifen, den sie sich wünschen, das heißt, zu studieren. Trotz zeitweilig schwerer Depressionen finde ich immer wieder die Kraft, weiterzuleben. Ich fühle keinen Haß gegen meine Peiniger. Ich habe nur den einen Wunsch, daß sich etwas Ähnliches niemals mehr wiederholen darf. Deshalb habe ich jetzt alles preisgegeben, was ich bisher für mich behalten habe. Vielleicht trägt es dazu bei, die Grausamkeit des Krieges zu erkennen und vorsichtiger mit dem Frieden umzugehen.

Ruth Eggert

1945 Deportation nach Rußland. Lager Kimpersai und Orsk. Entlassung 1948.

Der Krieg war zu Ende. Ich war zweiundzwanzig Jahre alt, hatte vor drei Jahren die Schule beendet und meine Berufsausbildung abgeschlossen. Am 27. März hatte die Sowjetarmee meine Heimatstadt Danzig eingenommen. Die Sieger zogen plündernd durch die Straßen, Angst und Schrecken verbreitend. Das Haus, in dem wir seit zwanzig Jahren wohnten, hatte auch die letzten Angriffe fast unbeschädigt überstanden. Dort richtete sich eine Kommandantur ein. Wir nahmen nur wenige Habseligkeiten mit, als wir am späten Abend die Kellerräume unseres Hauses verließen. Tagelang irrten wir durch unseren Stadtteil, vorbei an Trümmern und zahllosen Toten. Nachts fanden wir Unterschlupf in Häusern, die leerstanden.

Trotz aller Vorsichtsmaßnahmen bin ich vergewaltigt worden. Am Nachmittag des Gründonnerstag erschien wieder einmal eine Streife und überprüfte unsere Personalpapiere. Einer der Russen nahm mir meinen Paß weg, reichte ihn weiter und forderte mich auf mitzukommen. Wir gingen auf den Dachboden. Er führte mich in einen Bretterverschlag. Das schräge Fenster war zerschlagen, auf dem Boden lagen Glasscherben. Der Soldat stieß mich auf den Fußboden.

Als der Mann sich erhob, wollte ich gehen. Nach kurzer Zeit erschien ein anderer Soldat mit meinem Paß. Er vergewaltigte mich auch. Danach bekam ich einen Weinkrampf. Ich wollte sterben. Ein dritter Russe kam. Er war älter als die beiden anderen. Er hockte sich neben mich auf den Boden, trocknete meine Tränen, streichelte mich und redete auf mich ein. Ich hoffte auf sein Mitleid. Leider vergeblich! Nachdem er aufgestanden war, sammelte er die Glassplitter aus meinen Haaren und Kleidern. Ich bekam meinen Paß zurück und ging zu meiner Familie.

Wir Frauen trauten uns nicht mehr auf die Straße. Eines Tages betrat eine russische Patrouille das Haus und durchsuchte alle Räume. Die Frage nach meinem Alter beantwortete ich wahrheitsgemäß. Danach wurde ich zum Mitgehen aufgefordert. Meinen Eltern erklärte man, daß man mich zur Arbeit hole und daß ich in einigen Stunden wieder zurück sei. Ich dachte, es ginge darum, Trümmer und Leichen wegzuräumen, zog mir eine alte Männerhose über mein Kleid und nahm auch einen Mantel und Handschuhe mit. Meine Mutter, die mich bis zur Haustür begleitete, gab mir noch ein Kopftuch. Vor dem Haus stieß ich zu einer Schar wartender Frauen. Man brachte uns in ein Gebäude, wo sich schon viele Frauen befanden. Sie waren seit dem Vortag hier. Mir wurde klar, daß wir an diesem Tag nicht mehr heimkehren würden.

Wir wurden langen Verhören in grellem Scheinwerferlicht unterworfen. Die Protokolle wurden in russischer Sprache verfaßt. Wir mußten sie danach unterschreiben. Als ich mich wehrte, weil ich dachte, ich würde mein eigenes Todesurteil unterschreiben oder mein Einverständnis zum Transport in ein Arbeitslager in Sibirien geben, ließ mir der russische Offizier durch den Dolmetscher sagen, daß er für beides meine Einwilligung nicht brauche.

Nach wenigen Tagen verließen wir dieses erste Gefängnis. Im großen Sammellager, außerhalb der Stadt, traf ich Freunde und Nachbarn wieder. Hier wurden wir Zeugen der Bombenangriffe auf die Halbinsel Hela, wo noch nicht kapituliert worden war. Dieses Lager war nur eine Durchgangsstation.

Eines Tages wurde auch mein Name beim Appell verlesen. Wir wurden auf Lastwagen nach Graudenz gebracht und in das Militärgefängnis gesteckt. Man sperrte uns in große Zellen, wo wir nur Holzpritschen vorfanden – eine Pritsche für zwei Personen. Einmal am Tag wurden wir zum Essen auf den großen Gefängnishof gebracht. Groß war unsere Freude, wenn wir Bekannte trafen. Am 19. April führte man uns abends nochmals auf den Hof und stellte eine Kolonne von etwa zweitausendzweihundert Männern und Frauen zusammen, die sofort in Marsch gesetzt wurde, und zwar zum Bahnhof, auf dem ein langer Güterzug bereitstand.

Einmal am Tag hielt der Zug an. In alten Konservenbüchsen wurde uns eine warme Suppe gereicht. Aus einer verschwitzten Soldatenmütze wurde teelöffelweise Zucker verteilt. Bevor sich der Zug wieder in Bewegung setzte, holte man die Kranken aus den Wagen heraus und isolierte sie in einem besonderen Waggon. Die Toten wurden gesammelt und von Zeit zu Zeit ausgeladen. Wir konnten beobachten, wie neugierige Bewohner der kleinen Ortschaften an den Zug kamen und daß man ihnen die Leichen zur Bestattung übergab.

Auf der ganzen Fahrt gab es nur einen längeren Aufenthalt. In der Nähe von Moskau lud man uns aus, schickte uns in ein Brausebad und versuchte, uns von Kleider- und Kopfläusen zu befreien. Nach siebzehn Tagen hatten wir unser Ziel erreicht. Da wir uns viele Wochen lang weder hatten waschen noch kämmen können und auch keine Wäsche zum Wechseln besaßen, stiegen wir am 6. Mai ziemlich verdreckt und stinkend aus dem Zug. Wir waren in Kimpersai angekommen, das hinter dem Ural lag und zur Sowjetrepublik Kasachstan gehörte.

Gleich nach unserer Ankunft im Lager 1902 begann der Kampf ums Überleben. Es war ein erbitterter Kampf gegen Hunger, Heimweh, Krankheit, Hitze und Kälte. Viele Gefangene hatten die Strapazen der Fahrt nicht überstanden. Das Lager bestand anfangs noch aus zweitausend Menschen. Als das Jahr 1945 zu Ende ging, waren es nur noch die Hälfte. Ich kam am 11. Juni 1945 in die Waschküche des Lagers. Bis zum Januar 1946 wusch ich hier Leichenwäsche und später die Wäsche der Mitgefangenen, und zwar in länglichen Holztrögen mit hölzernen Waschbrettern. Die Waschmittel waren so scharf, daß meine aufgeriebenen Hände bald wund waren.

Danach arbeitete ich in der Nickelgrube. Das erzhaltige Gestein wurde im Tagebau gewonnen. Im Frühling, Sommer und Herbst planierten wir den Boden, stopften Schwellen und verlegten Schienen. Im Winter mußten wir die Geleise vom meterhohen Schnee befreien. Nicht selten arbeiteten wir bei fünfundvierzig Grad Kälte. Wir trugen Wattekleidung, Filzstiefel und dünne Unterwäsche. Strümpfe oder Socken hatten wir nicht. Unbrauchbar gewordene Kleidungsstücke wurden ersetzt. In einem Magazin waren die Sachen der Verstorbenen gestapelt.

Im Jahre 1946 war ich insgesamt wegen verschiedener Krankheiten dreiundvierzig Tage im Lagerlazarett. Ich arbeitete vorübergehend bei der Brigade, die mit dem Instandhalten der Lehmbaracken beschäftigt war. Wände und Dächer mußten laufend ausgebessert werden. Dreimal am Tag bekamen wir eine dünne Suppe, morgens ein Stück trockenes Brot, mittags ein paar Löffel Kascha. Das war ein Brei aus Buchweizen, Hirse oder Gerste.

Zwei deutsche Militärärzte, die in Stalingrad in Gefangenschaft geraten waren, betreuten uns. Über unsere Einstufung in drei Arbeitsgruppen entschieden russische Ärzte. Nur sie durften über Arbeitsfähigkeit oder -unfähigkeit entscheiden. Bei der Musterung standen wir nackt vor einer Kommission. Sie entschied über unsere Zukunft.

Alte und Rekonvaleszenten schickte man auf die Kolchose. Ich habe auch dort gearbeitet. Im Frühjahr wurden die Bewässerungsanlagen repariert. Später brauchte man uns, um Unkraut zu jäten. Glückliche Tage gab es während der Erntezeit. Wir nahmen Kartoffeln und Mohrrüben vom Feld mit und rösteten sie im offenen Feuer. Weil das Mitnehmen verboten war, versteckten wir das Gemüse an allen nur denkbaren Stellen unseres Körpers. Die meisten Bewacher übersahen unsere ausgebeulten Hosenbeine und Hosentaschen. Schwer war die Feldarbeit im Sommer, wenn das Thermometer auf fünfundvierzig Grad Hitze kletterte.

Zwischen den Männer- und Frauenbaracken befand sich im Lager ein hoher Zaun, dessen Tor bewacht wurde.

Nachdem eine Kulturbrigade ihre Arbeit aufgenommen hatte, gab es am Wochenende im großen Speisesaal ein Unterhaltungsprogramm. Mit Billigung der Lagerleitung und unter den Augen der Bewacher durften wir uns in Gruppen zu Gesprächen versammeln. Für mich war die Mitarbeit in der Brigade, waren die Abende, an denen wir planten und probten, ein Lichtblick. Wir entwarfen Sketche, dachten uns Scharaden aus und sangen Lieder. Vom Lagerleiter erhielten wir Übersetzungen russischer Dichter. Ich erinnere mich an die Aufführung einer Novelle von Anton Tschechow, die ein Erfolg wurde. So vergingen die Wochen, Monate und Jahre. Auf unsere unablässige Frage nach dem Zeitpunkt unserer Freilassung bekamen wir immer ausweichende Antworten. Doch ich gab die Hoffnung auf ein Wiedersehen mit meinen Lieben nie auf. Mein starker Lebenswille half mir, trotz aller Widerwärtigkeiten optimistisch in die Zukunft zu schauen. Nur am Weihnachtsabend, an meinem Geburtstag und an Familiengedenktagen überkam mich jedesmal eine große Traurigkeit.

Im Juli 1946 erhielt jeder von uns eine Feldpostkarte, um seiner Familie ein Lebenszeichen zu senden. Diese erste Nachricht und noch weitere fünf Kartengrüße erreichten meine Angehörigen. Ich lebte noch bis zum Oktober 1947 in Ungewißheit. Da erst erfuhr ich, daß meine Eltern und meine beiden jüngeren Schwestern in Hessen eine neue Heimat gefunden hatten.

Im Oktober 1947 wurde das Kimpersaier Lager aufgelöst. Auf Lastwagen fuhren wir einen ganzen Tag in Richtung Westen. Unser Ziel war das Lager Nickel bei Orsk.

Hier gingen wir täglich in die Fabrik, wo das Erz verhüttet wurde. Da die Maschinen teilweise rund um die Uhr in Betrieb waren, gab es für uns jetzt Schichtdienst. Wir mußten auch nachts arbeiten. Wir luden Erzzüge über tiefen Bunkern aus, schaufelten das Endprodukt in Holzfässer und stellten es zum Abtransport bereit. Die Arbeit war sehr schwer, das Essen unzureichend. Zusehends verschlechterte sich mein Gesundheitszustand. Im Lager herrschte gedrückte Stimmung. Im Sommer 1948 bekam ich Malaria und wurde bis zum 16. Juni im Lazarett behandelt. Während dieser Zeit stellte eine Ärztekommission eine Liste von Arbeitsunfähigen zusammen. Ich gehörte zu den Glücklichen, die am 5. Juli 1948 Orsk in Richtung Deutschland verlassen durften.

Wir fuhren im Güterzug nach Hause. Jeder hatte ausreichend Platz, und die Waggontüren blieben nicht den ganzen Tag verschlossen. Hielten wir länger, durften wir aussteigen und uns die Füße vertreten. Am 25. Juli erreichten wir Frankfurt a. d. Oder. Über Hersfeld und Bad Salzschlirf kehrte ich nach einem Erholungsaufenthalt am 1. Oktober 1948 zu meiner Familie zurück, die in einem Dorf im Landkreis Hanau wohnte. Man hatte für uns Rußlandheimkehrer keine ro-

Ruth Eggert mit ihrer Mutter nach der Heimkehr.

ten Teppiche ausgerollt, keine Psychotherapeuten standen bereit, um uns bei der Wiedereingliederung in die Gesellschaft zu helfen.

Mit Hilfe von Familienangehörigen und Freunden gelang mir ein neuer Anfang. Die Erlebnisse der Gefangenschaft haben ihre Spuren hinterlassen und mein Leben entscheidend geprägt.

Nach meiner Heimkehr mußte ich mich im Juli 1950 einer schweren Operation unterziehen. Im Juni 1972 erkrankte ich an Krebs. Sieben Jahre später mußten mir zwei herausgesprungene Bandscheiben durch einen chirurgischen Eingriff entfernt werden.

Stationen der Kriegsgefangenschaft in sowjetischen Aufnahmen:
Ein deutscher Offizier bei der ersten Vernehmung nach der Gefangennahme

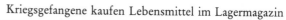

Kriegsgefangene kaufen Lebensmittel im Lagermagazin

Bei der Essensausgabe

Auf der Krankenstation

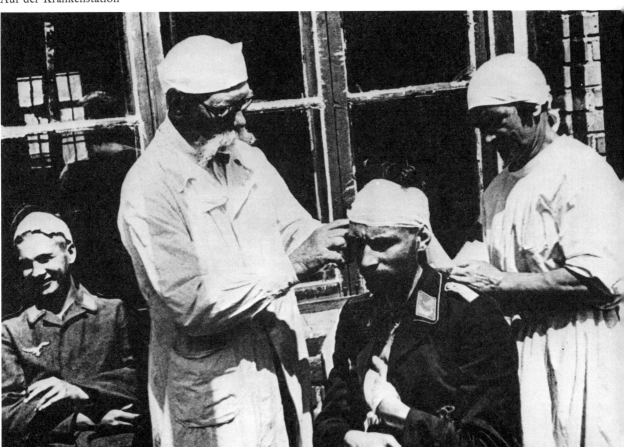

Willi Holtzer

Von 1945 bis 1948 in russischer Kriegsgefangenschaft, unter anderem in Königsberg, Löwenhagen und Tiflis.

In einer kalten Januarnacht 1944 bekam ich die erste „Einladung" zur sowjetischen Kriegsgefangenschaft. Unsere Flakeinheit lag am Stadtrand von Witebsk, und ich stand auf Posten zur mitternächtlichen Stunde.

Es war eine unheimliche Stille, die weißen Schneefelder wurden ab und zu von einer Leuchtrakete grell beleuchtet. Da plötzlich hörte ich vom Wind herübergetragen, die Klänge eines deutschen Volksliedes; es kam von der Feindseite. Man konnte auch bald die Melodie genauer hören. Es waren die Klänge eines alten Liedes: „Am Brunnen vor dem Tore". Wozu dieses gefühlvolle Volkslied zur nächtlichen Stunde? Der Zweck jedoch wurde bald deutlich, denn anschließend hörte man von drüben aus dem Grabenlautsprecher in akzentfreier deutscher Sprache die Aufforderung: „Kameraden, kommt herüber, verlaßt eure Einheit, der Krieg ist verloren." Als letzter Zuruf: „Vergeßt eure Kochgeschirre nicht!" Zu dieser Einladung in nächtlicher Stunde wurden dann noch Flugblätter in Form von Passierscheinen abgeworfen. Diese Passierscheine berechtigten die Überläufer zum „freien Eintritt" beim Gegner. Ferner wurden in deutscher und kyrillischer Schrift gute Behandlung und baldige Heimkehr nach Kriegsende zugesichert.

Die Zahl derer, die das geglaubt haben, wird nie bekannt werden, auch nicht die, die dafür bitter bezahlen mußten. Mein Weg in die unfreiwillige russische Gefangenschaft begann am 20. April 1945 bei Fischhausen (Königsberg). Aus dem Kessel gab es kein Entrinnen mehr.

Nach dem üblichen Verhör durch eine russische Dolmetscherin wurden wir auf einem Bauerngehöft gesammelt und bis zum Abtransport bewacht.

Diese erste Nacht als Kriegsgefangener wird mir unvergeßlich bleiben. Was uns in sowjetischer Kriegsgefangenschaft bevorstand, hatte man uns ja durch die Nazipropaganda eingehämmert. Wir waren also auf das Schlimmste vorbereitet.

In einer kleinen Stube des Bauernhauses verbrachten wir nun die erste Nacht. An der Tür wurden wir von einem Russen bewacht. Es muß um Mitternacht gewesen sein, da weckte mich der Russe mit dem Gewehrkolben und bedeutete mir, ihm zu folgen. Meinen Rucksack mußte ich zurücklassen.

Er führte mich sodann in eine dunkle Ecke des Hofes. Dort stand unter einem Überbau eine lange, schmale Kiste mit Deckel, in Form eines Sarges. War das eine Falle? Nachdem der Russe an einem Regal hantiert hatte, kam er aus dem Dunkeln hervor mit einer Büchse roter Farbe und einem Pinsel. Mit Handbewegungen befahl er mir, den Sarg rot zu streichen.

Der Posten entfernte sich in Richtung Unterkunft. Was stand mir nun bevor? Sollte ich versuchen zu fliehen?

Die Überraschung war noch größer, als der Posten nach kurzer Zeit zurückkam und mich in die Küche führte. Dort hatte die russische Feldküche noch einen reichlich gedeckten Tisch übriggelassen. Durch freundliches Hindeuten wurde ich zum Essen aufgefordert.

Sollte das nun meine Henkersmahlzeit sein?

Beim Essen konnte ich beobachten, daß der nächste Kamerad zum Anstreichen in den Schuppen geführt wurde. Ich hatte nun Gelegenheit, die übrigen Kameraden über die nächtliche Anstreichertätigkeit zu informieren. Dabei erfuhr ich auch den Grund, warum uns der Posten ohne Gepäck in den Schuppen gebracht hatte. Er hatte auf diese Weise in aller Ruhe unsere Gepäckstücke filzen können. Schweres Gepäck hätte uns wohl auch nur belastet, und vielleicht war doch noch irgendwo eine „Uhri" versteckt. Diese Sorgen mit der Uhr hatte ich nicht mehr. Ich war dankbar für das gute Essen und einige Kleinigkeiten, die ich in der Küche „gefunden" hatte.

Mein Weg führte mich über das Sammellager Königsberg. Hier wurden Landarbeiter für den Raum Ostpreußen gesucht. In der Hoffnung, nicht weiter nach Osten transportiert zu werden, meldete ich mich und landete auf einer kleinen Kolchose bei Löwenhagen.

Diese ersten Wochen der Gefangenschaft überlebte man auf dem Lande sicherer als in einem großen Lager.

Bei meinem ersten Einsatz im Leben als Landarbeiter mit Pferd und Pflug mußte ich allerdings erst eine große Hürde überwinden. Pferde hatte ich während des Krieges in Berlin nur in Form von Buletten kennengelernt. Nun stand ich hilflos mit Pferd und Pflug am Ackerrand und sollte Kartoffeln häufeln. Mein Pferd vor dem Pflug, ein echter Trakehner, muß wohl gemerkt haben, wie unbeholfen ich war, denn nach einigen Versuchen marschierte es mit mir am Pflug geradeaus und legte eine Furche exakt neben die andere.

Ich konnte mich dafür erkenntlich zeigen. Da das Kartoffelfeld so groß und kaum übersehbar war, haben wir jede zweite Furche nur bis zur Mitte gehäufelt und dann den Pflug gewendet.

Es begann nun langsam die Zeit der Ernte. Sie war uns besonders wichtig, da man noch zusätzlich etwas organisieren konnte, um bei Kräften zu bleiben; denn die Arbeit war nicht immer leicht.

An Heimkehr dachte jeder. Man klammerte sich an jede noch so geringe Hoffnung. Selbst das war wichtig zum Überleben, sofern man kein Fatalist war.

Weihnachten 1945 war es dann soweit. Wir wurden auf Lkws verladen, und die Fahrt endete in Königsberg. Es war wenigstens ein schwacher Trost, daß wir nicht noch weiter nach Osten gebracht wurden.

Wir wurden in verfallenen Baracken im Hafengelände untergebracht.

Es erfolgte dann sofort der Abmarsch in den Hafen. Dort habe ich am Heiligabend Kisten von einem russischen Frachter entladen, in denen demontierte Fabrikanlagen aus Berlin waren.

Unser Lagerleben normalisierte sich langsam. Ein Krankenrevier wurde eingerichtet, alle Baracken bekamen Zentralheizung, und ein Kulturzentrum wurde eingerichtet. Die Bänke und Sitzgelegenheiten für diesen Saal wurden von der Baubrigade vom nahen Friedhof besorgt. Ein Grund für die schnelle Erstellung des Kulturraumes waren die ersten Anfänge der Antifa für Umschulungszwecke. Es gab dann noch viel Arbeit im Hafen. Die großen Krananlagen im Königsberger Hafen, zum Teil zerstört, mußten schnell instandgesetzt werden, zum Verladen der Güter, hauptsächlich aus Berlin.

Ich hatte Glück. Durch meine frühere berufliche Tätigkeit wurde ich Brigadier einer Reparaturbrigade. Vor Beginn der Arbeiten hatte ich durch Zufall Gelegenheit, mir die Schaltpläne der Fahr-

schalter und Motoren zu besorgen. Dadurch konnten wir als Spezialisten die Norm übererfüllen und uns auch mit einem Propusk (Sonderausweis) im Hafengelände frei bewegen. Dies war sehr wichtig. Dadurch konnte immer ein Mann der Brigade für uns alle im Getreidespeicher organisieren. Wegen der schlechten Ernte in Rußland war auch die Lagerverpflegung stark rationiert.

Der leitende russische Ingenieur war über die schnellen Reparaturen so erfreut, daß er mich häufig bei seinen Arbeitskontrollen mit Genosse Ingenieur anredete. Er wußte ja nichts von den Schaltplänen in meiner Tasche.

Infolge dieser beruflichen Verbundenheit wurde unsere tägliche Normübererfüllung in Prozenten an der Lagertafel bekannt gemacht.

Die Überschrift am Lagertor lautete: Arbeit macht frei!

Doch unter Freiheit versteht man wohl in allen Gefangenenlagern etwas anderes. Weil wir die Arbeitsnorm übererfüllten, geschah etwas, womit wohl niemand zur damaligen Zeit gerechnet hatte: Es wurde im Lager bekannt, daß die Bestarbeiter für die gute Normerfüllung in Rubeln bezahlt werden sollten.

Man konnte nach einiger Zeit in der angeschlagenen Lagerzeitung ablesen, wieviel Rubel man bisher verdient hatte. Es waren im Laufe der Zeit einige hundert Rubel zusammengekommen.

Wir haben nie damit gerechnet, jemals einen Rubel davon in die Hand zu kriegen.

Durch die Höhe der Summe war die russische Lagerleitung so überrascht und beeindruckt, daß sie sogar für uns einen seltsamen Weg fanden, um die vielen Rubel ins Lager zu leiten.

Wie schon angedeutet, war die Lagerverpflegung durch die schlechte Ernte so gering geworden, daß sie eben noch reichte, um am Leben zu bleiben. Da wurde eines Tages bekanntgemacht, es sei beabsichtigt, für das ganze Lager in Litauen zusätzliche Lebensmittel, besonders Fleisch, einzukaufen. Für eine von der Antifa gegründete Lagerkapelle sollten dort auch Musikinstrumente gekauft werden. Für diese Aktion könnten die Kameraden, die ein Rubelkonto besaßen, eine Spende machen. Da ich nie damit gerechnet hatte, von meinen schwerverdienten Rubeln je eine Kopeke zu sehen, stiftete ich zu aller Erstaunen meinen gesamten Bestand, einige hundert Rubel.

Норма № 3.

№№	Наименование продуктов	Положенная норма	норма на фактическому сорту	Lfd. Nr.	Produkte	Grund normen	Empfangen
1	Хлеб 96%	670	670	1	Brot 96%	670	670
2	Сухари обед	402	402	2	Trockenbrot	402	402
3	Мука 85%	20	20	3	Weissmehl	20	20
4	Крупа	70	70	4	Graupen	70	70
5	Рис	10	10	5	Reis	10	10
6	Мясо	80		6	Fleisch	80	—
7	Консервы раститель	—	81,6	7	Misch Konserven	—	81,6
8	Рыба	20	20	8	Fisch	20	20
9	Макароны	20	20	9	Makkaroni	20	20
10	Сало или Комбиж.	30	—	10	Schmalz oder Fett	30	—
11	Жиры растит.	10	—	11	Oel	10	—
12	Молоко свеже	200	—	12	Milch	200	—
13	Масло топлен.	—	44,67	13	Butterschmalz	—	44,67
14	Сахар	20	20	14	Zucker	20	20
15	Чай	0,5	0,5	15	Tee	0,5	0,5
16	Соль	20	20	16	Salz	20	20
17	Картофель свежая	300	300	17	Kartoffeln	300	300
18	Овощи раз.	200	—	18	Gemüse	200	—
19	Крупа пшено	—	24	19	Hirse	—	24
20	Мыло хоз.	200	200	20	Seife	200	200
21	Табак	10	10	21	Tabak	10	10
22	Спички	1	1	22	Streichhölzer	1	1
23	Мука 85% без дрож.	25	25	23	Hafemehl	25	25

Зам. Нач. У. Л. В. П. 236
по снабжению
Майор:

Verpflegungszettel in Russisch und Deutsch

Wie ich erwartet hatte, tat sich wochenlang gar nichts. Wir hatten uns bereits damit abgefunden.

Doch eines Tages, nach Rückkehr ins Lager, herrschte große Aufregung: Eine Kommission mit Listen und einer großen Kiste sei eingetroffen. Sollte wirklich die russische Lagerleitung mit unseren Rubeln Erfolg an höchster Stelle gehabt haben?

Es erfolgte der erste Namensaufruf. Ich mußte in das erste Barackenzimmer, diesmal nicht zur Vernehmung, sondern ich mußte an einen Tisch treten und bekam nach der Unterschrift meinen gesamten Rubelbetrag ausgezahlt.

Ein Wunder! Es war alles eingehalten worden wie versprochen. Nagelneue Rubelscheine wechselten ihren Besitzer. Wir hatten ein Vermögen in der Hand.

Alsdann wurde ich mit meinem Schatz freundlichst in das Nebenzimmer gewiesen. Dort stand auch wieder ein Tisch mit einem russischen Offizier dahinter. Dieser zeigte mir dann sehr verbindlich die Spendenliste mit meiner Unterschrift, und meine Rubel waren weg.

Russische Offiziere und deutsche Kriegsgefangene fuhren nach Litauen und kauften dort für das Lager Lebensmittel, hauptsächlich lebendes Vieh und Musikinstrumente. Außergewöhnliche Zeiten haben Bewacher und Gefangene zu gemeinsamen Maßnahmen gebracht.

Die Ernährungslage war im Raum Königsberg so schlecht, daß sogar Zivilisten aus Königsberg versuchten, bei uns als Kriegsgefangene unterzutauchen.

Durch die Tätigkeit in dem großen gelben Getreidespeicher im Hafen und durch Zuckeranlandung aus der Magdeburger Börde gab es immer wieder Möglichkeiten, wenn auch unter Gefahr, die Verpflegungslage zu verbessern.

Ende Juli zeigten sich die ersten Anzeichen einer Veränderung. Wieder kursierten die Parolen: „Skora damoi!" Dies war das Schicksal und Zauberwort aller Gefangenen: „Bald nach Hause!" Die üblichen Untersuchungen nach Arbeitsgruppen und Gesundheitszustand. Einteilung in verschiedene Gruppen, welche Gruppe kam eventuell nach Hause? Wir hatten nach fast einem Jahr schon die erste Post von zu Hause erhalten. Dadurch hatten wir auch erfahren, daß die Entlassungswelle schon begonnen hatte.

Endlich war es soweit. Die mit Stroh und Gulaschkanone ausgerüsteten Güterwagen standen zur Abfahrt bereit. Sollte es eine Fahrt in die Heimat werden? In froher Erwartung wurden die Waggons bestiegen, jeder sicherte sich einen guten Liegeplatz, und die Fahrt konnte beginnen. Die Waggontüren wurden nicht verschlossen, damit rückte die Heimkehr noch näher.

In den Abendstunden begann die Fahrt. Am nächsten Morgen kam die große Enttäuschung. Die Hoffnung auf Freiheit und das Wiedersehen mit der Heimat war mit einem Schlag vernichtet.

Der Zug rollte gen Osten. Wir landeten in Tiflis. Zuerst wie üblich in einem Sammellager.

Hier war wieder alles mit Hilfe der Antifa gut durchorganisiert. Diese Leute der Antifa saßen wohlgenährt in den Führungs- und Verwaltungsposten im Lager. Doch diesmal sollte ihre Rechnung nicht aufgehen.

Wir Neuen wurden von dieser Truppe zu den verschiedenen Arbeiten abkommandiert. Ich landete im Bergwerk und arbeitete mit russischen Strafgefangenen vor Ort bei der Kohleförderung. Wir bekamen zwar für die Arbeit unter Tage eine größere Brotzuteilung, aber es war Knochenarbeit. Lange würden wir das bei unserem Gesundheitszustand nicht durchhalten.

Doch eine Wende bahnte sich an. Nach einigen Tagen gab es große Tumulte im Lager. Aus dem Hauptlager war ein Lkw mit neuen Männern angekommen, alles gutgenährte Gefangene aus Verwaltung und Antifa. Von den Posten wurden sie gebührend in Empfang genommen.

Jetzt hatten die russischen Offiziere die Rechnung der „Kameraden" von der Antifa beglichen.

Folgendes war geschehen: Die russische Bergwerksverwaltung wurde stutzig, als sie zum Teil vollkommen unterernährte Gefangene aus dem Hauptlager erhielt. Eine Nachprüfung ergab, daß bei der Abstellung der Bergwerksbrigade die Antifa-Leute ihre und die Namen ihrer Freunde mit den Namen anderer schwacher und zum Teil kranker Kameraden vertauscht hatten. Der Austausch der schwachen Kameraden unter Tage wurde nun von unseren Bewachern in die Wege geleitet.

Ich war im Bergwerk geblieben und mußte mich um die russischen Strafgefangenen kümmern.

Diese Truppe von Strafgefangenen waren Meister im Stehlen. Selbst die alte Wattejacke eines deutschen Kriegsgefangenen war spurlos verschwunden, wenn man sie nur einen Augenblick an einen Haken hängte.

Alles, was nicht niet- und nagelfest war, wurde von ihnen demontiert. Dazu gehörten auch die wertvollen Glühlampen, die in der Werkstatt unter Tage benötigt wurden. Durch meine Beziehungen zur Elektrik wurde ich zum Bewacher dieser Lampen ernannt. So bewachte nun ein deutscher Plenni die Glühlampen vor dem Zugriff der russischen Landsleute.

Nach Schichtschluß nahm ich sogar aus Sicherheitsgründen die kostbaren Lampen mit ins Lager. Das hatte allerdings auch einen kommerziellen Hintergrund: Ich konnte auf diese Weise einem russischen Fotografen gegen ein kleines Handgeld mehr Licht bei seinen Atelieraufnahmen ermöglichen.

Das eine war sicher: Die Russen brauchten die deutschen Spezialisten, und das wurde durch besseres Essen honoriert. Dies wiederum hatte zur Folge, daß wegen ihres besseren Ernährungszustands die Spezialisten kaum an eine baldige Heimkehr denken konnten.

Nur bei Gruppe 3, die an der Grenze der Dystrophie lag, hatte man die Chance, eventuell auf die Entlassungsliste zu kommen. Dieser makabre Teufelskreis entschied über Freiheit oder weitere ungewisse Gefangenschaft.

Zu einer Zeit, als durch schwere Arbeit, ohne Möglichkeiten einer Zusatzverpflegung, mein körperlicher Zustand auf dem Nullpunkt angekommen war, wurde wieder eine russische Kommission zur Untersuchung erwartet. Nackt wurden wir der russischen Ärztin vorgeführt. Zugegen waren der russische Listenführer und ein „deutscher" Dolmetscher. Nach Besichtigung des allgemeinen Zustandes erfolgte der berühmte Blick und Griff der Ärztin an die Stelle des Körpers, wo noch das letzte Muskelfleisch zu erwarten war: die Umgebung des Hüftknochens.

Doch vor der Eintragung der Arbeitsgruppe durch die Ärztin wurde die Frage nach der Tätigkeit gestellt. In diesem Augenblick bedauerte ich, nicht besser Russisch zu können. Ich war damals Bauarbeiter und hatte der Ärztin nur ein einziges russisches Wort nennen können. Es war vielleicht das Schicksalswort: Lapatka – die Schaufel. Dazu machte ich die entsprechende Bewegung.

Welche Entscheidung jetzt fallen würde, war noch nicht vorauszusehen, denn beim deutschen Dolmetscher wurde das Wort Spezialist genannt. Das hätte eine höhere Arbeitsgruppe, aber auch längere Gefangenschaft bedeuten können.

Tage und Wochen vergingen. Man mußte sich damit abfinden, weiter zu hoffen. Doch es gab noch Wunder – wenigstens hat man es damals so empfunden. Eines Abends – ich lag mit Ruhrverdacht auf meiner Pritsche – gab der Lagerlautsprecher eine Namenliste von Heimkehrern durch. Auch mein Name wurde genannt. Durch die jahrelangen Enttäuschungen vorsichtig geworden, ließ ich mir von einem Nachbarn bestätigen, daß ich richtig gehört hatte.

Nachdem wir eingekleidet waren – alles neue Sachen, von der Unterwäsche über die Wattejacke bis zu den Schnürstiefeln aus Stoff –, konnte die Heimfahrt beginnen. Beim Transport wurden wir von Lager zu Lager weitergereicht, um Neuzugänge mitzunehmen. Auf dieser letzten Etappe versuchten auch einige deutsche Lagerleiter, uns Heimkehrer gegen eigene Leute einzutauschen. Bei der Zusammenstellung des Transportes mußten wir häufig einige Tage im Durchgangslager verbringen. Dadurch hatte der Leiter des Durchgangslagers die Möglichkeit, uns Heimkehrer zu einer Außenarbeit abzukommandieren. Wenn dann der Aufruf zum Weitertransport erfolgte, waren diese Kameraden nicht erreichbar. Damit die Zahl stimmte, schickten die Lagerleiter eigene Leute mit.

Um dieser „Vertauschung" zu entgehen, hielt ich mich in der Baracke der Nachtschichtarbeiter auf, die ja am Tage im Lager blieben, und konnte so jederzeit bei Aufruf zur Stelle sein für die Weiterfahrt.

Für die Russen war die Stückzahl wichtig. Es ist vorgekommen, daß beim Heimtransport Deutsche, die den Waggon auf Bahnhöfen zum Austreten verlassen hatten, von fremden Posten ergriffen und wieder nach Rußland zurückgebracht wurden. Die Erklärung war ganz einfach: Auf dem Nachbargleis stand ein Transport mit Deutschen, der für das Innere von Rußland bestimmt war. Hier waren einige geflohen. Um die richtige Anzahl wieder herzustellen, nahmen die

Posten jede Gelegenheit wahr, Deutsche von einem Heimkehrertransport einzufangen.

Zahlen und Vorschriften wurden von den Russen genau eingehalten, nicht nur was die Zahl der Gefangenen betraf. Auch die beigefügte originale Verpflegungsliste für den Transport belegte dies. Trockenbrot, Zucker, Tabak und Streichhölzer, die wir ausgehändigt bekamen, entsprachen genau den Vorschriften. Die vielen anderen Produkte mit den wichtigen Kalorien waren ja bei der Zubereitung der warmen Verpflegung verarbeitet worden.

Mein Gesundheitszustand hatte sich leider durch die lange Dauer des Transportes verschlechtert. Eine Darmkrankheit machte sich immer mehr bemerkbar. Bei der Vorstellung im mitgeführten Sani-Waggon wurde mir vom deutschen Sanitäter Kohle verabreicht. Gleichzeitig wurde ich mit deutscher Gründlichkeit nach Namen und Waggon gefragt. Eine Ahnung veranlaßte mich, nach kurzer Überlegung einen falschen Namen anzugeben.

Was ich vermutet hatte, bestätigte sich beim letzten Halt in Minsk. Die gesamten Heimkehrer mußten die Waggons verlassen, der Zählappell der russischen Offiziere ergab keine Beanstandung. Dann trat besagter Sanitäter vor die Front und verlas von einem Zettel die Namen einiger Heimkehrer, die nach seiner Meinung zurückbleiben sollten, angeblich, um in einem Krankenlager gut gepflegt und beim nächsten Transport nach Hause geschickt zu werden. Einer davon, der den falschen Namen angegeben hatte, war natürlich nicht auffindbar. Das war ich. Das Geschrei und Getobe dieses Sanitäters werde ich nie vergessen.

Das Leiden, das ich wirklich hatte, wurde mir am 25. Oktober 1948 im Lager Friedland von einem Arzt auf dem Entlassungsschein bestätigt: Dystrophie und Hungerödeme.

Aus der Gefangenschaft mitgebracht: die Steppjacke

Prof. Dr. Ernst-Günther Schenck

*Von 1945 bis 1955 in russischer Kriegsgefangen-
schaft, unter anderem in Rüdersdorf, Frankfurt
a. d. Oder, Moskau und Krasnogorsk.*

Am 2. Mai 1945 wurde ich in Berlin im Keller der
Brauerei Schultheiss-Patzenhofer gefangengenommen.
Ich arbeitete zuletzt als Arzt in der Reichskanzlei. Dreihundert Operationen hatte ich in den
letzten drei Wochen durchgeführt. Wir sind
dann ausgebrochen, weil wir uns nach dem Tode
Hitlers angeblich mit der Armee Steiner vereinigen sollten, die im Norden Berlins stand. Die in
der Reichskanzlei eingesetzten Truppenteile
wurden in fünf oder sechs Gruppen herausge-
schleust. Ich ging mit der ersten Gruppe. Wir
waren zu zwölft und die ganze Nacht über in
nördlicher Richtung gezogen.
Als Oberst Clausen als unser Parlamentär herunter in den Keller der Brauerei kam, stand hinter
ihm eine Reihe von russischen Offizieren und
Soldaten. Wir diskutierten gerade darüber, ob
wir uns alle erschießen sollten oder nicht. Ich war
dagegen, weil ich dachte, es gibt immer noch
einen Ausweg. Zwei Kameraden haben es dann
leider getan. Als wir gefangengenommen wurden, fragte ein sowjetischer Unterleutnant, ob
ein Arzt in der Gruppe sei. Er führte mich in ein
Magazin, in dem etwa zwanzig oder dreißig
schwer verwundete Soldaten lagen. Ein junger
Student und eine Hebamme bemühten sich um
sie. Sie schnitten an einem Sterbenden herum und
wollten ihm noch ein Bein amputieren. Ich habe
die verwundeten Kameraden angesehen und den
Helfern einen Ratschlag gegeben. Dann führte
man mich leider wieder weg.
Unsere Gruppe wurde mit Jeeps durch ganz
Berlin zu einem russischen Armeekommando
gefahren. Der Chef des Stabes empfing uns feier-
lich. Er entschuldigte sich, daß der Armeeführer
selber nicht da sein könne. Er sagte, die russische
Armee freue sich, daß sie so tapfere Gegner
gehabt hätte. Wir wurden dann zu einem Essen
eingeladen, bei dem je ein deutscher und russischer Offizier mehrere Stunden zusammensa-
ßen. Die Russen wurden immer fröhlicher, wir
immer trauriger. Schließlich waren sie so fröh-
lich, daß uns der sowjetische General in ein

Ernst-Günther Schenck, 1945 von einem Mitgefangenen gezeichnet

kleines Zimmer brachte. Von da an begann die
eigentliche Gefangenschaft. Am nächsten Tag
wurden wir morgens auf einen Lastwagen geladen und durch Berlin gefahren. Irgendwo mußten wir anhalten, da standen russische Verkehrs-
polizistinnen und winkten.
Da zeigte sich Allrußland. Auf Panjewagen mit
lebendem Vieh und singenden Männern und
Frauen kamen in drei, vier Marschkolonnen nebeneinander die russischen Truppen vorbeizo-
gen. Wir mußten warten. Dann wurden wir nach
einem triumphierenden Blick der jungen Polizi-
stin weitergeschleust.
Hier und da sah man ein paar Kinder. Sonst war
kaum jemand auf der Straße. Wir überlegten, ob
es Sinn hätte, vom Lkw abzuspringen. Aber es
waren überall zu viele Russen.
Man brachte uns nach Niederschönhausen, in
das ehemalige Schloß. Als wir vom Lastwagen
heruntergeholt wurden, hörten wir Maschinengewehrfeuer und dachten: „Jetzt ist also Schluß.
Jetzt werden wir hier erschossen." Wir wurden
in die Dachkammer eines Leutehauses gesteckt
und nachmittags von einem betrunkenen Offizier vernommen.
Schließlich wurden wir nach Rüdersdorf in die
Zementfabrik transportiert. Dort hatte ich meine

Wohnung in einem großen Zementsack, der in einem Regal lag. Viele Ruhrkranke waren hier. Ich hatte sie zu versorgen, litt aber selber schon an Ruhr. In Rüdersdorf wurden die Truppen aufgeteilt. Es wurden Bataillone unter deutscher Führung zusammengestellt, die in der Mark Brandenburg und in Pommern Minen räumen sollten. Sie marschierten geschlossen aus dem Lager – recht frei. Wie wir später von den Zurückkehrenden hörten, wurden sie auch von der Bevölkerung sehr gut aufgenommen. Sie räumten zwei, drei Monate lang die Minen, so daß das Land wieder zu bebauen war.

Es herrschte ein enormer Hunger. Unsere Mahlzeiten bestanden aus einer Wassersuppe mit verfaultem Blut und Majoranstengeln. Fast die ganze Bevölkerung und die ganze Belegschaft war hunger- und ruhrkrank. Wir hofften auf Besserung, als wir hörten, daß eine Rotkreuzkommission kommen sollte – und sie kam auch zusammen mit vielen russischen Offizieren. Mehrere junge Mädchen standen da mit weißen Kleidern, in der Rotkreuztracht. Die ganze Belegschaft von Rüdersdorf mußte nackt an ihnen vorbeiwandeln. Wir Ärzte wollten mit ihnen sprechen, um unsere Beschwerden vorzubringen, mußten

Berlin, Mai 1945: Die Reichshauptstadt ist von der Roten Armee erobert. Aus den U-Bahnschächten kommen die Überlebenden. Russische Soldaten nehmen Wehrmachtsangehörige gefangen.

aber erfahren, daß es gar keine Rotkreuzkommission war. Es handelte sich um Sekretärinnen aus Berlin, die in dieser Masse von Gefangenen ihre Chefs ausfindig machen sollten.

Von Rüdersdorf ging es dann weiter nach Frankfurt a. d. Oder in die Hindenburg-Kaserne. Dort war das große „Hinaus-nach-Rußland, Herein-aus-Rußland": Tausende von seit 1944 zugrundegearbeiteten Menschen, Kriegsgefangenen, Verschleppten, Frauen und Mädchen aus Ostpreußen und Schlesien kamen wieder zurück, meistens schon schwerkrank. Auf den Rücktransporten waren schon in den Waggons bis zu dreißig Prozent gestorben. Es war ein Elendsbild ohnegleichen. Ich kam mit einer Gelbsucht und einer schweren Ruhr todkrank dorthin, konnte mich aber erholen und habe nach drei Wochen, im März 1946, eine Ruhrstation übernommen.

Medikamente hatte ich kaum. Eines Tages sagte mir ein Apotheker: „Ich bin heute aus dem Lager gebracht worden, um eine Apotheke sauber zu machen, und was meinen Sie, was ich entdeckt habe? Eine große amerikanische Pacht- und Leihapotheke." Die Russen wußten mit den unbekannten Medikamenten nichts anzufangen. Wir waren natürlich sehr interessiert. In der Nacht hat eine Rotkreuzschwester für uns Fahrermäntel mit Taschen versehen. Als Putzkolonne durften wir mit dem Apotheker gehen und konnten Medikamente zusammenraffen. Abends kehrten wir zurück. Ich hatte furchtbare Angst vor einer Entdeckung. Wir waren wie Bären ausgestopft. Der Apotheker als Anführer der Kolonne nahm nichts mit. Er mußte uns durch die Wache lotsen. Wir hatten für vier bis fünf Wochen ausreichend Medikamente.

Dann begannen die Vernehmungen. Man interessierte sich sehr für meine wissenschaftlichen Arbeiten. Ich wurde im Einzeltransport von Frankfurt a. d. Oder mit drei Mann Bewachung im D-Zug nach Moskau gefahren. Ich kam in das Lager Krasnogorsk 47/II. Hier sammelten die Sowjets Generäle, Fachleute und Offiziere, darunter auch viele japanische, ungarische und rumänische Offiziere. Es war sozusagen der Vorhof zur „Butyrka", dem russischen Staatsgefängnis. Viele Leute kamen dorthin, viele Leute kamen von dort her, und man war in dauernder Ungewißheit, was mit einem geschehen würde und was die Russen gerade an dieser Stelle woll-

ten. Es war auch der Ort, wo sich die deutschen Kommunisten, wie Ulbricht und andere, ihre Informationen holten. Hier sammelten sie ihre Leute, mit denen sie später zusammenarbeiten wollten. Innerhalb kurzer Zeit bildete sich ein Aktiv. Zugleich war dieses Lager die Sammelstelle für alle Kriegsgefangenen- und Suchbriefe.

Es entstand dort das „Nationalkomitee Freies Deutschland", der „Bund Deutscher Offiziere", nachdem sich die „Antifa" schon 1943, nach Stalingrad, gebildet hatte. Zugleich befand sich dort auch eine große Zahl von Offizieren und Mannschaften, die nicht mitmachen wollten und die graue Elendsmasse bildeten, ferner in einem Sonderlager Diplomaten aus dem Fernen Osten und polnische Fürsten.

Dort habe ich nicht als Arzt gearbeitet, ich gehörte zur grauen Masse. Aber ich wurde fortlaufend vernommen, und zwar über meine ernährungswissenschaftlichen Arbeiten und über meine Bekanntschaften mit russischen Forschern vor dem Krieg. Ich war Oberstarzt der Reserve und Ernährungsinspekteur der deutschen Wehrmacht gewesen, und vorher hatte ich die Krankenernährung in der Reichsgesundheitsführung organisiert.

Eines Tages kam ein General und betrachtete mich. Ich sah nicht gut aus, ich war ziemlich krank. Dann wurde ich als einzelner von einem Oberstleutnant abgeholt. Ich wurde durch Moskau gefahren und in ein Lazarett gebracht. Es war das Hauptlazarett der Roten Armee, noch erbaut von Peter dem Großen.

Die Vernehmungen waren der Anlaß dafür, daß ich in das Ernährungsforschungsinstitut der Roten Armee gebracht wurde, in eine klinische Abteilung mit kranken russischen Soldaten. Ich mußte Forschungspläne aufstellen über die Behandlung von Nieren- und Leberkranken. Ich habe in diesem Institut eineinhalb Jahre allein mit Russen gearbeitet. Erst später kam ein deutsches Arbeitskommando zu Bauarbeiten.

Ende 1947 kam ich lungenkrank aus dem Forschungsinstitut wieder in das Lager Krasnogorsk zurück. Dort hatten sich die Verhältnisse nicht wesentlich gebessert. Ich wurde, weil ich in Moskau gearbeitet hatte, zunächst von der Antifa respektiert. Ich trat aber keinem dieser Clubs bei. Ich bewarb mich vielmehr um den Posten des Nachtwächters.

Das Bespitzelungssystem im Lager war genial ausgedacht. Leider haben sehr viele mitgemacht. Man mußte vorsichtig sein und konnte mit kaum jemandem offen sprechen. Als ich aus der eineinhalbjährigen Einsamkeit heraus, am ersten Tag nach meiner Rückkehr nach Krasnogorsk, ziemlich offen über die Verhältnisse sprach, die ich in Moskau vorgefunden hatte, wurde mir das drei Jahre später bei der Verurteilung vorgehalten. Auch daß ich bei einem ärztlichen Vortrag die deutsche Medizin herausstellte, brachte mir große Schwierigkeiten.

In dem Lager gab es zudem, was wir anderen die „Pension Judas Ischariot" nannten. Sie beherbergte etwa dreißig Männer, vom General bis zum Gefreiten, die von dem späteren Außenminister der DDR zusammengebracht wurden und die „Nationaldemokratische Partei" gründen halfen, die später als Auffangbecken für Offiziere und Nazis in der Ostzone dienen sollte.

Viele Russen sprachen Deutsch. Sie hatten dadurch die Möglichkeit, die Deutschen auseinanderzudividieren. Mit den Japanern hatten sie es da schwerer. Es gab nur wenig Russen, die Japanisch konnten. Sie waren deswegen gezwungen, die Japaner in ihren alten Einheiten und unter der Führung ihrer Offiziere zu belassen.

Im Jahre 1949 ging es auf den Schüttelrost – so will ich es einmal nennen. Tag für Tag wurden ein, zwei oder fünf Leute aus dem Lager geholt und verschwanden. Niemand wußte wohin. Das ging so bis zum 5. Dezember. Wer bis dahin nicht weggeholt worden war, so sagte man uns, der kommt nach Hause. Es gab ein Übereinkommen der Alliierten, daß bis Dezember 1949 sämtliche Kriegsgefangenen zu Hause sein sollten. Darauf hofften alle. Ich wurde mit der allerletzten Gruppe am 3. oder 5. Dezember 1949 abgeholt und in die Lafortowskaja, das dritte große russische Staatsgefängnis, gebracht. Dort wurden wir dann in Bausch und Bogen abgeurteilt. Ich wurde zum Tode verurteilt, mit der Begründung, daß ich als Ernährungsinspektor der deutschen Wehrmacht in einem Ernährungsmagazin gearbeitet und dadurch die Widerstandskraft der deutschen Truppen gestärkt hätte. Mein Freund, ein katholischer Geistlicher, wurde verurteilt – und das hat ihn bis zum letzten Tag seines Lebens erregt –, weil er angeblich russisches Kirchengut, Teppiche und Kelche gestohlen hatte.

Wir waren fünfundzwanzig Mann, die am siebzigsten Geburtstag Stalins verurteilt wurden. Wir waren in einer unbegreiflich euphorischen Stimmung, als wir mit unseren alten Habseligkeiten in den Keller der Lafortowskaja gebracht wurden. Wir hörten das russische Volk draußen toben, hörten die Salutschüsse und dachten, wir kommen nie mehr nach Hause. Es war schauerlich kalt. Ich lag unter einem Fenster, das nicht geschlossen werden konnte.

Nach einiger Zeit, Ende Dezember, wurden wir wieder in unser altes Lager nach Krasnogorsk zurückgebracht. Wir fanden es in einer furchtbaren, mir bis heute noch unerklärlichen Zerstörung vor. Wir kamen in der Nacht an, mußten uns alles erst wieder einrichten. Wir wurden uns selbst überlassen, denn die russische Kommandantur war offenbar nicht unterrichtet. Es waren sonderbare Verhältnisse. Die Hälfte der zum Tode oder zu fünfundzwanzig Jahren Arbeitsund Besserungslager Verurteilten wurde drei Monate später nach Hause geschickt.

Wir wurden in ein anderes Lager verlegt, das fünf Kilometer entfernt war, das Lager Krasnogorsk I. Es waren nicht nur Generale, Offiziere, Waffen-SS-Leute und Parteileute verurteilt worden. Es waren ebensoviele ehemalige „Aktivisten" und Angehörige des „Bundes deutscher Offiziere" unter den Verurteilten, wie auch Handwerker, Bauern, Arbeiter.

Wir waren noch etwa zweihundertfünfzig Mann. Von da an hörten alle politischen Differenzen auf, auch alle gegenseitigen Verdächtigungen. Wir waren von jetzt an eine geschlossene Einheit, die sich später – trotz einiger Spitzel – nicht mehr politisch spalten ließ.

Es war uns nicht möglich, Russisch zu lernen. Wenn sich einige zusammentaten, um sich gegenseitig die Sprache ein wenig beizubringen, dann wurden sie sofort verdächtigt, einen Fluchtversuch vorzubereiten. Die draußen in den Fabriken Arbeitenden lernten Russisch, denn sie arbeiteten ja mit den Russen zusammen. Für uns war es auch unmöglich, irgend etwas zu sammeln, zum Beispiel trockenes Brot. Sofort hieß es: Der bereitet einen Fluchtversuch vor – und man steckte ihn in den Karzer oder verhörte ihn.

Die Hauptkrankheit in den Kriegsgefangenenlagern war die sogenannte Dystrophie. Das ist ein

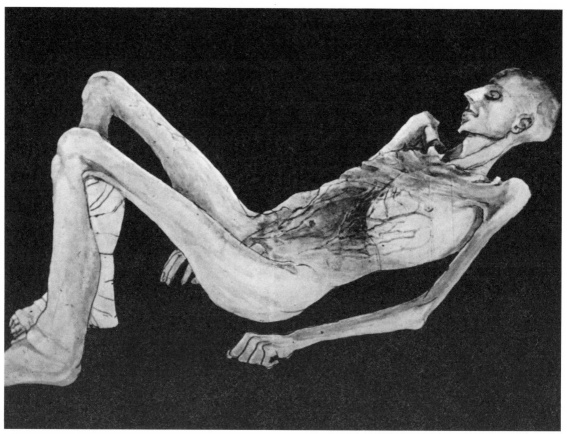

Diese im Lager entstandene Zeichnung dokumentiert die Merkmale der schweren Dystrophie.

Begriff, den wir aus dem Russischen übernommen haben. Wir kannten ihn früher nicht, wenn wir auch in der Zeit nach dem Ersten Weltkrieg das Hungerödem kannten. Zum Dystrophiker wird ein Mensch, der tage- oder wochenlang nur Hungerkost bekommt; viel Flüssigkeit, Mehlstoffe und Salz, aber kein Eiweiß. Ich besitze eine Zeichnung, die einen Dystrophiker darstellt. Das Bild wurde in einem Gipsverband aus dem Lager geschmuggelt und mit nach Hause gebracht. Solche Hungerkranke kennen wir aus den Kriegsgefangenenlagern und den Konzentrationslagern. Dort wurden sie als „Muselmänner" bezeichnet, weil sie vollkommen ausgetrocknet sind. Das Gegenstück sind die sogenannten Wassermenschen, die voller Ödeme – Wasseransammlungen – stecken. Bei ihnen sind der ganze Bauch, das Gesicht, die Arme und Beine maximal geschwollen.

Daneben herrschte vor allem Typhus und die Ruhr. Jeder dritte hat Ruhr durchgemacht. Ruhr und Dystrophie potenzieren sich gegenseitig, weil durch den enormen Verlust an Körperflüs-

sigkeit und Blut die Dystrophie sich um so schneller entwickelt. Es gab außerdem Fleckfieber und Tuberkulose in Formen, die wir überhaupt nicht mehr kannten. Ein Drittel aller Kriegsgefangenen in der Sowjetunion ist gestorben.

Es fehlten die sogenannten Wohlstandskrankheiten wie hoher Blutdruck, Blinddarmentzündung, Gallensteine, Krebs. Erst nach fünfjähriger Gefangenschaft entwickelten sich diese Krankheiten oder kamen mehr zum Ausdruck. Als „Killer" für unendlich viele Gefangene kam die Lungenentzündung hinzu und schauerliche Formen von Wundrose, bei denen die ganze Haut abgefressen wurde und zerfiel.

Pakete bekamen wir erst nach der Verurteilung, ab 1951 oder 1952. Das war wahrscheinlich eine lebensrettende Tat der Heimat für die damals ja etwa noch zwanzigtausend Kriegsgefangenen. Nach meinen späteren Ermittlungen sind von der Bundesregierung über neunhunderttausend Pakete finanziert worden. Es sind von der Arbeiterwohlfahrt, Caritas, vom Evangelischen Hilfswerk mit Bischof Heckel, vom Deutschen Roten Kreuz, von Hilfsgruppen und von den Angehörigen in großen Mengen Pakete in die Lager geschickt worden. Die Kameraden, die keine oder nur wenige Pakete bekamen, wurden von den anderen mit durchgefüttert. So wurde das Defizit an Nahrungsmitteln gedeckt. Ab 1951/52 besserte sich der Ernährungszustand der Gefangenen.

Das geistige Überleben war wichtig für die Überwindung von Krankheiten. Wenn man sich aufgibt, wenn man den Willen aufgibt, zu überleben, dann stirbt man. Auch ich war eigentlich die ganzen zehn Jahre meiner Gefangenschaft immer um dreißig bis vierzig Prozent untergewichtig. Aber man muß sich bewegen und denken. Ich hatte das Glück, eine wissenschaftliche Schulung zu haben. Die wissenschaftlichen Probleme, auch die der für uns neuen Krankheiten, beschäftigten mich dauernd. Ich hatte in dem Moskauer Forschungsinstitut zeitweise Gelegenheit, deutsche Literatur zu lesen, und habe diese dann im Laufe der Jahre verarbeitet. Man durfte nicht schreiben, man hatte Papierverbot. Ich habe mir aber Papier – wo ich nur konnte – gestohlen. In einer Ecke im Moskauer Institut fand ich eine Rolle Pauspapier. Die habe ich in kleine Blätter geschnitten, und ich habe dann heimlich mit ebenfalls gestohlener Tinte geschrieben.

Wir erhielten russische Zeitungen im Lager, und die wurden uns vorgelesen. Wir bekamen auch Filme zu sehen. Ich erinnere mich an das für uns beglückende Bild, als im September 1955 der alte Adenauer in seiner aufrechten Haltung aus dem Flugzeug stieg und die Gangway herunterkam, und wir zum erstenmal seit zehn Jahren das Deutschlandlied hörten.

Die Verhandlungen erfreuten uns zuerst sehr. Danach stürzten wir in absolute Hoffnungslosigkeit, als Bulganin sagte: „Die kriegen Sie niemals frei, das sind Verbrecher, denen überhaupt kein menschliches Gesicht mehr zukommt." Das war typische russische Verhandlungsweise. Zuerst Entgegenkommen, bis der Partner meint, jetzt ist es gelaufen. Dann kommt die harte Forderung. Wenn der Partner dann zurückschreckt, hat der Russe gewonnen und erpreßt ihn weiter. Wenn er aber, wie Adenauer, nicht zurückschreckt, dann erreicht er sein Ziel.

Im Oktober 1955 befanden wir uns im Zug in Richtung „Friedland". Jenseits Moskau wurden wir nachts angehalten, und zwar in Moschajsk Wir wurden ausgeladen, schwerbewacht in ein Lager gebracht, erneut als Schwerverbrecher behandelt und wußten nicht, warum und weshalb. Ein paar Tage später kam aus dem sowjetischen Innenministerium ein Oberst, um mit uns zu verhandeln. Wir haben protestiert, denn wir fühlten uns in unserem Recht beeinträchtigt. Wir fragten ihn: „Was sind wir denn jetzt nun?" Er sagte: „Ihre Regierung hat verschiedene Bedingungen nicht erfüllt. Sie sind freie, wenn auch zurückgehaltene deutsche Staatsbürger."

Von dem Moment an haben wir um unsere Freiheit gekämpft. Wir haben Briefe an die obersten russischen Stellen, unter anderem an Bulganin geschrieben. Wir haben an die deutschen Dienststellen, unter anderem an den Außenminister von Brentano, geschrieben. Wir haben uns beschwert und ihnen unsere Situation klargemacht. Wir haben uns aber nie beklagt, sondern geschrieben, wenn es die höheren deutschen Interessen erforderten, solle man auf uns sechshundert Mann keinerlei Rücksicht nehmen.

Als wir dann nach acht Wochen endlich freikamen und nach Deutschland fuhren, haben wir einen Dankesbrief an Adenauer geschrieben, und zwar in Schwiebus, im alten Posen. Als Lagerarzt ging ich jeden Tag ein paarmal von Waggon zu Waggon. Den Brief haben alle fünfhundertsechsundneunzig Leute unterschrieben. Konrad Adenauer hat am 21. Dezember sehr freundlich geantwortet.

In Friedland ereignete sich etwas, was nur aus der damaligen Zeit zu erklären ist. Ich war Lagerarzt und hatte zum Teil die Verhandlungen geführt und war deshalb am meisten exponiert. Meine Kameraden baten mich, ich möge doch die Dankrede oder Dankansprache an die halten, die uns empfangen würden. Ich tat es nicht sehr gerne, aber ich konnte mich der Bitte nicht entziehen, trat vor, stand da und redete zunächst nur das Übliche. Dann sah ich meine fast sechshundert Kameraden inmitten ihrer Angehörigen. Da fiel mir ein, daß ich doch noch mehr sagen müßte, nachdem wir fünf Jahre lang als Kriegsverbrecher angesehen worden waren – zuletzt wieder von Bulganin –, daß wir in den letzten acht Wochen wieder als Schwerstverbrecher behandelt worden seien. Ich tat einen Schwur, daß

Tausende von Suchanzeigen sind an großen Stellwänden im Durchgangslager Friedland angebracht. Heimkehrer werden aufgefordert, über das Schicksal der Vermißten Auskunft zu geben.

wir keine Verbrecher seien und niemand geschändet und niemand entehrt hätten.

Ich gehöre zu den sogenannten amnestierten Gefangenen. Hier stellt sich eine der großen rechtlichen Fragen, die unseres Erachtens noch nicht ganz geklärt sind. Nach uns, im Januar 1956, kam noch ein Transport mit den sogenannten Nichtamnestierten, die zum großen Teil mit der gleichen Begründung verurteilt worden waren wie wir. Wir dachten und denken eigentlich, wir seien amnestiert. Aber wir erfuhren in den letzten Jahren von russischer Seite, daß die Strafe bei uns nur ausgesetzt sei, so daß wir also jederzeit wieder festgesetzt werden könnten.

Wir waren bei unserer Heimkehr alle bis zum Grunde unserer Seele aufgerührt. Ich glaube, ich konnte mich ein Jahr lang hier gar nicht so richtig auf den Straßen bewegen. Ich war noch ziemlich lange krank, nachdem ich heimgekehrt war.

Wir Ärzte haben unseren Kameraden in der Gefangenschaft versprochen: „Wenn wir nach Hause kommen, werden wir uns um euch und eure Angehörigen kümmern." Ich habe die Krankheiten, die in der Gefangenschaft auftraten und die ärztlichen Erfahrungen zusammen mit anderen ärztlichen Kollegen aufgezeichnet. Das sind Erfahrungen in extremen Lebensverhältnissen mit ihren Folgen. Ich habe dann später, ebenfalls in Zusammenarbeit mit vielen anderen ärztlichen Kollegen, Nachuntersuchungen gemacht und mich mit den Spätfolgen befaßt.

Das Resümee ist gegen meine eigene ursprüngliche Meinung ausgefallen. Sehr viele unserer Kameraden sind bald nach der Heimkehr an ihren Kriegsleiden und an deren Folgen gestorben. Ich hatte immer gedacht, wir sind alle auf ein Nebengleis geschoben worden in den fünf bis zehn Jahren, und wir werden wahrscheinlich nie mehr richtig auf das Normale zurückkommen. Wenn ich heute mit Hunderten meiner Mitgefangenen zusammentreffe, sehe ich doch, daß die meisten wieder eingegliedert wurden. Wir alle haben zwar irgendwie psychisch kleine Schwankungen und Schwierigkeiten. Die gehen nie mehr weg, denn dazu war die Sache zu tiefgreifend. Im großen gesehen, und im Beruf, haben die meisten jedoch ihren Mann gestanden.

Immer wieder höre ich von Kameraden: „Ich wache nachts auf, dann habe ich geträumt, und befand mich genauso wie es damals war, und habe Angst." Das ist bei mir eigentlich nicht der Fall, ich denke an das Vorwärts, an das Kommende. Aber bei der Rückerinnerung, wenn man wieder hineingeführt wird, kommt die alte Aufregung und Erregung doch noch zum Durchbruch.

Nachtrag

Ich bin oft nach den Problemen der Sexualität der Gefangenen und Heimkehrer gefragt worden. In Zeiten langdauernder äußerster Lebensbedrohung und extremer Mangelernährung, in der es nur noch ums Überleben geht, erlischt körperlich und seelisch der Fortpflanzungstrieb so vollkommen, daß Sexuelles seine Bedeutung verliert.

Das äußert sich bei der Frau im Ausbleiben der Periode über lange Gefangenschaftsjahre hin (zum Glück für die Betroffenen bleibt daher eine Vergewaltigung meist ohne Folgen) und beim Manne nicht selten in außerordentlichen Schrumpfungen der Testikel. Von dem „Spargang", in dem die Masse dahinvegetierender Gefangener körperlich und seelisch lebte, blieben die Keimdrüsen nicht verschont, und vor den lebenserhaltenden individuellen Funktionen treten die generativen völlig in den Hintergrund. Viele dieser Menschen erscheinen vorzeitig gealtert, ja in jeder Beziehung vergreist.

Das war die für Millionen von Kriegsgefangenen und Häftlingen geltende Regel.

Natürlich gibt es auch Berichte über Liebesverhältnisse und homosexuelle Handlungen. Soweit es hier um die Verhältnisse im „Archipel Gulag" geht, wo Frauen und Männer im gleichen Lager lebten, können wir sie nicht nachprüfen. Jedoch berichten Frauen, die dort lange Jahre verbringen mußten, wie M. Buber-Neumann, Leonhard, E. Lipper, daß sich Mädchen, um überleben zu können und Nachstellungen zu entgehen, von einflußreichen Gefangenen aushalten und beschützen ließen.

Auch in deutschen Kriegsgefangenenlagern kam es zu homosexuellen Handlungen. Doch beteiligte sich daran nur die gutgenährte Lagerprominenz, auf Kosten der Häftlinge, die am Verhungern waren. Typisch waren diese Fälle nicht.

Daß es Verhältnisse mit weiblichem Lagerpersonal gab, kam mir nur gerüchteweise zu Ohren;

sie waren schwer möglich, da die Russen einander wirksam beschatteten. Das Gesagte gilt auch für diejenigen, die sich länger als fünf Jahre in Gefangenschaft befanden und sich zuletzt körperlich einigermaßen erholen konnten. Bei jenen, die nur kürzere Zeit in Gefangenschaft gewesen waren, bestand nur eine körperliche Sperre, bei den erst 1953/55 Entlassenen zusätzlich eine seelische, da sie nach ihrer Verurteilung im Grunde nichts mehr zu erwarten und zu erhoffen hatten.

Wenn auch die sexuelle Komponente der Liebe verschwunden war, so erwies sich die innere Hinwendung zu der fernen Familie als eine Kraft, die lebenserhaltend wirkte. Die Liebe wurde mehr denn je zu einer Angelegenheit des Gefühls, nicht der Sinne.

Und die Zeit nach der Heimkehr? Kann man sich heute noch vorstellen, zu welch ungeheuren seelischen und körperlichen Umstellungen es bei der Rückkehr in die heimatliche Freiheit kam, in welche sicherlich viele der bisher Gefangenen nicht in optimaler Weise eingeführt wurden? Bei den hungerkranken, erstmals wieder ausreichend, aber häufig nicht sachgemäß ernährten Menschen erfolgte ein gewaltiger Anbau von Körpersubstanz, der alle Organe, aber zunächst einmal viele Lebensäußerungen durcheinanderbrachte.

Es dauerte seine Zeit, bis die sogenannten innersekretorischen Drüsen, unter ihnen die Geschlechtsdrüsen, deren Hormone die Körperfunktionen aufeinander abstimmen, wieder geordnet arbeiteten. Zuvor kam es vielfach zu hormonellen Verwerfungen, die die Betroffenen nicht zur Ruhe kommen ließen und auch das psychische Gleichgewicht störten. Hinzu kamen die persönlichen Erlebnisse, die auf jeden einstürmten und dem einen höchstes Glück, dem anderen tiefste Niedergeschlagenheit brachten. Der eine konnte eine positive Beziehung weiterführen oder neu aufnehmen, der andere stand vor dem Scherbenhaufen seiner persönlichen und beruflichen Existenz. Zwischen diesen Extremen gab es alle erdenklichen Übergänge.

Eine solche, sich vielfach über Jahre hinziehende, oftmals nie vollkommen verschwundene Disharmonie nach dem „Neugeborenwerden aus dem Elend" führte zu vegetativen Entgleisungen, die nicht selten bis heute deutlich sind, meist aber verdrängt und weitgehend beherrscht werden. Dem häufig ungeregelten körperlichen Aufbau entsprach die ungeregelte Tätigkeit der Keimdrüsen. Was der Arzt hier zu sehen bekam, reichte vom Negativsten bis zum Positivsten, gerade weil bei Menschen, die jahrelang vom „natürlichen" Leben abgeschnitten waren, sich bei Wiederaufnahme des Sexuallebens körperliche und seelische Vorgänge aufs engste verflechten. Hinzu kommt, daß diese Menschen, unsicher geworden, nach Neuorientierung strebten und durch Einflüsse von außen leicht noch unsicherer wurden.

Die einen, bisher lediglich „Schüler mit Ostererfahrung", begannen erst im Alter von fünfundzwanzig bis dreißig Jahren ein eigenes Leben zu führen, andere, fünfzig bis sechzig Jahre alt, fanden sich beiseitegeschoben und mußten neu beginnen.

Was verschränkte sich da doch alles und verursachte Störungen in den unterschiedlichsten Lebensbereichen. So dürfen wir hinsichtlich des Themas „Sexualität der Heimgekehrten" keinerlei Regeln aufstellen oder Urteile abgeben. Dem Arzt, der das Leben der Gefangenen in allen Tiefen begleitete, ist sehr wohl verständlich, daß neben – Gott sei Dank überwiegender – Normalität jede Art sexueller Störung auftrat: Unfähigkeit zu Liebesbeziehungen aus seelischer körperlicher beziehungsweise Ursache. Erstere ist schwer zu beheben, bei letzterer denke ich an den gar nicht alten Mann, der unter seiner Impotenz litt, dessen Frau aber sagte: „Laß mal, es geht auch ohne." Das Paar lebt seit vielen Jahren zusammen, und er sagt dankbar: „Sie ist eine gute Frau, und ich denke, es ist für sie oft schwer gewesen."

Andererseits präsentierten Männer, die ich nach den Befunden in der Gefangenschaft insgeheim für dauernd unfruchtbar gehalten hatte, gesunde Kinder. Gleiches erlebte ich mit vielen Frauen, deren Periode wieder eintrat, die heirateten – sehr häufig Männer mit ähnlichem Schicksal – und ebenfalls Kinder gebärten.

Der ärztliche Beobachter gelangt zu der Überzeugung, daß der Mensch um vieles mehr aushält, als man gerade heute meint, und daß er Schädigungen, die irreparabel schienen, auszugleichen vermag, auch wenn Narben zurückbleiben.

Eine im Jahre 1965 durchgeführte Untersuchung

von etwa 2000 Ostheimkehrern, von denen die meisten sehr lange in Gefangenschaft gewesen waren, ergab, daß damals von ihnen nur 2,9 Prozent noch ledig waren, die bis Vierzigjährigen verständlicherweise zu 9,1 Prozent. Geschieden nach der Heimkehr waren insgesamt 3,7 Prozent, was nicht von den Werten der Gesamtbevölkerung abweicht. Kinderlos geblieben waren knapp 15 Prozent; Nachwuchs hatten 44,2 Prozent erst nach der Heimkehr bekommen.

Sieht man Heimkehrer heute bei großen Veranstaltungen, so erscheinen sie fest familiengebunden. Nur wenige haben das Alter von sechzig Jahren noch nicht erreicht. Die allermeisten befinden sich also in den Jahren, in denen man manche Dinge keineswegs mehr tödlich-ernst, sondern menschlich-heiter nimmt.

Dies alles ist durchaus verständlich, denn wer als Gefangener in der Sowjetunion oder als Häftling überleben wollte, bedurfte der Hoffnung und eines gesunden, wenn auch vielleicht manchmal zaghaften Optimismus.

Die Frau eines Soldaten versucht, von einem Heimkehrer etwas über ihren vermißten Mann zu erfahren.

Heimgekehrte Frauen und Männer in Friedland 1953

Ein Brief an Konrad Adenauer

12. Dezember 1955 (geschrieben und unterschrieben im Transportzug im Raume Schwiebus)

Sehr verehrter Herr Bundeskanzler!
Mindestens zehn Jahre lang lebte ein jeder von uns als Gefangener, und keiner ist darunter, der nicht bereits mehrere Male sicher damit rechnete, zur Rückkehr in die Heimat aufgerufen zu werden, bis er dann plötzlich doch wieder furchtbar enttäuscht und in ein oft viel härteres Gefangenendasein zurückgeworfen wurde als zuvor. Der Gedanke „Niemals wieder in die Heimat", Mißtrauen, Hoffnungslosigkeit neben irrlichternden Hoffnungsräuschen, das waren die Lasten, die wir immer neu auf uns zu nehmen hatten.
So haben wir auch jetzt am 14. Oktober auf der Heimreise, schon westlich Moskaus, die völlige Ungewißheit unseres Daseins noch einmal im ganzen Ausmaße zu fühlen bekommen, als wir unvermutet angehalten, ausgeladen und zwangsinterniert wurden.

Wieder einmal bestätigten sich unsere früheren Erfahrungen, und voller Mißtrauen sahen wir in die Zukunft. Dann aber begannen wir nach Überwindung des ersten Schocks um die Wiederherstellung unseres offenbar schwer verletzten Rechtes zu kämpfen; denn wir waren ja nicht mehr „Gefangene und Verbrecher", sondern amnestierte und freie deutsche Staatsbürger, die im Zuge eines politischen Schrittes zurückgehalten wurden, weil Ihre Regierung angeblich gewisse Bedingungen nicht erfüllt habe.
Wir waren abgeschlossen, unterrichtet nur durch Nachrichtenfetzen aus Deutschland, aber wir wußten, daß in dieser Sache unser ganzes Volk hinter uns stand und von sich aus alles tun würde, um uns endgültig zur Heimkehr und Freiheit zu verhelfen.
Nach dem Beispiel, das Sie uns, Herr Bundeskanzler, in Moskau gaben, haben wir in unserem kleinerem Maßstabe offen, deutlich und sachlich in direktem Verkehr mit dem Ministerium des Inneren der UdSSR und brieflich bei den Leitern

Ein Heimkehrerzug trifft 1955 auf dem Grenzbahnhof Herleshausen ein.

der sowjetischen Regierung insgesamt und einzeln unsere Überzeugung vertreten, daß es in Friedenszeiten unmöglich sei, Bürger eines Landes in einem anderen im Widerspruch mit eigenen Erklärungen als Geiseln zurückzuhalten, nur weil zwischen den Regierungen beider Länder Differenzen bestehen, an denen diese Bürger schuldlos sind. Wir haben auch versucht, unseren Botschafter oder den Herrn Außenminister der Bundesrepublik von unserer Situation zu unterrichten, nicht so sehr deshalb, daß er unsere Befreiung erwirke, sondern um unsere Isolierung zu durchbrechen. Denn wir waren zu sehr davon überzeugt, daß es, wenn wirklich solche Differenzen bestehen, um übergeordnete Interessen des deutschen Volkes, um weitgreifende zukünftige Beziehungen ginge. Diese aber wollten wir niemals unserem persönlichen Interesse aufgeopfert haben. Wir möchten es auch nicht unterlassen, Sie davon zu unterrichten, daß wir während dieser Internierungszeit von seiten des Ministeriums des Inneren der UdSSR völlig kor-

rekt und großzügig behandelt wurden. Das wurde von uns stets offen anerkannt.

Heute nun, Herr Bundeskanzler, in dem Augenblick, da wir deutsches Reichsgebiet betreten und auf alten deutschen Stationen warten, bis wir während der Nacht durch Ostdeutschland fahren können, vereinigen wir Heimkehrer des Moshaisker Lagers 5110/60 uns zum Dank an Sie mit unseren Unterschriften. Wir danken Ihnen nicht nur dafür, daß Sie während Ihres Besuches in Moskau den entscheidenden Anstoß für die Befreiung von uns letzten deutschen Gefangenen gaben, sondern auch für Ihre Worte und Ihr Wirken dort. In dem furchtbaren Auf und Ab der politischen Ereignisse in den letzten Jahren, das wir mit allen Fibern unserer Seele empfanden, weil ja unser Leben davon abhing, gaben Sie uns zum ersten Male in unsere Gefangenschaft hinein das Gefühl, daß unser Vaterland wieder Geltung bekommen hat und stark genug wurde, nach allen Seiten hin die Folgen des Krieges zu beseitigen. Dürfen wir Ihnen deshalb, Herr Bundeskanzler, unseren Dank nicht nur mit diesem Brief abstatten, sondern auch mit dem kleinen Geschenk von zwei Bildern: einem Plakat, das uns am 26. November zur gleichen Stunde zusammenrief, als am Kriegsgefangenengedenktag die Heimat unserer gedachte, und der Wiedergabe unserer Versammlung, als wir seit zehn Jahren wieder unserer Toten in der Heimat und in Rußland gedenken konnten.

Wir haben nichts Besseres als diese Gaben, wenn nicht die aus vollem Herzen kommenden Wünsche glücklicher Männer, daß Ihnen noch manche Jahre voller Gesundheit und Frische beschieden sein möchten zur Weiterführung und Vollendung Ihres Werkes, zum Nutzen und Glück unseres Volkes.

Im Namen und Auftrag von 596 Männern unseres Transports, die anschließend unterzeichnen. Ihre sehr ergebenen (Unterschriften)

Die Antwort

Bonn, den 21. Dezember 1955

Mit Schreiben vom 12. Dezember 1955 haben Sie – gleichzeitig im Namen der mit Ihnen heimgekehrten Kameraden – mir Ihre Grüße und guten Wünsche übermittelt. Ich danke Ihnen und Ihren Kameraden herzlich für die aus Ihren Zeilen sprechende Gesinnung. Ihr Brief und auch die beiden mir übersandten Bilder von der am 26. November 1955 abgehaltenen Feierstunde haben mir aufrichtige Freude bereitet. Sie wissen, daß es für mich bei meinen Verhandlungen in Moskau ein echt menschliches Anliegen war, die Befreiung aller noch in der Sowjetunion zurückgehaltenen Deutschen zu erwirken.

Mit besten Grüßen an Sie und alle Ihre Kameraden

Adenauer

Dr. Ottmar Kohler, Bundeskanzler Konrad Adenauer und ein Heimkehrer am 2. Januar 1954 in Friedland. Dr. Kohler, der schon 1949 entlassen werden sollte, war freiwillig im Lager geblieben, um seinen Mitgefangenen als Arzt zu helfen.

Dr. med. K. H. Flothmann

Auszug aus den Aufzeichnungen des Nervenarztes und Psychiaters über die schädigenden Faktoren der Kriegsgefangenschaft und die Heimkehrerkrankheiten, basierend auf Beobachtungen im Zentralhospital der deutschen Kriegsgefangenen in Perwouralsk, 1950–1955.

Die Mehrzahl der psychischen Erkrankungen waren depressive Reaktionen und wahnhafte Entwicklungen, wie man sie etwa in der Symptomatik als Haftpsychosen kennt. Die vollkommene Ungewissheit des Schicksals, die lange Trennung von Heimat und Familie, das Auf und Ab in Hoffnung und Verzweiflung brachte mit zunehmender Länge der Kriegsgefangenschaft eine Häufung der psychotischen Reaktionen. An sich hätte man den äußeren Verhältnissen nach ein noch viel stärkeres seelisches Versagen erwarten müssen. Zur Ehre der Masse der Kriegsgefangenen, die in der Heimat wegen ihrer verständlichen Eigentümlichkeiten so gern als Neurotiker abgetan werden, muß gesagt werden, daß die seelische Haltung im allgemeinen trotz aller seelischen Bedrängnisse eine durchweg gute war. Der kameradschaftliche Zusammenhalt half dort tragen, wo der einzelne vielleicht versagt hätte. Es kam daher auch verhältnismäßig selten zu Selbstmorden.

Den Selbstmordgedanken trug fast jeder mit sich herum, man hatte sich ein Ziel gesetzt, bis zu dem man die Sklaverei noch ertragen wollte, immer in der Hoffnung, daß die Heimkehr doch noch durch einen glücklichen Umstand zur Wirklichkeit würde. Bei den reaktiven Depressionen gab es des öfteren ernsthafte Suizidversuche, die durch die Wachsamkeit des Pflegepersonals verhütet werden konnten. In den depressiven Selbstbeschuldigungsideen spielten Vorwürfe, daß man sich gegenüber den Kameraden nicht richtig verhalten habe, daß man für den Russen gearbeitet habe usw., eine gewisse Rolle. Daraus wieder entsprangen die Verfolgungsideen mit Behauptungen, daß die Kameraden sie umbringen, die Lagergemeinschaft sie lynchen wolle usw. Das hervorstechendste Symptom war immer wieder die Angst.

Anders eine zweite Gruppe, die den seelischen Zwangszustand dadurch zu überwinden suchte, daß sie sich in eine phantasierte Traumwirklichkeit hineinsteigerte. Allgemein fiel unter der Intelligenz des Lagers eine Neigung zur Entwicklung von philosophischen Systemen auf. Es gab „Schulen" mit „Meistern" und „Jüngern". Die Abgeschlossenheit von der Außenwelt förderte nur aus dem Wunschbild heraus geborenes Denken und verhinderte eine kritische Überprüfung an Tatsächlichkeiten.

Nach meinen jetzigen Erkundigungen haben sich die meisten dieser haftbedingten psychotischen Zustände nach der Heimkehr rasch aufgelöst.

Nach unseren Erfahrungen sind die Kriegsgefangenenkrankheiten nicht zu verstehen, wenn man sie nur auf eine einzige Ursache zurückführen will. Sicherlich spielt die Dystrophie als Vorschädigung aller Organe eine bedeutende Rolle. Über die lang anhaltenden Störungen nach Dystrophie ist von anderer Seite schon ausführlich berichtet worden. Ich halte es jedoch für gefährlich, allein die Dystrophie als die anscheinend einzige Kriegsgefangenschaftserkrankung anzusehen und die anderen krankheitsauslösenden Faktoren nicht zu beachten. Solche der Kriegsgefangenschaft eigentümlichen Einflüsse sind:

1. die klimatischen Verhältnisse;
2. die hygienischen Verhältnisse;
3. die Arbeitsbedingungen;
4. die Ernährung;
5. die Bekleidung;
6. die seelischen Momente.

Zu 1. Das Klima war für die deutschen Kriegsgefangenen überall in Rußland ungewohnt, gleich, ob sie an der Eismeerküste, in Sibirien oder in den südrussischen Steppen untergebracht waren. Es sei nur auf die tiefen Kältegrade im Winter, die ungewohnte Hitze im Sommer und den schnellen Wechsel der Temperaturen vom Tag zur Nacht hingewiesen. Im Ural bestand noch als Besonderheit ein rascher Wechsel des Luftdrucks oft mehrmals am Tage. Bei diesen häufig erheblichen Luftdruckschwankungen konnten wir des öfteren Blutdruckkrisen beobachten.

Zu 2. Hygienisch ungenügend war vor allen Dingen das Wasser. Es zeigte trotz starker Chlorierung bei mikroskopischer Prüfung eine hohe Zahl von Bakterien und Kleinlebewesen. Bei Regenwetter und Schneeschmelze war das Wasser infolge Überschwemmung der Brunnen dunkelgrün, fast jauchig. Trotz aller Warnungen, nur abgekochtes Wasser zu trinken, ergaben sich noch genügend Infektionsmöglichkeiten durch die Zahnbürste und das Waschen von Blattsalaten. Weitere Übertragungsquellen waren Mäuse, Ratten und Fliegen. Bei dem ständigen engen Kontakt in den Massenquartieren war die Übertragung von Kontaktinfektionen besonders leicht. Die Aufbewahrung der Lebensmittel aus den Heimatpaketen war hygienisch unzureichend, insbesondere bei dem Zwang, die Büchsen bei der Ausgabe zu öffnen, wonach meist nicht der ganze Inhalt sofort verzehrt werden konnte.

Zu 3. Es wurde von den Kriegsgefangenen ungewohnte Schwerstarbeit verlangt, die zum größten Teil dem körperlichen Kräftezustand nicht angemessen war. In ihren erlernten Beruf wurden nur wenige Kriegsgefangene beschäftigt. Die meisten leisteten berufsfremde Arbeiten, auf die sich ihr Körper nicht mehr umstellen konnte. Erheblich erschwert wurde die Arbeit durch das Moment des Zwanges. Durch Jahre hindurch mußten die Gefangenen ohne jede Möglichkeit der Erholung, ohne Urlaub und oft in Sonntagsarbeit unter dem Knüppel der Brigadiere und den ständigen Drohungen der Russen arbeiten. Schon der Anmarschweg zur Arbeit, insbesondere das unwürdige Hintreiben zur Arbeit in Fünferkolonnen und unter stärkster Bewachung war so beschwerlich, daß die Gefangenen bereits bei der Ankunft an der Arbeitsstelle erschöpft waren.

Zu 4. Die Ernährung entsprach seit 1949 zwar mehr den von den Russen aufgestellten Normen. Diese waren aber in Anbetracht der zu leistenden Schwerarbeit viel zu arm an Eiweiß und Fett. Dazu wurden häufig minderwertige Nahrungsmittel geliefert und die Kriegsgefangenen oft genug von den sowjetischen Dienststellen um die zustehenden Mengen betrogen. Die Paketaktion der Heimat war sehr erfreulich, allerdings waren die Sendungen nicht immer nach ärztlichen Gesichtspunkten zusammengestellt. Es überwogen in den Paketen die Fette, insbesondere Schweinefett. Wir hatten den Eindruck, daß sich dieses plötzliche Überangebot an Fett sowohl hinsichtlich der Lebererkrankungen als auch in bezug auf die in großer Zahl auftretenden Arteriosklerosen ungünstig auswirkte.

Zu 5. In Rußland wurden die Termine beim Übergang von Sommer- auf Winterbekleidung und umgekehrt in den Lagern ganz bürokratisch eingehalten. Infolgedessen wurde die Winterkleidung meist zu spät empfangen und zu früh abgegeben. Für die Arbeit war die Winterbekleidung zu warm. Es entstand dadurch ein ständiger Wechsel zwischen starker Schweißabsonderung und nachfolgender Abkühlung. Ein Schutz vor Durchnässung war bei der Bekleidung überhaupt nicht vorgesehen. Die Unterwäsche war viel zu kurz geschnitten, so daß beim Arbeiten besonders im Rücken ständig eine Entblößung des Körpers auftrat. Durch nicht passende Filzstiefel und durch Holzschuhe wurden die Füße stark in Mitleidenschaft gezogen.

Zu 6. *Die seelische Situation in der Kriegsgefangenschaft.* Sofort nach der Kapitulation 1945 fiel mir eine Tatsache ganz besonders auf: Die Unfreiheit verändert die Persönlichkeit des Menschen schlagartig. Der äußere Zwang, durch den die „Ordnung" der Gefangenschaft vor allem charakterisiert wird, veranlaßte zwar bei einzelnen ein anfängliches Aufbegehren und Aufbäumen, bei der Masse jedoch ein stumpfes Resignieren. Dieses „Abschalten" war meines Erachtens einer der Hauptfaktoren, der hinterher in die körperliche und seelische Katastrophe der Dystrophie hineinführte. Eine Gemeinschaft, die neue seelische Anhaltspunkte bieten konnte, war nicht vorhanden. Werte wie Vaterland, Beruf, Familie, Ansehen, für die es sich zu leben lohnte, gab es nicht mehr. Das einzige Nahziel war die Selbsterhaltung, und auch sie schien im Hinblick auf die Zukunft nicht unbedingt erstrebenswert. Dieses Symptom der Selbstaufgabe gehört sicherlich mit zu den Ursachen der Dystrophie. Würde die Bevölkerung einer Stadt, die man plötzlich nicht mehr genügend mit Lebensmitteln versorgt, auch so sang- und klanglos dahinsterben?

Ich glaube, sie würde enorme Energien und eine gemeinschaftliche Organisation aufbringen, um dem Elend abzuhelfen.

Warum entstand in den sowjetischen Straflagern für die Einheimischen bei ähnlicher Kalorienzufuhr nicht dieses Massensterben? Es gab manche Kriegsgefangenenlager, in denen jeder Landser wußte, daß er von einigen Lumpen, die leitende Lagerstellen innehatten, langsam ums Leben gebracht werde, aber es kam nur selten zu Einzel-

Nicht immer standen Freude und Optimismus den Heimkehrern so ins Gesicht geschrieben wie diesen jungen Soldaten 1945 in Berlin. Die Spätheimkehrer waren für lange gezeichnet.

aktionen und nie zu einem organisierten Aufbegehren gegen diese Elemente. Mit dem Beginn der Kriegsgefangenschaft war der Lebenswille der meisten gebrochen, die „Geisteskrankheit" Dystrophie nahm ihren Anfang.

Diesen Eindruck einer „Geisteskrankheit" hatte ich ganz besonders bei meinem ersten Zusammentreffen mit dystrophischen Kriegsgefangenen im Jahre 1945, die bereits vorher bei Stalingrad und im Mittelabschnitt der Ostfront in Gefangenschaft geraten waren. Als ich nach der Kapitulation noch geistig unverändert und mit vollem Marschgepäck versehen zur Betreuung eines solchen Lagers abkommandiert wurde, umtanzten mich bei meinem Eintreffen Scharen von „Skeletten", die mich mit kindlichen Augen staunend betrachteten. Alle meine Sachen wurden in die Hand genommen und eingehend angeschaut, als ob man zum ersten Male so etwas sehen würde. Es ertönten Ausrufe wie: „Eine

deutsche Uhr, seht doch mal, hier, eine deutsche Uhr!" „Eine deutsche Zigarre, darf ich da Sonntag mal einen Zug dran machen?" usw.

Die Bewegungen der Dystrophiker waren eckig, der Affekt durchaus läppisch. Auch sonst bestanden viele Parallelen zu einem schizophrenen Zustandsbild. Zum Beispiel wurde alles, was man fand, gesammelt und in die Tasche gesteckt. Ab und zu mußten die Taschen geleert werden, was nicht ohne Protest und Tränen geschah. Es fanden sich darin kleine schmutzige Papierstückchen, rostige Nägel und Drähte, Stücke halbverfaulter Runkelrüben, einige Maiskörner, Machorka und vieles andere in wüstem Durcheinander. Mit allem wurde gespielt, insbesondere mit dem Essen. Jede Mahlzeit wurde in viele kleine Teile zerlegt und mit streng eingehaltenem feierlichen Zeremoniell verzehrt. Dabei schwelgte die Phantasie in kulinarischen Genüssen. Kochrezepte und Lieblingsspeisen erzählte man sich gegenseitig und schrieb viele von ihnen gewissenhaft auf, um sie später einmal zu Hause erleben zu können. Das wichtigste Thema des Landsers, die Liebe, war vollkommen vergessen. Man vegetierte nur von einer Mahlzeit zur anderen. Wenn ich einem schwer Durchfallkranken anriet, er möge doch einmal einen Tag nichts essen, so wurde das als Verbrechen angesehen. „Alles können Sie von einem Plenni verlangen, aber nicht, daß er auch auf einen kleinen Teil der ihm zustehenden Ration verzichtet. Dann schon lieber sterben."

Man sieht an dieser kurzen Skizzierung, wie sehr die Dystrophie die Psyche, insbesondere die Kritikfähigkeit, verändert, wie aber andererseits die psychische Veränderung wieder tiefer in die Dystrophie hineinführt. Ein Circulus vitiosus, bei dem es schwer zu sagen ist, welcher Faktor der ausschlaggebende war. Wenn es gelang, diesen Teufelskreis auf der psychischen Seite zu durchbrechen, konnte man in fast allen Fällen eine deutliche Besserung auch der körperlichen Dystrophie erleben; eine langsame, aber stetige Erholung trat ein. Auch dafür ein Beispiel aus der persönlichen Beobachtung: Ich hatte meine Gitarre mit in die Gefangenschaft gebracht. Des Abends sang ich in den Unterkünften Heimatlieder und lustige Volksliedchen. Ich habe sonst noch nie erlebt, mit welcher Inbrunst ganz einfache deutsche Liedchen, die man zu Hause vielleicht als sentimentalen Kitsch bezeichnet hätte, mitgesungen wurden. „Nach der Heimat geht mein heißes Sehnen" mußte immer und immer wieder intoniert werden. Das Essen und die üblichen krankmachenden Lagerparolen waren plötzlich nicht mehr Mittelpunkt, man hatte wieder etwas Gemeinsames, alle Verbindendes, der Tag verging mit dem Warten auf das Singen am Abend schneller, die Heimat war nähergerückt. Bald wuchs um dieses Singen eine Kulturgruppe, jeder wollte irgend etwas zur Unterhaltung der Kameraden beisteuern – und plötzlich hatten wir keine Dystrophiker mehr. Sicherlich waren auch die Kalorien etwas reichlicher geworden, aber die Hauptsache war doch meinem Eindruck nach dieses Erwecken des Geistes zu neuem gesellschaftlichen Leben. Aus allen Lagern, in denen sich eine solche kulturelle Eigenbetreuung entwickelt hatte, wurde mir ein ähnliches Phänomen berichtet. In den Jahren nach der Massen-

verurteilung war die Kulturgruppe die Trägerin des gesellschaftlichen Lebens im Lager schlechthin. Ihr ist zu verdanken, daß die Masse der Kriegsgefangenen sich psychisch gesund erhielt und sich nicht infolge dumpfer Verzweiflung eine neue Dystrophiewelle ausbreitete. Mit unseren primitiven Mitteln brachten wir es nicht nur zu Konzerten und Kabarettvorstellungen, gutem Theater und reich ausgestatteten Operetten auf der Bühne, es wurden auch die h-moll-Symphonie von Schubert, die 5. von Beethoven und der Faust aufgeführt. Ich erwähne diese Erlebnisse hier, weil sie durchaus von ärztlich-psychologischem Interesse sind.

Sollten jemals Staaten noch einmal in die Notwendigkeit kommen, Menschen in Lagern gefangenhalten zu müssen, so sollte es ihre humane Verpflichtung sein, sofort in diesen Lagern ein kulturelles Eigenleben aufzubauen, um so die geistige und körperliche Gesunderhaltung der ihnen anvertrauten Menschen zu sichern.

Man könnte hier einwenden, daß Sowjetrußland dieses Rezept, zumindest in den späteren Jahren, praktiziert habe. Die Tätigkeit der sowjetischen Politoffiziere war in Wirklichkeit aber eine Einmischung, die das aus sich heraus entstandene kulturelle Eigenleben oft genug in Frage stellte. Man wollte dieses Phänomen vor den sowjetischen Propagandawagen spannen. Der Zwang, nur solche Werke aufzuführen, die prokommunistisch und prorussisch waren, veranlaßte viele Kulturgruppen und auch die Lagerinsassen zu passivem Widerstand. Man merkte die Absicht und war verstimmt. Nur bei diplomatisch nachgebendem Verhalten auf beiden Seiten war es möglich, den Kameraden doch noch das Programm zu bringen, das ihnen zur seelischen Gesunderhaltung dienlich war.

Die zweite Art starker seelischer Beeinträchtigung war der ständige äußere Druck durch die Gewahrsamsmacht mit dem Ziel der völligen äußeren und inneren Versklavung. In der sowjetischen Gefangenschaft war der Kriegsgefangene der Willkür des russischen Lagerpersonals hilflos ausgesetzt. Alle Hinweise auf internationale Abmachungen, ja auf Erlasse des sowjetischen Generals für das Kriegsgefangenenwesen wurden von den untergeordneten Organen kaltlächelnd als für sie nicht bindend abgetan. Typisch dafür war die stereotyp wiederkehrende Redensart

„Hier bin ich Natschalnik". Diese Willkür machte sehr bald Schule bei den von den russischen Lagerbehörden eingesetzten deutschen Brigadieren und Lagerführern. Man mußte sich prügeln lassen und dabei noch seinen Peinigern gegenüber freundlich tun, wenn man sein Leben erhalten wollte. Ist es da ein Wunder, wenn so mancher in seinem Charaktergefüge daran zerbrach, wenn er innerlich nicht mehr die notwendige Kraft zum Widerstand aufbrachte und in seinem ganzen Sein zum Sklaven wurde? Er war ja nur noch eine Nummer, ein Arbeitssklave mit kahlgeschorenem Kopf, dem wie in alten Zeiten auf dem Sklavenmarkt ins Gesäß gekniffen wurde, um bei der Kommissionierung die Güte und Kategorie der Ware festzustellen.

Dystrophie und seelische Versklavung waren die beiden Hauptmomente, die zu typischen Dauerveränderungen in der Psyche der Kriegsgefangenen führten. Durch sie wurde ein Lebensknick bewirkt, den man bei ehemaligen Kriegsgefangenen auch heute noch nach vollkommener körperlicher Erholung immer wieder feststellen kann, wenn man mit subtilen Methoden und der notwendigen Hinwendung zum Fragekomplex untersucht.

Im übrigen sorgte die sogenannte „Blaue Abteilung", der Operativoffizier, dafür, daß die Kette des seelischen Stresses in der Gefangenschaft nicht abriß. Nächtliche Vernehmungen, häufige körperliche und seelische Mißhandlungen, ständige Bespitzelung durch ein Heer von Denunzianten, so daß man selbst dem besten Freund nicht trauen konnte, Ausstreuung von Parolen, die einen ständigen Wechsel von Hoffnungen und Enttäuschungen bedingten und plötzliches Abschieben einzelner oder ganzer Gruppen aus dem Lager mit unbekanntem Ziel brachten immer neue seelische Schocks und ein ständiges Gefühl der Unsicherheit und Ungewißheit. Verständlich ist es, daß dieses Gefühl schließlich zur Stumpfheit und Gleichgültigkeit wurde, zu einer ganz anderen fatalistischen Lebensauffassung, wie wir sie auch draußen, außerhalb des Lagers bei den sogenannten „Freien" sahen: Man lebte nur für den Tag. Eine Vorsorge für später erschien unsinnig, weil man vollkommen unberechenbaren Gewalten ausgesetzt war. Es gab kein Sparen, kein Aufbewahren, kein Planen. Ich denke, daß die Kenntnis dieser Lebenshaltung

bei der Beurteilung von Heimkehrern aus Rußland wichtig ist. Manche, dem nicht betroffenen Bundesbürger unverständliche Reaktionsweisen lassen sich daraus erklären. Und es dürfte für viele Heimkehrer doch wohl schwer sein, eine durch Jahre hindurch geübte einmal eingefahrene Lebensgewohnheit wieder aufzugeben.

Bei den nach 1950 Heimgekehrten trat zu diesen psychischen Belastungen noch ein neuer Schock hinzu: Die Massenverurteilung in Scheinprozessen ohne die Möglichkeit einer Verteidigung. Der Unbeteiligte versuche sich einmal in die seelische Situation dieser Menschen hineinzuversetzen. Seit Jahren war man immer wieder mit der Aussicht auf eine Heimkehr innerhalb kurzer Frist vertröstet worden. Russische Offiziere gaben ihr Ehrenwort, daß Weihnachten 1949 alle zu Hause sein würden. Endlich sollte es soweit sein. Da kam kurz zuvor diese „Dezimierung" der Truppe, diese Massenverhaftung aus den Lagern heraus, ohne daß man eine Begründung dafür finden konnte, warum gerade dieser und der andere nicht davon betroffen wurde. Wie oft kamen in dieser Zeit Kameraden zu mir, die mir mit glaubhaften Worten darlegten, daß sie unschuldig seien und daß es daher doch unmöglich zu einer Verurteilung kommen könnte. Sie waren nicht davon zu überzeugen, daß es bei diesem Auswürfeln um das Schicksal des einzelnen gar nicht um Schuld oder Unschuld des Betroffenen, sondern um eine politische Aktion ging. Bei der allgemeinen dumpfen Verzweiflung befürchtete ich Massenselbstmorde. Es kam aber anders. Alle, die dieses unwürdige „Gerichtsverfahren" mit der stereotypen Verurteilung zu fünfundzwanzig Jahren Zwangsarbeit miterlebt hatten, gerieten in eine euphorische Stimmung. Die Tatsache des erlittenen Unrechts gab ein Gefühl des Märtyrertums, des patriotischen Stolzes und der verschworenen Gemeinsamkeit. Diese Weihnachtstage 1949 in den Moskauer Gefängnissen werden für alle, die sie miterlebt haben, unvergeßlich bleiben. Erst später, als das tägliche Einerlei des Lagerlebens wieder einsetzte, wuchs langsam wieder die innere Verzweiflung. War diese Verurteilung nur ein Schreckschuß der Sowjets oder sollten wir wirklich für alle Zeit Heimat und Familie nicht mehr wiedersehen? Diese Zweifel waren nicht unberechtigt, weil schon kurz nach der Verurteilung ein Großteil der

Schicksalsgenossen nach Hause fuhr. Immer wieder folgten dann einzelne, im Jahre 1953 schließlich eine große Zahl, ohne daß man aus der Auswahl irgend etwas über die Absichten der Sowjets in bezug auf die Zurückgebliebenen schließen konnte. Verständlich ist es, daß nach jedem solchen Transport unter den Zurückgebliebenen ein heftiger seelischer Schock entstand und damit gleichzeitig ein Anschwellen aller vegetativen Störungen und reaktiven Depressionen. Auf der einen Seite stand die Hoffnung, daß nun doch bald die Reihe an die eigene Person käme, genährt durch viele Lagerparolen, zum Beispiel über irgendwelche Anzeichen für einen bevorstehenden Transport, auf der anderen Seite Enttäuschung und Angst.

Diese Gegensätze erzeugten eine ständige fiebrige Spannung, die mit Fortdauer der Gefangenschaft bei manchem ein „Überdrehen" zur Folge hatte. Die bange Frage, ob man das Ende der Kriegsgefangenschaft und die Heimkehr noch erleben würde, rief besonders bei den älteren und kranken Kriegsgefangenen eine Art Torschlußpanik hervor, die des öfteren eine psychogene Symptomatik und eine Überbewertung vegetativer Störungen mit sich brachte.

Der letzte große Schock, der die Kriegsgefangenen traf, war die Heimkehr und die Aufgabe der Wiedereingliederung in Familie, Berufsleben und Gesellschaft. Sicherlich war es für die meisten ein freudiger Schock. Für manchen Heimkehrer stand neben der Freude aber auch die Bitterkeit, hervorgerufen durch den Tod geliebter Menschen, Zerstörung der Ehe, Verlust der Heimat und Antreffen gänzlich veränderter Verhältnisse. Auch diese seelischen Beeinträchtigungen gehören zu den Schäden der Kriegsgefangenschaft, da sie ohne die vorhergehende jahrelange Abwesenheit nicht eingetreten wären. Sie verursachten zumindest eine Verlangsamung im Abebben der seelisch-körperlichen Folgen der Gefangenschaft.

Überschauen wir so die mannigfachen psychischen Beeinträchtigungen, denen die Kriegsgefangenen auf Jahre hinaus ausgesetzt waren, so dürfte es selbstverständlich sein, daß sie nicht ohne bleibende oder langanhaltende Folgen vorübergehen konnten. Sicherlich spielt die Anlage eines Menschen bei der Verarbeitung eines seelischen Dauerstresses eine bedeutende Rolle. Aber nur ein gemütskalter Psychopath könnte von all diesen Erlebnissen unbeeindruckt bleiben. Der charakterlich Normalgeartete dürfte wohl für sein ganzes ferneres Leben irgendwie daran zu tragen haben. Mit Schärfe muß daher die Auffassung einiger Ärzte zurückgewiesen werden, daß es sich bei den seelischen Folgen der Kriegsgefangenschaft lediglich um neurotische Fehlverarbeitung von Gefangenschaftserlebnissen handle, die nicht dem Zwang von Ursache und Wirkung folgen, sondern bestimmten Zwecken dienten. Eine solche Beurteilung kann nur aus einer vollkommenen Verkennung der tatsächlichen Schwere der seelischen Beeinträchtigung entstehen. Der seelische Dauerstreß ist ein wesentlicher Faktor zur Entstehung der sogenannten „Heimkehrerkrankheiten". Nach unseren Erfahrungen hat er im Somatischen vor allem zwei krankhafte Folgen:

Vegetative Störungen und vorzeitige Alterung. Wenn hier alle Faktoren aufgezählt werden sollen, die zur Entstehung von „Heimkehrerkrankheiten" geführt haben, darf man selbstverständlich die konstitutionellen Gegebenheiten nicht außer acht lassen. Erst aus dem Wechselspiel zwischen inneren und äußeren Faktoren ist die Buntheit der Symptome im Ablauf der einzelnen Krankheitsbilder zu verstehen. Der Faktor der erbgebundenen Veranlagung ist in jedem Fall mit in Rechnung zu setzen. Nicht angängig ist es dagegen, die Anlage für die körperlichen und seelischen Folgen der Kriegsgefangenschaft allein verantwortlich zu machen. Das gilt vor allem für die obengenannten, in der Kriegsgefangenschaft massenhaft aufgetretenen Erkrankungen. Nur bei der Summation aller schädigenden Faktoren kann man zu einem Verständnis und zu einer gerechten Beurteilung der „Heimkehrerkrankheiten" kommen. Vor allem bedarf das seelische Trauma der Kriegsgefangenschaft einer eingehenderen Würdigung und gerechteren Einschätzung.

Anhang

Sowjetische Kriegsgefangenenlager 1944

ARCHANGELSK
Molotowsk

LENINGRAD
Sjastroj
Antropschino
Boksitogorsk
Borowitschi
Tscherepowjez
Sokol
RIGA
Wisch.Wolotschek
WOLOGDA
Grjasowjez
Daugawpils (Dünaburg)
Ostaschkow
Uglitsch
TSCHTSCHERBAKOW
KIROW
KÖNIGSBERG
Toropetsch
KALININ
Kineschma
Michajlowo
WILNJUS
Rschew
Wojkowo
Susdal
Wetlutskij
Borissow
Lunowa
WLADIMIR
WARSCHAU
MINSK
WITEBSK
Krasnogorsk
MOSKAU
GORKI
Arsk
ISC
Orscha
SMOLENSK
Moschajsk
Wolschsk
MOGILEW
KALUGA
Oranki
KASAN
Ela
Bobruisk
Suchinitschi
Aleksin
Rjasan
Temnikow
ULJANOWSK
GOMEL
Beschiza
TULA
Jawas
Potma
Saransk
LWOW
Brody
Unetscha
BRJANSK
Lebedjan
Morschansk
Tarnopol
Dobrus
Tschernigow
Usman
TAMBOW
PENSA
Schitomir
KURSK
Stanislaw
Proskurow
KIEW
WORONESCH
Atkarsk
Wolsk
KUYBISC
Winniza
Sumy
SARATOW
Tscherkassy
POLTAWA
CHARKOW
Urjupinsk
Belzy
Kupjansk
Frolowo
KIROWOGRAD
KISCHINEW
DNJEPROPETROWSK
Kramatorsk
Lissitschansk
Dubowka
Tiraspol
SAPOROSCHJE
Gorlowka
WORSCHILOWGRAD
STALINGRAD
BUKAREST
ODESSA
Nikolajew
MAKEJEWKA
Kr. Lutsch
Beketowka
Melitopol
STALINO
Schachty
Taganrog
Nowotscherkassk
Dschankoj
ROSTOW
SIMFEROPOL
KRASNODAR
ASTRACHAN
Sewastopol
Chutorok
Noworossijsk
Armawir
Tuapse
Georgiewsk
Suchumi
GROSNYJ
Telawi
TBILISI
Rustawi
BAKU

▲ Lagergründung 1941/42

■ Lagergründung 1943

● Lagergründung 1944

╌ ╌ Frontverlauf Dezember 1943

⋯⋯ Frontverlauf Dezember 1944

olikamsk
Kisel
Basjanowskij ■
Tirinsk ●
LOTOW
▲ Nisch.Tagil
Alapajewsk ●
Resch ■ TJUMEN ●
▲ Asbest
▲ SWERDLOWSK
rabasch ● ▲ Kyschtym
Ascha
▲ TSCHELJABINSK

▲ MAGNITOGORSK

OW
otroick
■ ORSK

KARAGANDA ▲
▲ Spasskij Zawod
Karabasch ●

● Jurga

NOWOSIBIRSK ●

TASCHKENT ■
Tschuama ■
Kokand ■
Pachta Aral ■
Kysyl-Kija ■
Begowat

200   400 km

Urteil

Im Nahmen der Union der Sowjetische Sozialistische Republik 26 märz 1949 jahre stadt Minsk Kriegsgerichthof truppen Ministerium Innere Angelegenheiten Minsker Gebiet

Bestehend aus: vorsitzender major Djatkow beisitzende-mitglider: Jeratschin und Wasenkow bei sekräter Carmanow ohne teilnahme Staats- und Rechts-anwalt mit Ausschuss der Offentlichkeit hat in verhandlung genomen Sache über anklage der kriegsgefangene ehemalige deutsche Wehrmacht Oberst Leutnant

████████████████████████████████████

Deutschland, deutscher, Deutsches Reich Staats-angehörige, Hehere ausbildung, Parteilos verheiratet, früher nicht bestraft, bei der Deutsche Wehrmacht het gedint seid 1915-1920 jahre und 1936 bis gefangennahme in verbrechen gemäss teil Î. des Erlas der Präsidium der UdSSR von 19.4.1943 jahre.

Hat verurteilt:

████████████████████ auf grund teil Î. Erlass der Präsidium der Oberste Sowjet der UdSSR von 19.4.1943 jahre mit sanktion artikel 2 Erlas der Präsidium der Oberste Sowjet der UdSSR von 26 mai 1947 jahre „Über abschafung des Todesurteils' Freiheit entziehen in Zwängsarbettslager in termin 25 (fünf und zwanzig) jahre lang

Termin bestrafung zurechnen mit untersuchungs-
haft termin seit 19 Februar 1949.
Über Urteil-spruch kann Erak besahrvehen
durch kassazions ordnung du Kriegsgerichtshof
der Weiszrusische Bezierk MJA WdSSR aber durch
Kriegsgerichtshof truppen MJA Minsker Gebiet
im Laufende 72 Stunden zeit empfangnahme
der Auszug aus Urteil angerlange.
                Urteil unterzetchnen
                        vorstzende major Djatkow
Auszug rchtsg: Dolmetscherin Wasiliewa

Ein Urteil

Nur sehr wenige Original-Urteile sind erhalten.
Dieses Urteil erging am 26. März 1949. Es ist die
deutsche Übersetzung des russischen Originals
und konnte von dem Verurteilten, der auf der
Aushändigung bestand, unentdeckt mit nach
Hause gebracht werden. Die Schwärzung von
Namen, Geburtsdatum und Geburtsort des Ver-
urteilten erfolgte auf dessen ausdrückliche Bitte.

Der „Kommissarbefehl" vom 6. 6. 1941

Geheime Kommandosache
Anlage zu OKW/WFSt/Abt. L IV/Qu
Nr. 44 822/41 g.K.Chefs

Chefsache!
Nur durch Offiziere!

Richtlinien für die Behandlung
politischer Kommissare.

Im Kampf gegen den Bolschewismus ist mit einem Verhalten des Feindes nach den Grundsätzen der Menschlichkeit oder des Völkerrechts *nicht* zu rechnen. Insbesondere ist von den *politischen Kommissaren aller Art* als den eigentlichen Trägern des Widerstandes eine haßerfüllte, grausame und unmenschliche Behandlung unserer Gefangenen zu erwarten. Die Truppe muß sich bewußt sein:

1. In diesem Kampf ist Schonung und völkerrechtliche Rücksichtnahme diesen Elementen gegenüber falsch. Sie sind eine Gefahr für die eigene Sicherheit und die schnelle Befriedung der eroberten Gebiete.

2. Die Urheber barbarisch asiatischer Kampfmethoden sind die politischen Kommissare. Gegen diese muß daher sofort und ohne weiteres mit aller Schärfe vorgegangen werden.
   Sie sind daher, wenn im Kampf oder im Widerstand ergriffen, grundsätzlich sofort mit der Waffe zu erledigen.

Im übrigen gelten folgende Bestimmungen:

I. Operationsgebiet

1. Politische Kommissare, die sich *gegen unsere Truppe* wenden, sind entsprechend dem „Erlaß über Ausübung der Gerichtsbarkeit im Gebiet Barbarossa" zu behandeln. Dies gilt für Kommissare jeder Art und Stellung, auch wenn sie nur des Widerstandes, der Sabotage oder der Anstiftung hierzu verdächtigt sind. Auf die „Richtlinien über das Verhalten der Truppe in Rußland" wird verwiesen.

2. Politische Kommissare als *Organe der feindlichen Truppe* sind kenntlich an besonderen Abzeichen – roter Stern mit goldenem eingewebtem Hammer und Sichel auf den Ärmeln – (Einzelheiten siehe „Die Kriegswehrmacht der UdSSR" OKH/Gen.St.d.H.O.Qu IV Abt.

Fremde Heere Ost (II) Nr. 100/41 g. vom 15. 1. 1941 unter Anlage 9d). Sie sind aus den Kriegsgefangenen *sofort*, d. h. noch auf dem Gefechtsfelde, abzusondern. Dies ist notwendig, um ihnen jede Einflußmöglichkeit auf die gefangenen Soldaten zu nehmen. Diese Kommissare werden nicht als Soldaten anerkannt; der für Kriegsgefangene völkerrechtliche Schutz findet auf sie keine Anwendung. Sie sind nach durchgeführter Absonderung zu erledigen.

3. *Politische Kommissare, die sich keiner feindlichen Handlung schuldig machen oder einer solchen verdächtig sind,* werden zunächst unbehelligt bleiben. Erst bei der weiteren Durchdringung des Landes wird es möglich sein, zu entscheiden, ob verbliebene Funktionäre an Ort und Stelle belassen werden können oder an die Sonderkommandos abzugeben sind. Es ist anzustreben, daß diese selbst die Überprüfung vornehmen.
   Bei der Beurteilung der Frage, ob „schuldig oder nicht schuldig", hat grundsätzlich der persönliche Eindruck von der Gesinnung und Haltung des Kommissars höher zu gelten, als der vielleicht nicht zu beweisende Tatbestand.

4. In den Fällen 1. und 2. ist eine kurze Meldung (Meldezettel) über den Vorfall zu richten:
   a) von den einer Division unterstellten Truppen an die Division (Ic),
   b) von den Truppen, die einem Korps-, Armeeober- oder Heeresgruppenkommando oder einer Panzergruppe unmittelbar unterstellt sind, an das Korps- usw. Kommando (Ic).

5. Alle oben genannten Maßnahmen dürfen die Durchführung der Operationen nicht aufhalten. Planmäßige Such- und Säuberungsaktionen durch die Kampftruppe haben daher zu unterbleiben.

II. Im rückwärtigen Heeresgebiet.
   Kommissare, die im rückwärtigen Heeresgebiet wegen zweifelhaften Verhaltens ergriffen werden, sind an die Einsatzgruppe bzw. Einsatzkommando der Sicherheitspolizei (SD) abzugeben.

III. Beschränkung der Kriegs- und Standgerichte.

Die Kriegsgerichte und die Standgerichte der Regiments- usw. Kommandeure dürfen mit der Durchführung der Maßnahmen nach I und II nicht betraut werden.

Aus: OKW/WFSt/L IV, Chefsachen Barbarossa, BA-MA RW 4/ v. 578)

Befehl Nr. 227 des Volkskommissars für Verteidigung J. W. Stalin vom 28. 7. 1942

Der Feind wirft dauernd neue Kräfte an die Front. Ungeachtet der für ihn großen Verluste dringt er vorwärts und in die Tiefe der Sowjet-Union ein. Er besetzt neue Gebiete, verödet und zerstört unsere Städte und Dörfer, vergewaltigt, beraubt und erschlägt die sowjetische Bevölkerung. Die Kämpfe finden statt im Gebiet Woronesch, am Don, im Süden, an den Toren des Südkaukasus. Die deutschen Eindringlinge drängen nach Stalingrad und zur Wolga und wollen um jeden Preis Kubj erobern, den wirklichen Kaukasus mit seinen Reichtümern an Erdöl und Getreide.

Der Feind hat schon Woroschilowgrad, Starabols, Rossosch, Kupinsk, Waluiki, Nowotscherkassk, Rostow am Don und halb Woronesch genommen. Ein Teil der Truppen an der Südfront hat sich hinter die Panikmacher gestellt und Rostow, Nowotscherkassk ohne ernstlichen Widerstand aufgegeben, ohne Befehl von Moskau, und seine Fahnen mit Schande bedeckt. Die Bewohner unseres Landes, die der Roten Armee Liebe und Hochachtung entgegenbringen, beginnen sich in ihr enttäuscht zu fühlen und verlieren das Vertrauen zur Roten Armee. Viele aber verwünschen die Rote Armee, weil sie unser Volk unter das Joch der deutschen Bedrücker stellt und selbst nach Osten entweicht. Einige unvernünftige Menschen an der Front trösten sich mit dem Gerede, daß wir uns weiter zum Osten zurückziehen können, weil wir ein großes Territorium, viel Land, viele Einwohner besitzen, und daß wir unbegrenzt viel Brot haben werden. Hiermit wollen sie ihre entehrende Handlungsweise an der Front rechtfertigen, jedoch erweisen sich solche Redensarten als durch und durch falsch und verlogen, die nur unseren Feinden nützen.

Jeder Kommandeur, Rotarmist und politische Arbeiter müssen begreifen, daß unsere Mittel nicht unbegrenzt sind. Das Territorium des Sowjetstaates ist keine Wüste, sondern Menschen, Arbeiter, Bauern, Intelligenz, unsere Väter, Mütter, Frauen, Brüder, Kinder. Das Territorium der UdSSR, das der Feind besetzt hat und besetzen will, das sind Brot und andere Produkte für die Armee und die Heimat, Metalle, Heizmaterial für die Industrie, Fabriken, Werke, die Versorgung der Armee mit Waffen und Munition, sowie Eisenbahnen.

Nach dem Verlust der Ukraine, Weißrußlands, des Baltikums, des Donez-Beckens und anderer Gebiete verblieb uns ein viel geringeres Territorium, viel weniger an Menschen, Brot, Metall, Werken und Fabriken. Wir haben über 70 Mill. Einwohner verloren, über 800 Mill. Pfd. Brot und 10 Mill. to Metall jährlich. Wir sind schon jetzt den Deutschen nicht mehr an menschlichen Reserven und an Brotessern überlegen. Weiter zurückweichen bedeutet, sich selbst und damit unser Vaterland zu vernichten. Jeder Fetzen des uns verbliebenen Territoriums wird in gleicher Weise den Druck des Feindes verstärken, wie er die Verteidigung unserer Heimat schwächt. Aus diesem Grunde muß das Gerede, daß wir ein großes Territorium und die Möglichkeit haben, uns unbegrenzt zurückzuziehen, mit der Wurzel ausgerottet werden. Unser Land ist groß und reich, wir haben viele Einwohner, wir werden immer Brot im Überfluß haben. Solches Gerede erweist sich als verlogen und schädlich: Sie schwächen uns und stärken den Feind; denn beenden wir nicht das Zurückziehen, verbleiben wir ohne Brot, ohne Heizmaterial, ohne Metall, ohne Rohstoffe, ohne Werke, ohne Fabriken und ohne Eisenbahnen.

Daraus muß gefolgert werden, daß es Zeit ist, den Rückzug zu beenden, keinen Schritt zurück. Das muß unsere erste Aufgabe sein. Jede Stellung muß bis zum letzten Blutstropfen verteidigt werden, ebenso jeder Meter des sowjetischen Territoriums. Wir müssen uns an jeden Fetzen sowjetischer Erde klammern und ihn bis zur letzten Möglichkeit verteidigen.

Unser Vaterland erlebt schwere Tage. Wir müssen stehenbleiben und danach den Feind zurückwerfen und ihn zerschlagen, was es auch kosten möge. Die Deutschen sind nicht so stark, wie es den Panikmachern erscheint, sie setzen die letzten Kräfte ein. Ihrem Schlag jetzt und in den nächsten paar Monaten standhalten, d. h. uns den Sieg sichern. Können wir den Schlag aushalten und anschließend den Feind zurückwerfen? Ja, das können wir, denn unsere Werke und Fabriken in der Heimat arbeiten jetzt ausgezeichnet und unsere Front bekommt mehr und mehr Flugzeuge, Panzer, Artillerie und Minenwerfer. Woran mangelt es denn bei uns?

Es mangelt an Ordnung und Disziplin in den Kompanien, Bataillonen, Regimentern, Divisionen, Panzer-Abteilungen und Flieger-Staffeln. Darin liegt jetzt unser Hauptmangel.

Wir müssen in unserer Armee strengste Ordnung und Disziplin errichten, wenn wir die Lage retten und unser Vaterland verteidigen wollen. Es dürfen von jetzt an keine Kommandeure, Kommissare, pol. Arbeiter, Abteilungen und Vereinigungen weiterhin geduldet werden, die bereit sind, Kampfstellungen aufzugeben. Es darf nicht mehr geduldet werden, daß Kommissare, pol. Arbeiter es zulassen, daß einige Panikmacher die Lage auf dem Schlachtfeld bestimmen, indem sie sich im Rückzug von den anderen Soldaten losreißen und dem Feind die Front öffnen. Panikmacher und Schwätzer sind auf der Stelle zu erschießen.

Von jetzt an muß nach eisernem Gesetz an jeden Kommandeur, Rotarmisten und pol. Arbeiter die Forderung gestellt werden, keinen Schritt zurück, ohne Befehl der höchsten Kommandostelle. Die Zugführer, Btl.-, Rgts.-, Div. Kommandeure, verantwortlichen Kommissare und pol. Arbeiter, die ohne höheren Befehl aus der Kampfstellung zurückweichen, gelten als Vaterlandsverräter. Mit solchen Kommandeuren und pol. Arbeitern ist in gleicher Weise zu verfahren wie mit Landesverrätern. Das ist die Forderung unseres Vaterlandes. Diese Forderung erfüllen, heißt unsere Ehre zu verteidigen, unser Vaterland zu retten, den gehässigen Feind zu vernichten und zu besiegen.

Nach dem Winterrückzug unter dem Druck der Roten Armee, als sich bei den deutschen Truppen die Disziplin lockerte, statuierten die Deutschen zur Wiedererrichtung der Disziplin einige strenge Exempel, die keine schlechten Resultate brachten. Sie errichteten über 100 Strafkompanien für Soldaten, die sich gegen die Disziplin vergangen hatten durch Geschwätz oder Wankelmut, brachten sie in gefährliche Frontabschnitte und befahlen ihnen, sich von ihren Vergehen durch Blut loszukaufen. Sie stellten die Strafbataillone aus Kommandeuren zusammen, die sich gegen die Disziplin vergangen hatten durch Geschwätz oder Wankelmut, brachten sie in noch gefährlichere Frontabschnitte und befahlen ihnen, sich durch Blut von ihren Vergehen loszukaufen.

Letzten Endes richteten sie Spezial-Sperrabteilungen ein, stellten sie in den Rücken wankelmütiger Divisionen und befahlen ihnen, auf der Stelle Panikmacher zu erschießen, im Falle des Versuches, selbständig die Stellungen zu räumen und freiwillig in Gefangenschaft zu gehen. Wie bekannt verfehlten diese Beispiele ihre Wirkungen nicht, und jetzt schlagen sich die deutschen Truppen besser als im Winter. So ergibt es sich denn, daß die Truppen eine gute Disziplin haben, wenn ihnen auch das hohe Ziel, die Vaterlandsverteidigung fehlt. Sie haben nur das eine räuberische Ziel, ein fremdes Land zu unterjochen, unsere Truppen dagegen, die das hohe Ziel haben, ihr beschimpftes Vaterland zu verteidigen, besitzen nicht eine solche Disziplin und erleiden in Anbetracht dessen Niederlagen. Müssen wir nicht infolgedessen in diesen Sachen bei unseren Feinden lernen, wie dies in der Vergangenheit unsere Vorfahren bei den Feinden taten und dann über sie den Sieg errangen?

Ich bin der Meinung, daß wir es müssen.

Das Oberkommando der Roten Armee befiehlt:

1. Den Kriegsräten der Front und vor allem dem Kommandeur der Front

a. Unbedingt die Rückzugsstimmung bei der Truppe zu beenden und mit eiserner Hand die Propaganda zu unterbinden, daß wir uns weiter nach Osten zurückziehen können und müssen, als ob aus einem Rückzug kein Schaden entstände.

b. Unbedingt Armee-Kommandeure, die einen selbständigen Rückzug aus den besetzten Stellungen ohne Befehl des Frontkommandeurs dulden, ihres Postens zu entheben und sie zur Aburteilung vor das Kriegsgericht zu stellen.

c. An der Grenze der Front 1–3 Strafbataillone aufzustellen, je nach Lage, in Stärke von

8000 Mann. In diesen die mittleren und höheren Führer und die verantwortlichen politischen Arbeiter aller Waffengattungen unterzubringen, die sich gegen die Disziplin durch Geschwätz oder Wankelmut vergangen haben, und sie in den schwierigen Frontabschnitten einzusetzen, um ihnen die Möglichkeit zu geben, sich durch Blut von ihren Sünden gegen das Vaterland loszukaufen.

2. Den Kriegsräten der Armee, und vor allem dem Kommandeur

a. Unbedingt ihres Postens zu entheben die Kommandeure und Kommissare der Kors und Divisionen, die den selbständigen Rückzug der Truppen aus den besetzten Stellungen dulden, ohne Befehl des Armee-Kommandeurs, und sie den Frontkriegsrat zu übergeben zur Vorführung vor das Kriegsgericht.

b. An den Grenzen der Armee 3–5 gut bewaffnete Sicherungs-Abteilungen von je 200 Mann aufzustellen, sie unmittelbar im Rücken der wankelmütigen Divisionen aufzustellen und sie zu verpflichten, im Falle eines ungeordneten Zurückweichens von Abteilungen der Divisionen auf der Stelle die Panikmacher und Schwätzer zu erschießen und damit den ehrenhaften Soldaten der Division zu helfen, ihre Pflicht dem Vaterland gegenüber zu erfüllen.

c. An den Grenzen der Armee 5–10 Strafkompanien je nach Lage in Stärke von je 150 bis 200 Mann aufzustellen, in denen die Mannschaften und die Unteroffiziere unterzubringen sind, die sich durch Lockerung der Disziplin, durch Geschwätz oder Wankelmut vergangen haben und sie in schweren Frontabschnitten der Armee einzusetzen, um ihnen die Möglichkeit zu geben, sich von ihrem Vergehen gegen das Vaterland durch Blut loszukaufen.

3. Den Kommandeuren und Kommissaren der Kors und Divisionen

a. Unbedingt die Regiments-, Bataillons-Kommissare und Kommandeure ihres Postens zu entheben, die ein selbständiges Rückgehen von Abteilungen dulden, ohne Befehl des Kors- oder Divisions-Kommandeurs. Ihnen die Orden und Medaillen abzunehmen und sie an die Frontkriegsräte abzugeben zur Weiterleitung an das Kriegsgericht.

b. Den Sicherungs-Abteilungen der Armee jede Hilfe und Unterstützung zu gewähren, in Sachen Festigung der Ordnung und Disziplin in den Abteilungen. Den Befehl allen Kompanien, Schwadronen, Batterien, Staffeln und Kommandos bekanntzugeben.

Der Kommandeur für Verteidigung
J. Stalin

(Aus: Pol. Arch. KultPol. Geheim, Bd. 172, Berichte der V.A.A. bei den AOK)

Die Verpflegung der deutschen Kriegsgefangenen und die sowjetische Ernährungslage

Die allgemeine Versorgungslage und die Gefangennahme großer Massen deutscher Kriegsgefangener führte in allen Ländern des europäischen Kontinents in den Monaten vor und nach dem Ende des Zweiten Weltkrieges dazu, daß die Verpflegung der Kriegsgefangenen zunächst außerordentlich schlecht war und der Hunger beträchtliche Opfer forderte. Doch in keinem Gewahrsamslande war die Versorgung mit Lebensmitteln und Kleidung so schlecht wie in der Sowjetunion. Hier war die Lage der deutschen Kriegsgefangenen in jeder Beziehung am schwersten. Sie wurden länger zurückgehalten als in den westlichen Gewahrsamsstaaten, und das Datum ihrer Rückkehr war unsicher, so daß die Ungewißheit zu einer schweren seelischen Last wurde. Sie mußten in einem Lande leben, dessen politische und gesellschaftliche Ordnung ihnen fremd und kaum durchschaubar war, dessen Klima, besonders im Winter, ihnen unzuträglich war und dessen Sprache mühsamer zu erlernen war als eine der west- oder südeuropäischen Sprachen.

War das Schicksal der deutschen Kriegsgefangenen in der Sowjetunion unter diesen Bedingungen von vornherein schwerer als das der Gefangenen in anderen Gewahrsamsstaaten, so kam für sie die außerordentlich schlechte Versorgungslage als zusätzliche Belastung hinzu. Diese muß von vornherein, um die richtigen Perspektiven zu finden, mit den Zerstörungen und Verlusten kontrastiert werden, die der Angriffskrieg des nationalsozialistischen Deutschland über die Sowjetunion brachte.

Nachdem der Krieg* am 22. Juni 1941 begonnen hatte, drangen die deutschen Truppen schnell und tief in das Land ein. Zur Zeit des Höhepunktes der militärischen Erfolge im Herbst 1942 stand ein Raum vorübergehend unter deutscher Herrschaft, in dem 1940 etwa 88 Millionen Menschen, d. h. etwa 45% der sowjetischen Bevölkerung, gelebt hatten. Dieses besetzte Gebiet, zu dem vor allem die Ukraine gehörte, umfaßte 47% der gesamten Anbaufläche der UdSSR; in ihm befanden sich etwa 50% des gesamten sowjetischen Viehbestandes. In ihm lagen vor Kriegsbeginn über 100 000 Kollektivwirtschaften und 3000 Maschinen-Traktoren-Stationen. Ganz besonders schwerwiegend war es, daß 52% des Kornanbaugebietes und sogar 86% des Zuckerrübenanbaugebietes besetzt waren. Die Ernährungslage der nicht direkt vom Kriege berührten Sowjetunion war daher außerordentlich schwierig, was sich auch auf die Verpflegung der vor Kriegsende in sowjetische Hand gefallenen deutschen Kriegsgefangenen auswirken mußte.

Das von den Deutschen besetzte Gebiet geriet aber keineswegs intakt in ihre Hände. Infolge des schnellen Vormarsches der deutschen Truppen beruhten die Zerstörungen weniger auf den Kampfhandlungen als vielmehr auf der Politik der „verbrannten Erde", welche die Sowjets selbst betrieben. „Nach dem chaotischen Rückzug im Juni/Juli 1941 nahmen sowjetische Zerstörungsbataillone mit Hilfe der Roten Armee und des NKWD eine gründliche Vernichtung von wirtschaftlichen Einrichtungen und Vorräten vor, die aus der Kriegszone nicht hatten abtransportiert werden können." Soweit wie möglich wurden die Betriebseinrichtungen der Schwerindustrie abgebaut und hinter dem Ural in neuen Betrieben wieder aufgebaut, um die kriegswichtige Versorgung weiterhin zu sichern. Damit wurden zugleich neue Kapazitäten geschaffen, die dem Wachstum der sowjetischen Investitionsgüterindustrie nach dem Kriege dienten. Was zurückgelassen werden mußte, wurde nach Möglichkeit vernichtet.

Der nationalsozialistische Partei- und Behördenapparat bemühte sich dann während der Besatzungszeit, die Wirtschaft wieder aufzubauen und ihre agrarische und industrielle Produktivität zu steigern, freilich nicht im Interesse der einheimischen Bevölkerung, sondern um dem Lande soviele Güter wie irgend möglich zur Versorgung der deutschen Wehrmacht und Zivilbevölkerung

zu entziehen. Von 1942 an wurden 41% der Getreideernte im besetzten Gebiet der Sowjetunion der deutschen Versorgung zugeführt, der größte Teil für die Wehrmacht. Während die besetzten Gebiete und ihre Bevölkerung brutal ausgebeutet und unterdrückt wurden, wurde der Produktionsapparat doch geschont und durch deutsche Lieferungen von Kunstdünger, Kohle, Maschinenteilen usw. in Gang gehalten.

Doch als mit Stalingrad November 1942/Januar 1943 die Wende des Krieges eingetreten war und die deutschen Truppen in schweren Kämpfen wieder aus dem Lande gedrängt wurden, nahmen die Zerstörungen sowohl durch die Härte der Kampfhandlungen wie durch die Vernichtungsmaßnahmen der Deutschen noch einmal ein furchtbares Ausmaß an.

Welchen Umfang sie bei Kriegsende erreicht hatten, kann hier nur nach den amtlichen sowjetischen Zahlen und nur an einigen Beispielen gezeigt werden. Es waren 13 000 Brücken, 4100 Bahnhöfe und 65 000 km Schienenstrecke zerstört, 15 800 Lokomotiven und 428 000 Eisenbahnwagen beschädigt und außer Betrieb gesetzt worden, nicht zuletzt für die Lebensmittelversorgung. Die Elektrizitätswirtschaft litt unter der vollständigen oder teilweisen Zerstörung von 61 Großkraftwerken und umfangreichen, durch die Deutschen vorgenommenen Demontagen. Die unzulängliche Stromversorgung wirkte sich in der Landwirtschaft wie in der Industrie aus. Im ganzen waren 31 850 Industriebetriebe, darunter 749 Werke des schweren und mittleren Maschinenbaus, vernichtet worden. Obgleich die Industrie in den nicht besetzten Gebieten der Sowjetunion durch Verlagerungen und Neugründungen beträchtliche Erfolge hatte, betrug die Bruttoproduktion der gesamten sowjetischen Industrie – einschließlich der Rüstungsindustrie – im Jahre 1945 nur 92% des Standes von 1940; darunter kamen 59% auf Konsumgüter. Die kriegsbedingte Zurückdrängung der Verbrauchsgüterproduktion zugunsten der Rüstungs- und Investitionsgüterindustrie führte dazu, daß z. B. der Bedarf an Kleidung nur in einem sehr verringertem Umfange gedeckt werden konnte. Im Jahre 1945 wurden nur 41% der Baumwollgewebe, 45% der Wollgewebe und 30% der Lederschuhe erzeugt, die 1940 produziert worden waren.

Für die Frage, der dieses Buch gewidmet ist, die Verpflegung bzw. den Mangel an Verpflegung der deutschen Kriegsgefangenen, ist die Lage der sowjetischen Landwirtschaft unter den Auswirkungen des Krieges am wichtigsten. Im Gebiet der Kampfhandlungen wurden außer 1710 Städten mehr als 70 000 ländliche Ortschaften, 98 000 Kolchosen, 1876 Sowchosen und 2890 Maschinen-Traktoren-Stationen ganz oder teilweise zerstört. Nach dem Ende der Besatzung betrug der Bestand an Traktoren nur noch 50%, an Mähdreschern 58% der Vorkriegszahl, und diese Maschinen befanden sich zumeist in schlechtem Zustand. Ebenso waren die Viehbestände in diesen Gebieten erschreckend zusammengeschmolzen: Pferde auf 28%, Rinder auf 40%, Schafe und Ziegen auf 30% und Schweine auf 10% des Vorkriegsstandes.

Auch in der übrigen Sowjetunion hatte die Landwirtschaft unter den Kriegsbedingungen gelitten. Der Mangel an männlichen Arbeitskräften infolge der Einberufung zum Wehrdienst wirkte sich trotz der umfangreichen Heranziehung von Frauen, auch zur Bedienung der landwirtschaftlichen Maschinen, sehr spürbar aus. Die Industrie produzierte Panzer anstelle von Traktoren. Es fehlte an Düngemitteln. Die Ausweitung der Anbauflächen und die Steigerung der Arbeitsleistungen in den vom Krieg zerstörten Gebieten konnten alle diese Mängel nicht ausgleichen. Die sowjetische Landwirtschaft ging daher in schwer geschädigtem Zustand in den Frieden hinein.

Sehr schwer waren zweifellos die Bevölkerungsverluste, die der Krieg verursachte. Über sie liegen keine amtlichen Zahlen vor. Ihre Höhe ist um so schwerer zu schätzen, als die Sowjetunion in den Jahren 1939 und 1940 sowie bei Kriegsende große territoriale Gewinne machte und damit auch eine um etwa 13% größere Bevölkerungszahl hatte. Prokopovicz errechnete den militärischen und zivilen Kriegsverlust der Bevölkerung auf 16,8 Millionen Menschen. Hierzu kommt der Geburtenausfall. Dobb begnügt sich damit, einen Verlust von 10–20 Millionen anzunehmen. Es gibt eine Schätzung, die unter Berücksichtigung des Geburtenausfalls sogar auf rund 43 Millionen kommt. Jedenfalls waren die durch den Krieg verursachten Gesamtverluste sehr hoch.

Die deutschen Kriegsgefangenen waren daher der Sowjetunion als Arbeitskräfte sehr willkommen. Sie wurden bedeutend länger zurückgehalten als die Kriegsgefangenen in den westlichen Gewahrsamsländern. Die Sowjetunion suchte sich dieses Arbeitspotential so lange wie möglich zu erhalten.

Während die Höhe der gesamten Menschenverluste der Sowjetunion nicht genau bekannt ist, liegen genaue Zahlen über die sowjetischen Kriegsgefangenen vor, die in deutscher Hand während des Krieges gestorben sind. Man kann sich nicht mit dem Hunger der deutschen Kriegsgefangenen in der Sowjetunion und mit der großen Zahl derer, die dort starben, befassen, ohne zuvor diese Zahlen in ihrem ganzen Gewicht auf sich wirken zu lassen.

Nach nationalsozialistischer Auffassung waren die sowjetischen Soldaten nur Untermenschen, die vernichtet werden mußten, soweit sie nicht als Arbeitskräfte unentbehrlich waren. „Während man in Berlin herumstritt und die Armeen kämpften, starben die Gefangenen. Es gibt eine Fülle beredter Zeugnisse dafür, daß ganze Divisionen dem Verderben unter freiem Himmel preisgegeben wurden. Seuchen und Krankheiten räumten in den Lagern auf. Schläge und Übergriffe seitens der Wachmannschaften waren an der Tagesordnung. Millionen blieben wochenlang ohne Nahrung und Obdach. Wenn Gefangenentransporte an ihrem Bestimmungsort ankamen, gab es ganze Güterwagen voll von Toten. Angaben über die Höhe der Verluste schwanken beträchtlich, doch betrugen diese im Winter 1941/42 nirgendwo weniger als 30 v. H.; in manchen Fällen erreichten sie 95 v. H.".

Das Ergebnis dieser unmenschlichen Behandlung war, wie die amtlichen deutschen Akten ergeben, daß nach dem Stand vom 1. Mai 1944 von mehr als fünf Millionen sowjetischer Kriegsgefangener in deutschem Gewahrsam über zwei Millionen gestorben waren und mehr als eine weitere Million vermißt, von denen der größte Teil gestorben oder exekutiert, eine kleine Zahl geflohen war. Die Zahl der zu diesem Zeitpunkt noch lebenden sowjetischen Gefangenen in deutschem Gewahrsam betrug wenig mehr als eine Million.

Während des Ersten Weltkrieges 1914–18 fielen 158 104 deutsche Soldaten in russischer Kriegsgefangenschaft. Ihre Sterblichkeitsquote betrug

39,45%. Gleichzeitig gab es 1 434 529 russische Kriegsgefangene in Deutschland. Von ihnen starben trotz der schwierigen Versorgungslage, die sich von 1916 an ständig verschärfte, nur 5,39%. Legt man die amtlichen deutschen Zahlen bis zum 1. Mai 1944 zugrunde, so starben während des Zweiten Weltkrieges bis zu diesem Datum etwa 60% der sowjetischen Kriegsgefangenen in deutschem Gewahrsam. Während des Krieges fielen maximal 3½ Millionen deutsche Soldaten in sowjetische Hand. Von ihnen ist etwa eine Million gestorben, zu denen eine unbekannte Zahl der auf Transport Gestorbenen kommt. Etwa ein Drittel der deutschen Kriegsgefangenen in der Sowjetunion ist also gestorben, zum allergrößten Teil bis zum Jahre 1948, in dem sich die Sterblichkeitsrate normalisierte; es waren prozentual etwas weniger, als während des Ersten Weltkrieges in Rußland den Tod fanden, und beträchtlich weniger als die Zahl der sowjetischen Kriegsgefangenen, die während des Zweiten Weltkrieges in deutschem Gewahrsam starben.

Die Zahl aller dieser Toten ist eine furchtbare und unvergeßliche Mahnung. Sie darf auch nicht vergessen werden, wenn in diesem Buch von den Leiden der deutschen Kriegsgefangenen unter dem Druck des jahrelangen Hungers gesprochen wird. Ebensowenig darf die Versorgung der deutschen Kriegsgefangenen geschildert werden, ohne zugleich die Versorgungslage der sowjetischen Bevölkerung zu beachten.

* Anm. d. Hrsg.: Gemeint ist der Feldzug gegen Rußland.
(Aus: Zur Geschichte der deutschen Kriegsgefangenen des Zweiten Weltkriegs, Band III, Die deutschen Kriegsgefangenen in der Sowjetunion, Der Faktor Hunger. Von Hedwig Fleischhacker, München 1965, S. XI–XIII)

Sühnemarsch in Jugoslawien
Aus einem Heimkehrerbericht

„Sühnemarsch" nennen die Jugoslawen das Geschehen in den ersten Wochen nach dem Zusammenbruch. Die geschlagene deutsche Armee und mit ihr ihre Hilfstruppen sollten in einer großen Leidensdemonstration durch die befreiten Gebiete geführt werden, um deren Bewohnern den tiefen Fall der Deutschen zu zeigen. Die Gefangenen sollten leiden, sollten einen Vorgeschmack von den Qualen der Opfer des Nationalsozialismus bekommen. Immer wieder hieß es bei diesem oder jenem Kommissar: „Das hat die SS da und dort, in diesem oder jenem Konzentrationslager vorgeführt." Die dahintrottenden, geschlagenen, zermürbten Deutschen nennen jene Tage den „großen Hungermarsch". Als solcher wird er in die Lebensgeschichte aller Teilnehmer eingehen, denn fast alle tragen Folgen jener Strapazen, der Hiebe, des Hungers, des Durstes, der Hitze am Tage und der kalten Feuchtigkeit in den Nächten unter dem offenen Himmel ihr Leben lang mit sich hinaus.

Am 10. Mai stand die „Marschgruppe Arndt" etwa von 9 Uhr an „entrümpelt" in langer Reihe vor dem Lager Cilli. Sie trat den Marsch durch das Tal der Sawe flußabwärts an. Sie hatte eine besonders schießwütige Postengruppe am Schluß. Den ganzen Tag hasteten Ermattete nach vorn, weil ihnen die Schluß-Schüsse Angst und Entsetzen eingeflößt hatten. Mit der Marschgruppe zog die gleiche Straße eine große Train-Kolonne der Tito-Armee. Diese hatte sich ein besonderes Vergnügen ausgesonnen. Sie jagte in staubaufwirbelndem Galopp durch die ganze Marschgruppe bis wenige hundert Meter davor, dann verhielt sie, bis sich die Marschgruppe hindurchschlängelte, um danach erneut vorzujagen.

Stundenlang wurde marschiert. Gewiß, der Kommissar legte zuweilen eine Rast ein. Aber die immer mehr verängstigten und vertierenden Menschen zerstörten sich jede Möglichkeit des Ausruhens. Es war sicherlich ein Vorteil, wenn man an der Spitze des Zuges ging. Da wurden mit dem Kommissar Marschtempo und Pausen ausgemacht, da waren die Posten geduldiger, da waren die Quellen nicht so stark umlagert. Also wollten viele gerne vorne sein. Wurde jetzt von vorne eine Rast eingelegt, dann gehorchte etwa die erste Hälfte des Zuges. Die andere Hälfte aber drängte geschlossen an den Haltenden vorbei, um nach vorne zu kommen. Hinter den letzten aber schritten die Schlußposten. Sie blieben hinter ihrer seitherigen Schlußrotte, folglich trieben sie schreiend, prügelnd und schießend die Lagernden wieder hoch und jeder Rastversuch wurde so sabotiert. Vernünftige postierten sich zuweilen am Straßenrand, um ein allgemeines Halten zu erzwingen. Es war aussichtslos. Die letzten in ihrer Angst und Schwäche verdarben allen jedesmal die Rast.

Durch Train- und Lkw-Kolonnen wurde die Marschgruppe Arndt am Abend des 19. Mai stark auseinandergezogen. Es war in der Gegend des eindrucksvollen Ortes Steinbrück, der in der halben Zerstörtheit durch schwere, jüngst vorangegangene Fliegerangriffe wie eine Ruine des Schlachtfeldes aus der Götterdämmerung aussah. Am Straßenrand lungerten Halbwüchsige und Partisanen herum. Ein oder zwei Bewaffnete packten sich diesen oder jenen Deutschen und beraubten ihn. Uhren, Ringe, Brillen, Schuhe, Waffenröcke, Taschen und Tornister, alles war begehrt. Was die Straßenräuber enttäuschte, wurde vernichtet. So wurden Brillen zertreten, Kompaßgeräte zerschlagen, Medikamente und Verbandszeug zugrundegerichtet. Die Marschgruppe hastete in wilder Verzweiflung vorwärts. Offensichtlich machten die Posten mit den Plünderern gemeinsame Sache, sie blieben während der ganzen Strecke durch den Ort unsichtbar. Es ging auch ohne sie weiter, weil jeder wieder aufs freie Feld wollte. Um die Menschen noch weiter einzuschüchtern, trieb eine Gruppe von Partisanen durch die ganze Enge unter fürchterlichen Kolbenhieben eine aneinandergefesselte Kette von etwa dreißig prawoslawischen Bauern, d. h. den langhaarigen königstreuen „Četnici" des Generals Mihailović, hindurch. Die hageren Gesichter dieser Männer waren verzerrt zu Masken der verkörperten Todesangst. Es schoß überall, schlimmer als in manchem Gefecht. Von Angst überflügelt hetzten die Männer voran. Plötzlich im freien Feld waren auch wieder Posten da, ordneten die Gruppe und trieben sie mit lautem „Haijob!" schneller dahin. Unverkennbarer Kadavergeruch begleitete die Kolonne. Gefallene Menschen und tote Pferde verwesten am Straßenrand, der nun schon seit zwei Wochen dem ärgsten Elend der Kreatur zusah.

Beim ersten Morgengrauen des 20. Mai stieß die Marschgruppe Arndt zu vielen anderen tausend Gefangenen auf einem Wiesengelände bei Lichtenwald in Slowenien. Hier sollte aus deutschen Verpflegungsreserven eine warme Mahlzeit ausgegeben werden, doch wurden die Feldküchen beim Eintreffen bereits ausgekratzt und abgefahren. Die zweite Stunde der Pause rundete sich eben, als die ganze anstehende und lagernde Masse von neuem aufgetrieben wurde. Alsbald schritt das Gros wieder dahin, dem Ausgang der slowenischen Gebirgslandschaft zu. Ein Gerücht, das durch ein überholendes englisches Auto mit dem C. C. – Zeichen der Diplomaten – eine neue Nahrung fand, wollte wissen, die Marscheile sei durch einen alliierten Befehl an die Tito-Gruppen hervorgerufen, Slowenien unverzüglich zu räumen und den nachrückenden Briten zu übergeben. Auf der Lichtenwalder Wiese kam nun ein älterer deutscher Hauptmann auf die Idee, durch Zögern sich und alle die auf ihn hören wollten, den Engländern in die Hand zu spielen. Er wollte genau wissen, daß die ersten Briten noch am gleichen Vormittag auftauchen würden und hatte von Mund zu Mund für ein Zurückbleiben werben lassen. Einige Optimisten, vor allem aber die meisten Ermatteten, hörten auf die Sirenenschalmei. Tatsächlich blieben beim Wiederantreten etwa 200 Mann zunächst einmal liegen. Die letzten Posten sehen dieser ihnen unverständlichen Geschichte zunächst einmal zu. Als aber der graue Heerwurm allmählich in der Ferne verschwand, packte sie die Wut. Sie prügelten die Männer, sie riefen nach einem Dolmetscher. Sie stellten den Hauptmann und einige „Dienstgrade" an den Schluß des Haufens und ließen übersetzen: Sofort werde im Laufschritt der Anschluß an die Hauptmasse gesucht. Wer falle, werde erschossen, wer über die letzte Rotte hinaus zurückzubleiben versuche, gefährde sein und dieser Rotte Leben. Mit Stöcken werde die Schlußrotte ihr Leben gegen die Abfallenden verteidigen. Dieser Befehl ist ausgeführt worden. Der Hauptmann hat die, die auf ihn gehört haben, mit Stockhieben traktieren müssen, um sich am Leben zu halten und konnte den Tod der Zusammenbrechenden nicht verhindern. Keuchend, verstört, mit verzerrten Gesichtszügen kam das Häuflein dem Gros nachgerannt. So begann der Pfingstsonntag 1945.

(Aus: Zur Geschichte der deutschen Kriegsgefangenen des Zweiten Weltkriegs, Band I,1. Die deutschen Kriegsgefangenen in Jugoslawien 1941–1949. Von K. W. Böhme, München 1962, S. 115/118).

Wege in die polnische und tschechoslowakische Gefangenschaft

Nur ein Teil [der während der letzten Kampftage an der Ostfront, zum größten Teil jedoch in der Kapitulationsphase gefangengenommenen Soldaten], höchstens 10% der 700 000 bis 800 000 (grob geschätzt) deutschen Kriegsgefangenen aus dem Kampfraum Polen–Ostdeutschland, wurde von den Sowjets an Polen zur Arbeitsleistung übergeben. Ein weit geringerer Teil der schätzungsweise eine Million Kriegsgefangenen des Kampfraums ČSR–Sachsen, ca. 25 000, verblieb in tschechischem Gewahrsam, nicht gerechnet die ca. 5000 deutschen Kriegsgefangenen, die auf dem Territorium der ČSR, jedoch unter sowjetischer Oberhoheit, in den Urangruben von Joachimsthal (Jáchymov) eingesetzt waren . . .

Man muß sich die besondere Situation der letzten Kampfhandlungen an der Ostfront klar vergegenwärtigen. Kriegsgefangenschaft entstand hier unter völlig anderen Bedingungen als in den vorausgegangenen Kriegsjahren, aber auch unter anderen Gegebenheiten als in der Endphase der Kämpfe an der West- oder Südfront. Gefangennahme wird schicksalsmäßig viel schwerer empfunden, wenn sie sich angesichts einer sich auflösenden einheitlichen Heeresführung und der immer offenbarer werdenden völligen Niederlage vollzieht. Nach Beendigung der Kampfhandlungen mag die Gefangennahme auf „heimatlichem" Territorium zunächst weniger niederdrückend gewesen sein, denn viel stärker war die Annahme oder die Hoffnung, daß die Entlassung nur noch eine Frage von Tagen sein könne. Umso größer mußte die Enttäuschung aber gewesen sein, als die Heimkehr nicht Wochen oder Monate, sondern Jahre auf sich warten ließ.

Eine weitere Besonderheit der letzten Kriegstage an der Ostfront stellt, im Vergleich etwa zur Westfront, das Chaos der sich planlos von Ort zu Ort bewegenden Massen von Zivilpersonen dar: Flüchtlingstransporte aus den bereits von sowjetischen Truppen besetzten Ostgebieten, vor der Front zurückweichende Zivilbevölkerung, sich absetzende Behörden, Wehrmachtdienststellen usw. Hier herrschte ein Durcheinander, das kein anderes rückwärtiges Frontgebiet gegen Ende des Krieges in diesem Ausmaß gekannt hat. Zwangsläufig und gewollt kam es zu einer starken Vermischung von Soldaten und Zivilisten, ein Umstand, der es uns so schwer macht, für die nach der Waffenruhe folgende Zeit stets deutlich zwischen Soldaten/Kriegsgefangenen und Zivilisten/Internierten zu unterscheiden. Zwar gerieten seltener Zivilisten mit Soldaten zusammen in ein ausgesprochenes Kriegsgefangenenlager, aber öfter war es umgekehrt: Soldaten mischten sich in Zivilkleidung unter die internierte Zivilbevölkerung und verloren damit ihren Status von Kriegsgefangenen. Diese „Dunkelziffer" läßt sich auf keine Weise auch nur annähernd bestimmen.

Da im Gegensatz etwa zu den westlichen Gewahrsamsstaaten von Polen und der ČSR keinerlei offizielle Statistiken über Zahl und Art des Einsatzes deutscher Kriegsgefangener veröffentlicht wurden oder in anderer Form zugänglich waren, können alle Zahlen über das Kriegsgefangenenkontingent in Polen und der ČSR nur Schätzwerte sein, ausgenommen allerdings die Angaben über die Belegstärken der einzelnen Kriegsgefangenenlager, wie sie in den Berichten der Delegierten des IKRK* zu finden sind.

Es gibt noch einen weiteren Faktor, der die Ermittlung einer einigermaßen genauen Kriegsgefangenenzahl in diesen Gewahrsamsländern sehr erschwert: nach Eintritt der Waffenruhe am 8. Mai 1945 sind zahlreiche deutsche Soldaten aus Sammellagern der Alliierten regulär entlassen worden und oft in Unkenntnis der ihnen drohenden Gefahren (nicht selten auch auf abenteuerlichsten Wegen) in ihre Heimat in Ostdeutschland (unter sowjetischer Besetzung oder polnischer Verwaltung) und in die ČSR (meist Sudetenland) zurückgekehrt. Nicht selten wurden diese Entlassenen schon auf ihrem Heimweg durch Polen oder Tschechen wieder „eingefangen", oft aber auch erst an ihrem Heimatort nach Wochen „verhaftet" und entweder in zivile Internierungs- oder in Kriegsgefangenenlager verbracht. Nach der Genfer Konvention waren dies eigentlich keine Soldaten mehr, konnten also auch nicht wieder Kriegsgefangene werden.

Anm. d. Hrsg.: Internationales Komitee des Roten Kreuzes.

(Aus: Zur Geschichte der deutschen Kriegsgefangenen des Zweiten Weltkriegs, Band IX, Die deutschen Kriegsgefangenen in Polen und der Tschechoslowakei. Von Otto Böss, München 1974, S. 1–3)

Bildquellenverzeichnis

Herausgeber und Verlag danken den Verfassern der Beiträge für die freundliche Überlassung von Fotos, Zeichnungen und persönlichen Dokumenten.
Folgende Archive bzw. Fotografen stellten Bildvorlagen zur Verfügung und erteilten ihre Genehmigung zum Abdruck:

APN	18, 42, 52/53, 59, 62, 82, 93, 115 (unten), 134, 168 (unten), 169
Bundesarchiv Koblenz	168 (oben)
E. P. Hassenstein	39 (oben), 42, 49, 117, 118, 119, 175,
Hans Schürer	12, 13, 14, 15, 25, 26, 27, 28, 29, 33, 81, 123, 124, 125, 153, 158/159
Süddeutscher Verlag – Bilderdienst –	21, 23, 36, 37 (unten), 40/41, 54, 55, 61, 63, 64 (unten), 177, 185, 186, 187, 188 und Foto auf Vorderseite des Schutzumschlages
Ullstein Bilderdienst	19, 37 (oben), 115 (oben), 116, 182, 191

Die Lagerkarte auf den Seiten 196/197 wurde angefertigt nach Angaben in: *Zur Geschichte der deutschen Kriegsgefangenen des zweiten Weltkrieges, Beilage zu Band VII, Die deutschen Kriegsgefangenen in sowjetischer Hand.*
Von Johann Anton, München 1967.

Dieser große Bild-Text-Band dokumentiert 25 Jahre nach der Rückkehr der letzten deutschen Soldaten aus Rußland in Bildern, Briefen und Berichten die Erfahrung Kriegsgefangenschaft, die in einer ganzen Generation ihre Spuren hinterlassen hat.

Fast 11 Millionen Deutsche wurden im Laufe des Zweiten Weltkriegs gefangengenommen – 3.800.000 Soldaten im Osten. Von ihnen kehrten nach jahrelanger Gefangenschaft nur 2 Millionen zurück. Die anderen kamen in den Lagern und auf den Todesmärschen ums Leben oder sind vermißt.

Dieses Buch vereinigt die eindrucksvollen Selbstzeugnisse Überlebender. Hier kommen die unterschiedlichsten Stimmen zu Wort – der einfache Soldat wie der Offizier, die „halben Kinder" und die alten Männer des letzten Aufgebots, Insassen der Musterlager, die zur Zwangsarbeit Verurteilten, die deportierten Frauen ...

Diese Dokumentation ruft mit den Aussagen einzelner ein millionenfaches Schicksal in Erinnerung: den Augenblick der Gefangennahme, den Abmarsch zu den Sammelplätzen, die endlosen Transporte durch den Kontinent der Lager, Hunger und Kälte, Angst und Hoffnung; den täglichen Kampf ums Brot und den Versuch, mit den Mitgefangenen eine Welt minimaler Menschlichkeit aufzubauen; die Ungewißheit über das Schicksal der Angehörigen, das Warten, das Sterben und – für allzu wenige – die Heimkehr.

Dies war nicht nur eine deutsche Erfahrung. Wir wissen heute, daß 5 Millionen russische Soldaten in deutsche Kriegsgefangenschaft gerieten und daß 2 Millionen starben. Sie verhungerten, wurden von Krankheiten dahingerafft, viele wurden ermordet. Dieses Buch